AF238401

ACCESO GRATIS *a la Lectura en la Nube*

Para visualizar el libro electrónico en la nube de lectura envíe junto a su nombre y apellidos una fotografía del código de barras situado en la contraportada del libro y otra del ticket de compra a la dirección:

ebooktirant@tirant.com

En un máximo de 72 horas laborales le enviaremos el código de acceso con sus instrucciones.

APUNTES DE DERECHO DE LA SEGURIDAD SOCIAL

APUNTES DE DERECHO DE LA SEGURIDAD SOCIAL

JULIANA MORAD ACERO

Profesora
Pontificia Universidad Javeriana

tirant lo blanch
Bogotá D.C., 2019

© Juliana Morad Acero

© TIRANT LO BLANCH
  EDITA: TIRANT LO BLANCH
  Calle 69A No. 4-88, Bogotá D.C.
  Telf.: 4660171
  Email: tlb@tirant.com
  www.tirant.com
  Librería virtual: www.tirant.es
  ISBN: 978-84-1313-749-0

Si tiene alguna queja o sugerencia, envíenos un mail a: *atencioncliente@tirant.com*. En caso de no ser atendida su sugerencia, por favor, lea en *www.tirant.net/index.php/empresa/politicas-de-empresa* nuestro procedimiento de quejas.

Responsabilidad Social Corporativa: http://www.tirant.net/Docs/RSCTirant.pdf

Tabla de contenido

SUBSISTEMA DE SALUD

SUBSISTEMA DE PENSIONES

SUBSISTEMA DE RIESGOS LABORALES

SERVICIOS SOCIALES COMPLEMENTARIOS

La presente obra es una recolección del material (normas, jurisprudencia y doctrina) que he recopilado y analizado en las clases de Seguridad Social que llevo impartiendo en diferentes universidades durante los últimos cuatro años. Es el resultado de un esfuerzo conjunto entre mis estudiantes, sus inquietudes y comentarios, y mi esfuerzo por transmitir un contenido claro, preciso y actualizado. A mis estudiantes, gracias. Son sus preguntas y visión crítica, las que han complejizado y enriquecido mi comprensión sobre nuestro Sistema de Seguridad Social.

ABREVIATURAS

ARL:	Administradora de Riesgos Laborales.
BEPS:	Beneficios Económicos Periódicos.
COPACOS:	Comités de Participación Comunitaria en Salud.
CP:	Constitución Política.
CPACA:	Código de Procedimiento Administrativo y de lo Contencioso Administrativo.
CPTSS:	Código Procesal del Trabajo y de la Seguridad Social.
CRES:	Comisión de Regulación en Salud.
DANE:	Departamento Administrativo Nacional de Estadística.
EPS C:	Empresa Promotora de Salud del Régimen Contributivo.
EPS S:	Empresa Promotora de Salud del Régimen Subsidiado.
ESE:	Empresas sociales del Estado.
FARC-EP:	Fuerzas Armadas Revolucionarias de Colombia Ejército del Pueblo.
FOSFEC:	Fondo de Solidaridad, Fomento al Empleo y Protección al Cesante.
IBC:	Ingreso Base de Cotización.
IBL:	Ingreso Base de Liquidación.
ICBF:	Instituto Colombiano de Bienestar Familiar.
INPEC:	Instituto Nacional Penitenciario y Carcelario.
INS:	Instituto Nacional de Salud.
INVIMA:	Instituto Nacional de Vigilancia de Medicamentos y Alimentos.
IPC:	Índice de Precios al Consumidor.
IPS:	Instituciones Prestadoras de Salud.
IPSI:	Instituciones Prestadoras de Salud Indígenas.
OMS:	Organización Mundial de la Salud.
PIDCP:	Pacto Internacional de Derechos Civiles y Políticos.
PIDESC:	Pacto Internacional de Derechos Económicos, Sociales y Culturales.
RAIS:	Régimen de Ahorro Individual con Solidaridad.
RPM:	Régimen de Prima Media con Prestación Definida.
SENA:	Servicio Nacional de Aprendizaje.
SGSS:	Sistema General de Seguridad Social en Salud.
SISBEN:	Encuesta del sistema de identificación y clasificación de potenciales beneficiarios de programas sociales.
Smlmv:	Salarios Mínimos Legales Mensuales Vigentes.

UGPP: Unidad Administrativa Especial de Gestión Pensional y Contribuciones Parafiscales de la Protección Social.

UPC: Unidad de Pago por Capitación.

USPEC: Unidad de Servicios Penitenciarios y Carcelarios.

INTRODUCCIÓN A LA SEGURIDAD SOCIAL

1. LAS NECESIDADES SOCIALES DE LA HUMANIDAD A LO LARGO DE LA HISTORIA

La humanidad se ha enfrentado a lo largo de la historia a diferentes contingencias que podemos aventurarnos a decir que son propias y que dependen enteramente del momento histórico en que surgen. Los griegos no entendían como contingencias las mismas situaciones que hoy calificamos como contingencias, por ejemplo.

No obstante depender de las condiciones particulares de cada momento histórico, la doctrina las ha clasificado en tres clases, que resultan ilustrativas para fines académicos:

- Naturales: A las que nos vemos avocados todos los seres humanos sin excepción, es decir, por la misma condición humana no nos podemos escapar a su ocurrencia: la muerte y vejez.

- Patológicas: Derivan de la naturaleza humana pero están supeditas a la ocurrencia de factores externos que las pueden o no generar, de tal suerte que no son necesarias sino posibles: la enfermedad, maternidad, paternidad e invalidez.

- Sociales: Al igual que las anteriores dependen de factores externos, pero en este caso los factores externos se identifican con las condiciones sociales en las que se viva. Un ejemplo de ellas es el desempleo.

2. EVOLUCIÓN CONCEPTUAL PARA LLEGAR A LA SEGURIDAD SOCIAL

A continuación, expondremos la evolución conceptual de la seguridad social de la mano de Gerardo Arenas Monsalve. Antes de hacerlo, vale indicar que se expone como un desarrollo evolutivo porque se busca mostrar a la seguridad social como el mejor mecanismo posible para atender contingencias, al tiempo de mostrar de qué manera, cada nuevo eslabón de esta cadena evolutiva, mejora las falencias del anterior.

Se trata igualmente de una evolución conceptual porque analiza a la seguridad social con independencia de las condiciones históricas en las que nació.

Se señala que, no obstante existir una evolución que antecede a la existencia de la seguridad social, a esta evolución e incluso a la misma seguridad social, siempre la acompañará un esfuerzo individual para sobreponerse a las necesidades y contingencias.

Dicho esto, los diferentes medios a través de los cuales se pueden atender diferentes contingencias son:

* Respuesta asistencial: Es una respuesta social que se concentra fundamentalmente en evitar la indigencia. Esta se divide a su vez en:

  – Asistencia familiar: Nace por los vínculos familiares y la ayuda que se brinde dependerá enteramente de los ingresos de la familia y del grado cohesión de la misma.

  – Asistencia privada: Ya hay una organización más allá de los lazos familiares; se da por tanto un paso para la institucionalización de la respuesta y se conforman fondos privados. Sin embargo, es reactiva, esto es, no prevé la contingencia futura y al ser una dádiva, no se fundamenta en la dignidad humana.

  – Pública: Se estructura en el marco de la administración pública ya que surge a partir de las políticas públicas dentro de un Estado. Goza por tanto de un carácter jurídico-administrativo financiable con presupuesto general. Sin embargo, es una política que puede ceder ante otras, por lo que dependerá enteramente de la voluntad política del órgano de gobierno. Finalmente, busca atenuar o reparar pero no prevenir. (Arenas, 2011, pág. 6).

* Medida previsional: Es superior porque hay una organización financiera y una definición de necesidades previsibles. Hay diversas clases de medidas previsionales:

  – Individual: Hay un ahorro voluntario e individual que supone el sacrificio de ingresos actuales para cubrir necesidades futuras. Se resalta que dignifica al ser humano al hacerlo responsable de sí mismo; sin embargo, al ser voluntario, necesita conciencia de ahorro. Conciencia que a su vez se enfrenta con la lejanía con la que percibimos las necesidades futuras. Este mecanismo de igual manera, depende enteramente de los ingresos recibidos; y finalmente, puede ser insuficiente para atender todas las contingencias a las que se enfrenta el ser humano. (Arenas, 2011, págs. 9-11).

  – Mutualismo: Se habla de una previsión colectiva. Quien es asegurado es al mismo tiempo asegurador por lo que no se puede hablar propiamente de un tercero en quien se subrogue el riesgo. La organización mutual se encarga de recibir y repartir. Se crea un fondo común y por tanto se reparten las cargas o lo que es lo mismo se dispersa el riesgo: entre más afiliados mayor dispersión.

Entre los inconvenientes se señalan los siguientes: como su creación es voluntaria, puede no lograrse la dispersión y reparto de cargas esperado pues dependerá enteramente de la cantidad de personas que voluntariamente decidan vincularse a la mutualidad. La cobertura depende de los aportes y como se calcula al momento de ocurrir la contingencia, no hay una estimación previa de lo que podría costar una contingencia determinada. (Arenas, 2011, págs. 9-11).

– Seguro privado: También hay dispersión, pero a diferencia de la mutualidad, opera con las características de un seguro: hay una prima, que es el monto asumido como contraprestación debida a la aseguradora que ha asumido la cobertura del riesgo futuro; hay un hecho asegurable o contingencia futura frente a la que el tercero se obliga y una obligación condicional, que es el conjunto de obligaciones a las asume el asegurador y cuyo nacimiento depende de la ocurrencia del hecho asegurable. Se caracteriza por su tecnicidad: permite calcular claramente el costo de la prima en función de la probabilidad de ocurrencia del siniestro, asegurando una cobertura ajustada a la contingencia. Esta tecnificación a su vez permite una cobertura mayor de riesgos. Es de naturaleza contractual y dentro de sus ventajas también podemos resaltar el hecho de trasladar el riesgo a un tercero (a diferencia de la mutualidad en donde no hay claridad en torno a la existencia independiente de la mutualidad frente a sus afiliados). Dentro de sus inconvenientes se resalta que: es voluntario y de naturaleza contractual. Esto supone que cubrirá exclusivamente a aquellos quienes voluntariamente decidan suscribir un contrato de seguros y sólo frente a lo que se haya acordado. (Arenas, 2011, págs. 9-11).

* Sistema de los Seguros Sociales: son obligatorios pues son de origen legal, por tanto, no se reducen a lo que acuerden partes y su campo de protección en cuanto a los protegidos y contingencias cubiertas, está previamente definido en la ley; son gestionados por entes públicos y están orientados hacia fines estatales. Asume características técnicas del seguro privado, sin embargo, ya no se grava sólo al asegurado (no sólo se grava al trabajador que es el asegurado sino al empleador). A través de estos, el empleador se subroga en un tercero, es decir, le traslada una serie de obligaciones que antes asumía, a un tercero ajeno a la relación laboral. (Arenas, 2011, págs. 11-12).

Dentro de sus inconvenientes cabe resaltar que sólo cubre a los trabajadores: se trata entonces de un mecanismo dependiente de las relaciones laborales que desprotege a otro gran sector social. Requiere la
afiliación para asegurar: si no hay afiliación no hay protección; asegu-
ra sólo lo previsible: no busca proteger todos los riesgos que sucedan
sino sólo los que se previeron y establecieron en la ley; hay diferentes regímenes dependiendo de la naturaleza del riesgo lo que supone
que haya coberturas diversas; y finalmente, la cobertura depende del
aporte: es decir a mayor aporte se garantiza una mayor cobertura.

* Sistema de Seguridad social: Busca proteger todos los riesgos sociales:
no sólo los definidos por ley. Por eso puede ampliarse dependiendo
de las políticas sociales; se percibe como una protección para todo el
conjunto de la población diferenciándose del seguro social que exige
requisitos rigurosos para cada persona; la cobertura no depende del
aporte: hay uniformidad en cobertura y en aportes; hay una participación del presupuesto nacional fundada en el principio de solidaridad. Y finalmente también opera como un ideal político al que deben
inclinarse todos los Estados. (Arenas, 2011, pág. 12).

3. EVOLUCIÓN HISTÓRICA MUNDIAL

Pasamos a continuación a abordar brevemente la evolución histórica
que ha antecedido al nacimiento de la Seguridad Social y que nos ayuda a
entenderla como un momento histórico, esto es, particular y atada a unas
dinámicas concretas, a unas estructuras particulares y a unas demandas
propias de un grupo social, que no ha existido siempre, entre otras características que podemos derivar de su comprensión histórica.

3.1. *El mundo antiguo*

En Egipto se crearon instituciones de ayuda mutua, así como la atención
de enfermedades a partir de impuestos públicos. En Babilonia por su parte,
los dueños de los esclavos debían pagar un monto destinado a cubrir los
honorarios del médico que trataba a los esclavos enfermos. (Nugent, 2006,
pág. 603).

En Grecia, existía un impuesto destinado a la ayuda de quienes queda-
ban huérfanos como consecuencia de batallas. Existían también las *erans*
que eran asociaciones de trabajadores dirigidas a procurarse ayudas mu-

tuas; y las *hetarias* asociaciones de ayuda mutua entre esclavos. (Arenas, 2011, pág. 17).

En los países del medio oriente existieron las *wakouf* que eran asociaciones de carácter religioso en donde sus miembros donaban todas sus propiedades a favor de Dios y de los hombres que ostentaban cierto privilegio social. (Nugent, 2006, pág. 604).

En el mundo antiguo entonces, fue constante la conformación de asociaciones de grupos alrededor de una actividad laboral, religiosa o bélica, para la atención privada de necesidades derivadas de enfermedades o de la muerte de sus miembros. En estos casos, pertenecer a la asociación era condición necesaria para acceder a la ayuda en caso exclusivo de enfermedad o muerte de progenitor en la guerra.

Sin embargo, en algunos casos también se prestaba ayuda sin necesidad de pertenecer a un grupo como en Babilonia, Egipto y en Grecia, a través de tributos, es decir, conforme al mecanismo de beneficencia pública.

3.2. Edad Media

Las *guildas* de Escandinavia y de países germánicos del siglo VII, eran asociaciones dirigidas al socorro mutuo en caso de enfermedades y muerte. (Nugent, 2006, pág. 604). *"La guilda socorre a sus miembros enfermos y en caso de muerte se encarga de educar a los hijos huérfanos; si alguien (...) cae en la miseria, recibe apoyo económico durante su vida"*. (Arenas, 2011, pág. 18).

Las *cofradías o hermandades*, fueron asociaciones *"de ayuda mutua y religiosa que surgieron principalmente en España"* (Arenas, 2011, pág. 18) y cuya finalidad era auxiliar a los miembros enfermos, asistirlos y brindarles atención en sus propios hospitales. *"Otorgaban también auxilios por invalidez, vejez, accidente, muerte y otros.* (Arenas, 2011, pág. 18).

Las corporaciones de oficios fueron asociaciones de artesanos y comerciantes creadas con la *"finalidad de proteger a sus miembros y garantizar la calidad de sus productos y servicios."* (Arenas, 2011, pág. 18). Esta asociación le brindaba ayuda a sus miembros ante la enfermedad, *"desocupación y la incapacidad."* (Arenas, 2011, pág. 18).

Estas asociaciones privadas se formaron alrededor de actividades económicas y algunas fueron de carácter religioso. Se encargaron de socorrer igualmente y exclusivamente a sus miembros ante la ocurrencia de eventos futuros e inciertos como invalidez, accidentes y la desocupación; ciertos como la vejez y ciertos pero cuyo momento de ocurrencia se desconoce como la muerte.

3.3. *América precolonial*

En el imperio Inca el cultivo sobrante se depositaba en las *piruas* y era destinado a la atención en tiempos de escasez, bien por sequías o diversas calamidades, así como para atender a los ancianos, viudas y huérfanos.

En México existían el *calpulli,* en donde se brindaba protección a cualquiera de sus miembros que se enfermaba, sufría algún accidente, para seguir *"percibiendo la parte de los productos que sacaban."* (Nugent, 2006, pág. 605).

Estas asociaciones tenían una vocación de ayuda más amplia y estuvieron dirigidas a proteger a sus miembros frente a riesgos que podían afectar a los mismos miembros en su particularidad o a la comunidad en general.

Se podría indicar que se trata de un mecanismo de previsión mutual, al hacer provisiones ante contingencias futuras a través de un fondo, del que cualquiera podría beneficiarse ante la ocurrencia de una contingencia futura, y en donde sus miembros eran a la vez, asegurados y aseguradores.

3.4. *Derecho indiano*

Entendido como el derecho configurado en la colonización española de América Latina.

Gerardo Arenas, quien a su vez sigue a Liévano Aguirre indica que el régimen impuesto para los resguardos establecía que todas las ganancias conseguidas con ocasión de la venta de los productos indígenas, *"debían depositarse en un Arco de tres llaves"* (Arenas, 2011, pág. 19) que tenían el corregidor, el doctrinero y el cacique, destinado exclusivamente a *"aliviar las necesidades de los indios, pagar sus tributos, atenderlos en sus enfermedades y financiar las cosechas y el desarrollo de la comunidad."* (Arenas, 2011, pág. 19).

Se trata de un mecanismo de beneficencia pública con la consecuencia de dar lugar a dádivas y no a derechos, a través de un fondo público constituido con ocasión de las ventas.

3.5. Edad Moderna

En Francia, el Rey Luis XIV por iniciativa de *"su Ministro Colbert había contemplado a través de ordenanzas todas las reglas que en lo sucesivo habrían de regir la actividad comercial"* (Cortes Hernández, 2011, pág. 5) Estos desarrollos entorno a la producción comercial dieron origen a la protección de diversas contingencias derivadas de la misma.

Cortés Hernández indica tres mecanismos de previsión de estos grupos para atender diversas contingencias:

- Descuentos a las retribuciones percibidas por los trabajadores que prestaban sus servicios a la correspondiente actividad comercial, destinado a atender las enfermedades que pudiesen llegar a padecer. Esta carga económica la debía asumir exclusivamente el trabajador no el empleador. (Cortes Hernández, 2011, pág. 6).

- El anterior descuento cubría enfermedades de origen común. Sin embargo, comenzaron a realizarse también descuentos dirigidos exclusivamente a los trabajadores que se desempeñaran en actividades riesgosas para cubrir los accidentes o enfermedades surgidas con ocasión del trabajo. (Cortes Hernández, 2011, pág. 6).

- Se generó también una protección para un grupo de trabajadores con recursos económicos escasos y que hubiesen trabajado por lo menos durante un interregno de tiempo igual o superior a los 25 años y que habían llegado a una edad en la que se les imposibilitará seguir prestando sus servicios laborales. (Cortes Hernández, 2011, pág. 7).

3.6. Mundo contemporáneo y los seguros sociales

En Alemania se generaron dos mecanismos para atender las diversas necesidades sociales que fueron surgiendo. Siguiendo a Cortés existieron dos grandes creaciones que, en su orden histórico, corresponden a las siguientes:

1. Las cajas de socorros mutuos se crearon bajo el esquema mutual, para atender a los trabajadores a partir de fondos provenientes de los descuentos realizados sobre sus retribuciones y con la participación de los empleadores. Así las cosas, la atención del riesgo se distribuyó entre los empleadores y trabajadores. (Cortes Hernández, 2011, pág. 8).

2. El sistema de Seguros Sociales: El proceso de industrialización de Alemania en el siglo XIX empezó a generar riesgos en los trabajadores. A esto se sumó una crisis económica que llevó al cierre de fábricas y a huelgas que llevaron a su vez, a que los trabajadores empezaran a

ocupar cargos parlamentarios y a demandar protección por parte del Estado. Otto Von Bismarck, canciller de hierro, artífice de la unificación alemana, en respuesta, buscó atacar el origen de éstas demandas para enfrentar las exigencias proletarias a través del sistema de los seguros sociales, fundados en los conceptos jurídicos del contrato y el seguro. (Arenas, 2011, pág. 21).

Ese mecanismo de protección denominado sistema de los seguros sociales gozó de diversas características: 1. Asumió la protección de diversos riesgos, enfermedades, accidentes, invalidez y vejez; 2. Fue obligatorio, es decir, aplicó a todos los individuos destinatarios de la ley, sin que fuese necesario que obrase un acuerdo entre empleadores y trabajadores. 3. Hubo una separación en la regulación, institucionalización y en la manera de atender cada riesgo; 4. Se configuró a partir de un aporte bipartito, distribuido entre los empleadores y trabajadores; 5. El afiliado no podía escoger los riesgos frente a los cuales quería una protección; y 6. El Estado asume un papel como garante del sistema, que según Cortés, *"abarca más allá del simple establecimiento normativo y el debido control y vigilancia que el Estado está llamado a ejercer"* (Cortes Hernández, 2011, pág. 15), siendo esta característica el origen de *"las bases para establecer el Régimen Subsidiado."* (Cortes Hernández, 2011, pág. 15)[1].

Este sistema se extendió a Europa apoyado por los reclamos de las organizaciones obreras y la constitución de la OIT. (Arenas, 2011, pág. 24)[2].

3.7. *Mundo contemporáneo y la seguridad social*

Arenas Monsalve indica que a esta creación le siguió el surgimiento de la seguridad social a partir de la ley americana de 1935, encontrando una *"expresión más completa en Gran Bretaña, con el "Informe Beveridge"* (Arenas, 2011, pág. 25).

---

[1]   Este régimen consiste en:
   "que el estado canaliza sus propios recursos y los de aquellos afiliados con mayor capacidad de pago, con la exclusiva finalidad de subsidiar a las personas que no cuentan con recursos económicos que les garanticen el acceso al sistema, o a quienes siendo independientes su ingresos no les resultan suficientes para efectuar la totalidad del aporte que por ley están llamados a efectuar". (Cortes Hernández, 2011)

[2]   Este sistema se instauró en Rusia soviética, en los Estados Balcánicos, en los países de Europa occidental, y más tardíamente en Italia, Suiza, España y Portugal. (Arenas, El derecho colombiano de la Seguridad Social, 2011)

Luego de la crisis de 1929, se inició una política intervencionista en Estados Unidos, que finalmente produjo efectos en los esquemas de seguridad social. Se creyó que el Estado no debía garantizar solamente la protección ante las necesidades básicas hasta ahora reconocidas de enfermedad, accidente, vejez, muerte e invalidez, sino que debía garantizar a sus ciudadanos una vida digna. Nació entonces la denominada ley federal (no local) americana de 1935 que protegía a los ciudadanos ante el desempleo, que preveía una asistencia social a favor de ancianos, que establecía un *"Régimen de subvención (...) para apoyar familias con hijos"* (Arenas, 2011, pág. 26), y que además fijaba una tasa federal (no local) a cargo de todas las empresas. (Arenas, 2011, pág. 28).

El informe inglés de Beveridge por su parte y siguiendo a Arenas Monsalve, apoyó la intervención estatal sin desestimular la iniciativa individual en la atención de sus riesgos. Igualmente recomendó la agrupación de todas las instituciones que gestionaban la seguridad social, uniformando el sistema y unificando la administración de la gestión. (Arenas, 2011, pág. 28).

Este informe igualmente impactó no sólo en Gran Bretaña sino en otros países de Europa[3].

Ahora bien, este desarrolló histórico, impactó a Latinoamérica que además influyó en la constitución de la seguridad social[4].

Conforme a lo expuesto y sintetizándolo hasta acá, la manera como se ha afrontado las diversas necesidades sociales, no puede ser escindida de la sociedad y momento histórico en el que surgen. Esto hace que los mecanismos para identificarlas y atenderlas, hayan mutado a lo largo de la historia. Igualmente, no a todas las necesidades se les ha dado respuesta: dependiendo del momento y circunstancias particulares se les ha dado protección a algunas, excluyendo a otras. En el mundo clásico, por ejemplo, se atendía a los enfermos y afectados por la muerte del progenitor a través de fondos públicos; en esta época y en el medioevo se encuentran igualmente grupos que conforman mecanismos de asistencia privada para asistir exclusivamente a

---

[3]   En Francia, en Estados de Europa occidental, en Bégica, en Luxembrugo, España, en menor grado en Suiza, Italia, Alemania y Europa Oriental. (Arenas, El derecho colombiano de la Seguridad Social, 2011)

[4]   Tenemos de un lado la resolución suscrita por la OIT en Santiago de Chile en 1936 y la acción de lo Estados Americanos a favor de la seguridad social, *"(...) iniciada en los años treinta y que culminan, ya en la posguerra, con la Conferencia Internacional Americana de Bogotá (1948), en la que se aprobó la Carta de la Organización de Estados Americanos y la Declaración Americana de Derechos y Deberes del Hombre (...)"* (Arenas, El derecho colombiano de la Seguridad Social, 2011)

sus miembros ante contingencias como la indigencia; en el mundo indiano existieron fondos públicos dirigidos a atender una gama más amplia de necesidades a través de provisiones que apoyaban a los indígenas no sólo en la enfermedad sino en la financiación de sus cosechas; en América preco-lonial y el mundo moderno existieron mecanismos mutuales; y en el mundo contemporáneo estructuras legales, obligatorias y estatales de protección como los seguros sociales y la seguridad social que opera como un ideal de la política social de cada país.

4. INSTRUMENTOS INTERNACIONALES

Como se expuso, el concepto de Seguridad Social podría entenderse co-mo un fenómeno mundial, hecho que además se constata en los diferentes instrumentos internacionales a través de los cuales se construyó la previsión jurídica de la Seguridad Social.

4.1. *Declaración Universal de los Derechos Humanos*

4.1.1. Contexto histórico y político en el que surge la Declaración Universal de los derechos Humanos

Tras la segunda guerra mundial, Europa y Asia quedaron devastados. Millones de muertes, millones de personas sin hogar y sin comida.

Así las cosas, en abril del año 1945, delegados de cincuenta naciones, dentro de la cuales se encontraba Colombia, se reunieron en San Francisco, para dar origen a un organismo internacional orientado a promover la paz e impedir las guerras mundiales que habían devastado a varios países del mundo, conocido como la Organización de las Naciones Unidas.

En el preámbulo de su acta de constitución se indicó:

> Nosotros, la gente de las Naciones Unidas, estamos decididos a proteger a las generaciones venideras del azote de la guerra, la cual dos veces en nuestra vida ha producido un sufrimiento incalculable a la humanidad. (United for Human Rights, s.f.).

Esta acta entró en vigencia el 24 de octubre de 1945.

4.1.2. La Declaración Universal de los Derechos Humanos

En 1948 la asamblea general de las Naciones Unidas expidió la Declaración Universal de los Derechos humanos adoptada el 10 de diciembre de 1948 (United for Human Rights, s.f.), que constituyó el primer cuerpo declarativo, de lo que las diversas tradiciones jurídicas involucradas en su redacción, consideraban eran los derechos más importantes que debían ser reconocidos a toda persona.

Ahora bien, para definir cuáles eran los derechos más importantes se tomaron aquellos que se consideraron eran las condiciones necesarias para la realización de los seres humanos. (United for Human Rights, s.f.).

Esta declaración igualmente constituyó un ideal político de los países miembros, que debía ser ejecutado y por tal, debía inspirar los cuerpos normativos internos. Los países miembros entonces, se comprometieron a promover en sus respectivos países los treinta artículos que conforman esta declaración, hasta el punto de incluirlos en sus cuerpos constitucionales. (United for Human Rights, s.f.).

4.1.3. La declaración universal de los Derechos humanos en seguridad social

Antes exponer el contenido normativo de la indicada declaración en lo que tiene que ver con la seguridad social, vale hacer un recuento somero de la situación histórico política en que se encontraba el desarrollo de la indicada seguridad social.

Luego de la crisis de 1929, se inició una política intervencionista en Estados Unidos, que finalmente produjo efectos en los esquemas de seguridad social. Se creyó que el Estado no debía garantizar solamente la protección ante las necesidades básicas hasta ahora reconocidas de enfermedad, accidente, vejez, muerte e invalidez, sino que debía garantizar a sus ciudadanos una vida digna. Nació entonces la denominada ley federal americana de 1935 que protegía a los ciudadanos ante el desempleo, que preveía una asistencia social a favor de ancianos, que establecía un *"Régimen de subvención (...) para apoyar familias con hijos"* (Arenas, El derecho colombiano de la Seguridad Social, 2011, pág. 26) y que además fijaba una tasa federal a cargo de todas las empresas. (Arenas, El derecho colombiano de la Seguridad Social, 2011, pág. 26).

Igualmente, en Gran Bretaña se desarrolló el informe Beveridge que apoyó la intervención estatal sin desestimular la iniciativa individual en la atención de los riesgos amparados por la seguridad social; recomendando igualmente, la agrupación de todas las instituciones que gestionaban la seguridad social en un sistema y en un único cuerpo de gestión. (Arenas, El derecho colombiano de la Seguridad Social, 2011, pág. 28).

Así las cosas, la declaración universal de los derechos humanos en lo que tiene que ver con seguridad social, estaba inmersa en un momento histórico en el que se estaba gestando una intervención estatal orientada a garantizar la vida digna de los seres humanos.

En este marco, se profiere el artículo 22 de la declaración universal de los derechos humanos cuyos elementos son:

- Se reconoce a toda persona en su condición de ser social, es decir, perteneciente a una sociedad.
- Se indica que la seguridad social es un derecho, que como lo dijimos, significa que se entendió como una de las condiciones necesarias para la realización del ser humano.
- Este derecho impone una obligación correlativa en cabeza del Estado de destinar recursos para su reconocimiento.
- Al suponer para su garantía, una acción positiva por parte del Estado, se entendería como un derecho incluido en la categoría de económico, social y cultural.
- Finalmente, se trata de un derecho inescindiblemente unido a la dignidad humana y al libre desarrollo de la personalidad.

4.1.4. Alcance e incidencia de este mecanismo internacional en los cuerpos normativos colombianos

Los elementos expuestos le imponen al Estado colombiano que reconozca a la seguridad social como un derecho necesario para la realización del ser humano, que debe garantizar en el sentido de adelantar acciones positivas y de disponer de recursos públicos para su satisfacción y del que dependen a su vez, el libre desarrollo de la personalidad y la dignidad humana.

Este contenido normativo impactará en la obligación que asumió el Estado en el momento denominado por Arenas Monsalve como periodo de organización del sistema (Arenas, El derecho colombiano de la Seguridad Social, 2011, págs. 69-85), de financiador del sistema, en un esquema de aportes tripartitos: Estado, empleadores y trabajadores. Igualmente, compele al Estado para que se convierta en garante de la Seguridad Social.

Estos elementos de igual manera, primero, se verán materializados en el contenido normativo del artículo 48 de la Constitución Política de Colombia de 1991, que define a la seguridad social como derecho y le asigna al Estado su cobertura; y segundo, harán que este artículo sea ubicado en el capítulo segundo de la misma Constitución, correspondiente a los derechos sociales, económicos y culturales.

4.2. *Declaración Americana de Derechos Humanos*

4.2.1. Contexto histórico y político en el que surge la Declaración Americana de los derechos Humanos

La declaración Americana de los derechos humanos surgió en la IX Conferencia Internacional Americana realizada en Bogotá en 1948.

Desde 1889, los Estados Americanos, incluyendo a Colombia, *"decidieron reunirse de manera periódica y comenzar a forjar un sistema común de normas e instituciones"*. (Organización de los Estados Americanos, s.f.).

Ahora bien, como se trata del mismo momento histórico, se adoptará como contexto histórico y político lo indicado a propósito de la Declaración Universal de los Derechos Humanos.

4.2.2. La Declaración Americana de los Derechos Humanos

El cuerpo normativo de estos derechos se ha considerado un antecedente a la Declaración universal de los Derechos Humanos. Se puede considerar entonces como el primer acuerdo internacional sobre aquellas condiciones mínimas que se consideraron necesarias para la realización del ser humano. (Organización de los Estados Americanos, s.f.).

Está integrada por 38 artículos que igualmente constituyeron un ideal político de los países miembros, que debía ser ejecutado y por tal, debía inspirar los cuerpos normativos internos, incluyendo los cuerpos constitucionales.

4.2.3. La Declaración Americana de los Derechos humanos en seguridad social

Siguiendo lo indicado, no se ahondará en el contexto histórico de la seguridad social en que surgió la declaración Americana de los Derechos

Humanos, al corresponder al mismo contexto en que surgió la Declaración Universal de los Derechos Humanos.

Ahora bien, los elementos constitutivos del artículo XVI que se refiere a la seguridad social son los siguientes:

- La seguridad social es un Derecho.

- Este Derecho supone la protección ante la desocupación, vejez e incapacidad proveniente de cualquier situación ajena a la voluntad que imposibilite a su beneficiario, obtener los medios para su subsistencia.

4.2.4. Alcance e incidencia de este mecanismo internacional en los cuerpos normativos colombianos

Este cuerpo normativo al igual que la Declaración Universal impactará en la definición constitucional de la seguridad social como derecho.

De otro lado, se puede decir que define algunas de las prestaciones de la seguridad social: desocupación, vejez e invalidez, impactando en consecuencia, en el diseño institucional de la misma.

4.3. *Pacto Internacional de Derechos Económicos, Sociales y Culturales*

4.3.1. Contexto en el que surge el Pacto Internacional de Derechos Económicos, Sociales y Culturales

El Pacto Internacional de Derechos Económicos, Sociales y Culturales (PIDESC), junto con el Pacto Internacional de Derechos Civiles y Políticos (PIDCP) y la Declaración Universal de Derechos Humanos, conforman la Carta Internacional de Derechos Humanos.

El desarrollo de este proyecto, denominado la Carta Internacional e Derechos Humanos, se caracterizó por un profundo desacuerdo entre los Estados, reflejando los debates ideológicos de la época. Esto obligó a que en 1951 la Asamblea General de las Naciones Unidas pidiera la redacción de dos pactos diferentes: un pacto de Derechos Civiles y Políticos y otro sobre los Derechos Económicos, Sociales y Culturales.

El PIDESC fue adoptado por medio de la Resolución de la Asamblea General 2200 A (XXI) del 16 de diciembre de 1966 y entró en vigor el 3 de enero de 1976. En este se refleja los compromisos adoptados después de la Segunda Guerra Mundial a fin de promover el progreso social y mejores estándares de vida.

4.3.2. El Pacto Internacional de Derechos Económicos, Sociales y Culturales en Seguridad Social

Los elementos constitutivos del pacto que hacen referencia a la Seguridad Social son:

1. La adopción de medidas progresivas por parte del Estado para la garantía de la seguridad social como derecho, hasta el máximo de los recursos de que disponga. (Artículo 2°).

2. El derecho de toda persona a la seguridad social. (Artículo 9°).

3. Brindar a las familias como núcleo fundamental de la sociedad, protección y asistencia. (Artículo 10°).

4. Conceder especial protección a las madres durante un periodo de tiempo razonable antes y después del parto. Durante dicho periodo, a las madres que trabajen se les debe conceder licencia con remuneración o con prestaciones adecuadas de seguridad social. (Artículo 10°).

5. Asistencia médica y servicios médicos en caso de enfermedad. (Artículo 12°).

6. Prevención y tratamiento de las enfermedades epidémicas, endémicas, profesionales y de otra índole, y la lucha contra ellas. (Artículo 12°).

7. El mejoramiento en todos sus aspectos de la higiene del medio ambiente y del trabajo. (Artículo 7°).

4.3.3. Alcance e incidencia de este mecanismo internacional en los cuerpos normativos colombianos

El PIDESC fue ratificado por Colombia el 29 de octubre de 1969, previa aprobación del congreso Nacional mediante la Ley 74 de 1968.

Según las etapas de la seguridad Social en Colombia, este pacto incidió en nuestro ordenamiento jurídico, en el momento denominado por Arenas Monsalve como periodo de expansión (Arenas, El derecho colombiano de la Seguridad Social, 2011, pág. 79) donde se produce la ampliación de los beneficios del seguro social, con los seguros económicos, prestando protección a la vejez, a la invalidez y a la muerte; en el que se crea la Medicina Familiar, como el mecanismo idóneo para proteger a la familia y brindar mayor cobertura; en donde se establecen los mismos beneficios asistenciales tanto a los afiliados como a sus familias (Arenas, El derecho colombiano de la Seguridad Social, 2011, pág. 81); y en donde se comienza brindar servicios médicos de prevención y tratamientos a enfermedades de cualquier índole por medio de asistencia y protección del Estado, como se establece en el PIDESC, integrándose el sistema de salud de la seguridad Social con los deberes asistenciales del Estado Colombiano, concretando en definitiva, el sistema nacional de salud. (Arenas, El derecho colombiano de la Seguridad Social, 2011, pág. 89).

Vale igualmente resaltar que el PIDESC formula en su artículo segundo, la obligación de los Estados obligados de adoptar progresivamente las medidas necesarias para la garantía de los derechos en él fijados, disponiendo recursos para ello.

4.4. Protocolo Adicional a la Convención Americana sobre derechos humanos en materia de derechos económicos, sociales y culturales, "Protocolo de San Salvador"

La Convención Americana de Derechos Humanos (CADH), y el Protocolo Adicional a la Convención Americana sobre derechos humanos en materia de derechos económicos, sociales y culturales, "Protocolo de San Salvador" integran el Sistema Interamericano de Protección de los Derechos Humanos.

Este protocolo fue suscrito en San Salvador en el decimoctavo periodo ordinario de sesiones de la Asamblea General de las Naciones Unidad, el 17 de noviembre de 1988.

El objetivo del protocolo fue contribuir al reconocimiento de derechos económicos, sociales y culturales, pues tan sólo una disposición de la CADH se refería a estos y lo hacía de manera general.

4.4.1. La Convención Americana de Derechos Humanos (CADH), y el Protocolo Adicional a la Convención Americana sobre derechos humanos en materia de derechos económicos, sociales y culturales, "Protocolo de San Salvador" en Seguridad Social

El artículo 9º del protocolo reguló la seguridad social, como un derecho de la persona a ser protegida contra las consecuencias de la vejez y de la incapacidad, a fin de que gracias a tal protección, pudiese contar con los medios para llevar una vida digna. Señala igualmente, el alcance de la seguridad social para las personas que se encuentran trabajando, al establecer que se cubrirán las atenciones médicas, se concederán subsidios en casos de accidentes de trabajo o de enfermedad profesional y licencias por razones de maternidad.

El artículo 10° por su parte, definió la salud como el disfrute del más alto nivel de bienestar físico, mental y social y señaló las obligaciones que tienen los Estados para hacer efectivo tal derecho. Así, el Estado se comprometió a asegurar la atención primaria de la salud, a extender los beneficios de los servicios de salud a todas las personas y a proteger los grupos de más alto riesgo y que por sus condiciones de pobreza, son más vulnerables.

4.4.2. Alcance e incidencia de este mecanismo internacional en los cuerpos normativos colombianos

El "Protocolo de San Salvador", suscrito en San Salvador el 17 de noviembre de 1988 se aprobó en Colombia mediante la Ley 319 del 20 de septiembre de 1996.

En este momento nos encontramos bajo la fórmula del Estado Social de Derecho y el desarrollo de sistema integral de seguridad social previsto en la ley 100 de 1993.

Tal y como lo ha indicado la Corte Constitucional en su sentencia C-251 de 1997, la noción del Estado Social de Derecho indica que el Estado debe garantizar a las personas esferas libres de interferencia ajena y que tiene como deber principal asegurarles condiciones materiales para cumplir progresivamente con los derechos económicos, sociales y culturales. (M.P. Alejandro Martínez Caballero, 1997).

Siguiendo la antedicha sentencia, las normas relacionados con la seguridad social en el "protocolo de san salvador" coinciden con lo prescrito por la Carta política, demostrando un alcance e incidencia de este instrumento internacional. Vale resaltar de esta incidencia los siguientes puntos:

- Se establece el derecho a la seguridad social (CP art. 48).
- Se protege a la personas de la tercera edad (CP art. 46).
- Se prevé el derecho de todas las personas a acceder a los servicios de salud, así como las responsabilidades del Estado en este campo (CP art. 49). Y no sólo a nivel general sino también en relación con grupos poblacionales específicos (CP artículos 13, 43, 44, 45 y 50).

- Y tiene expresamente previsto un especial apoyo a la mujer por razones de maternidad (CP art. 43).

Haciendo un breve recuento hasta acá, estos instrumentos internacionales han impactado en la constitución de la seguridad social. Han contribuido en la definición de la seguridad social como un derecho, en donde el Estado como su directo benefactor, y por tal, el directamente obligado en su garantía, debe intervenir destinando recursos para lo mismo y además, de manera progresiva. Han igualmente impactado en los servicios brindados por la seguridad social y han definido finalmente, la importancia de su protección para garantizar una vida digna.

5. CONSTITUCIONALIZACIÓN DE LA SEGURIDAD SOCIAL

La Seguridad Social en el ordenamiento jurídico colombiano goza de previsión constitucional. En este sentido, sería erróneo indicar que sólo la contemplan dos artículos constitucionales, toda vez su importancia para un Estado Social de Derecho, la hace transversal a todo el cuerpo normativo de la Constitución Política.

5.1. *Artículos de la Constitución que estructuran el modelo de seguridad social en nuestro país*

A continuación, se pasan a desarrollar los artículos de la Constitución Política que comienzan a estructurar el esquema de Seguridad Social que existe en nuestro país.

Los artículos 1° y 2° se relacionan con la seguridad social al consagrar a Colombia como un Estado Social de Derecho ya que esta forma de Estado comprende la solidaridad colectiva. Esta solidaridad resalta la obligación del poder público, de la sociedad y del propio individuo de asistir y proteger a los ciudadanos, sobre todo a los que se consideran más vulnerables, a fin de lograr la igualdad y el bienestar general. Se podría decir incluso que el Estado Social de Derecho comprende necesariamente el derecho a la seguridad social.

Ahora bien, dentro de los distintos derechos consagrados en la Constitución Política, merecen especial importancia, en la medida de su relación con la seguridad social, los consagrados en los siguientes artículos:

- El artículo 11 que consagra el derecho a la vida. Si bien en principio este derecho se plantea como la imposibilidad de atentar contra la vida, también debe abarcar la toma de medidas positivas en orden a no afectar la vida y a garantizar su desarrollo en condiciones que dignifiquen al ser humano; de allí la importante relación con la seguridad social.

- De otro lado, encontramos el derecho a la igualdad consagrado en el artículo 13 de la Carta, el cual irradia la estructura del sistema de seguridad social. Este sistema en efecto se rige por el principio de universalidad, garantizando el acceso a todas las personas en igualdad de condiciones, sin establecer excepciones y/o tratos discriminatorios. Ello sin dejar de lado el componente y principio de solidaridad del sistema, que busca generar las condiciones necesarias para que la igualdad sea real y efectiva.

- Por su parte, el artículo 25 consagra al trabajo como un derecho que goza de especial protección por parte del Estado. Consideramos que una faceta de dicha protección se brinda a través de la seguridad social de los trabajadores.

- El artículo 42 establece la protección integral de la familia que se materializa a través del sistema de seguridad social, teniendo en cuenta que uno de los objetivos de la seguridad social es brindarle al individuo y a las familias, tranquilidad ante la ocurrencia de alguna contingencia.

- El artículo 43 consagra la protección y especial asistencia por parte del Estado, a la mujer durante el embarazo y después del parto. Protección que se concreta a través del sistema general de seguridad social en Salud, tal y como se desarrollará a profundidad más adelante.

- Por su parte, los artículos 44 y 50 de la Constitución establecen que los niños serán sujetos de especial protección constitucional, debido a su condición de vulnerabilidad e indefensión. Se establece de esta manera, la obligación de protección y asistencia a los menores por parte del Estado, las familias y la sociedad, obligación que compele necesariamente a la seguridad social. El constituyente de 1991 igualmente, en el artículo 50, consagró una especial protección para los niños menores de un año que no estén cubiertos por algún tipo de protección o de seguridad social, otorgándoles el derecho a recibir atención gratuita en todas las instituciones de salud que reciban aportes por parte del Estado.

- El artículo 46 radica en cabeza del Estado la obligación de garantizar a las personas de la tercera edad los servicios de seguridad social integral para alcanzar bienestar y una vida digna.

- El artículo 47 por su parte, obliga al Estado a crear y organizar políticas y planes en favor de los disminuidos físicos y psíquicos con la finalidad de brindarles ayuda, servicios de rehabilitación y previsión, ofreciéndoles oportunidades y condiciones favorables ante la sociedad.

- Finalmente, la relación del artículo 49 con la seguridad social es directa, pues allí se plantea el derecho al acceso a los servicios de salud y el establecimiento de políticas para promover la salud pública. Así, se establece el acceso a todas las personas a servicios, atención, planes de salud y al saneamiento ambiental, catalogándolos como servicios públicos que deben ser organizados y dirigidos por el Estado, conforme a los principios de eficiencia, universalidad y solidaridad. Estos principios igualmente son transversales al Estado Social de Derecho y a la seguridad social.

Ahora bien, dentro de las disposiciones del régimen económico y de hacienda pública también encontramos diversas disposiciones que se relacionan estrechamente con la seguridad social.

- En primer lugar, podemos observar como los artículos 333 y 334 de la Constitución plantean la libertad de empresa, pero con la dirección y posibilidad de intervención estatal para garantizar la calidad de vida y la equidad en lo que respecta a los servicios públicos. Situación que se encuentra íntimamente relacionada con la seguridad social, pues desde su estructura legal y constitucional ésta se plantea como un servicio público que puede ser brindado por particulares. Por ello —como se verá más adelante— a través de diversas regulaciones se imponen límites a la libertad de empresa y obligaciones particulares en la medida que el servicio ofertado tiene naturaleza de público.

- Por su parte, el artículo 336 establece que los dineros provenientes de los monopolios de licores y de suerte y azar serán destinados al financiamiento de la salud. Disposición de vital importancia para la seguridad social, pues de esta manera se establece desde la Carta Política, una de las fuentes de financiamiento del Sistema General de Seguridad Social en Salud.

- En los artículos 356 y 357 se establece el situado fiscal que se destinará para financiar la educación y salud, a través del sistema general de participaciones que se considera el instrumento más importante mediante el cual el Estado ha afrontado obligaciones establecidas en la Constitución Nacional en materia de provisión de servicios sociales de educación, salud, agua potable y saneamiento básico.

- De otro lado, el artículo 365 establece los servicios públicos como inherentes a la finalidad del Estado Social de Derecho, estableciendo así que los mismos podrán ser prestados por entidades públicas o privadas pero siempre bajo la regulación, control y vigilancia por parte del Estado. Esta disposición se encuentra íntimamente relacionada con la seguridad social pues, como ya lo indicamos, ésta tiene naturaleza de servicio público y en tal virtud, surgen las obligaciones indicadas en cabeza del Estado. Estas obligaciones, para los subsistemas establecidos en la ley 100 de 1993, las podemos ver concretadas no solo en la amplia regulación expedida por el gobierno, sino también en el acompañamiento y dirección realizados desde los Ministerios de Salud y de Trabajo, y a través de las actividades de inspección, vigilancia y control adelantadas por las Superintendencia Financiera y de Salud sobre las entidades que actúan dentro del sistema de seguridad social.

- En relación con lo anterior se encuentra el artículo 366 que establece como prioridad del Estado, la solución de necesidades insatisfechas en salud y saneamiento ambiental y la correspondiente prioridad del gasto público social para atender dichas necesidades. De esta manera, encontramos un mandato constitucional íntimamente ligado con la sostenibilidad financiera del sistema de seguridad social, pues corresponde al Estado, a través de la política del gasto público social, garantizar el flujo constante de los dineros que financian el sistema de salud.

5.2. *Artículo 48 de la Constitución Política*

Este artículo por su parte, merece un especial desarrollo al contemplar expresamente la seguridad social. Al hacerlo le otorga una doble connotación como derecho y servicio público.

5.2.1. Seguridad social como derecho

Concibe a la seguridad social como un derecho con los siguientes elementos:

- Derecho Irrenunciable: Todo pacto mediante el cual se renuncie al derecho de seguridad social es nulo.

- Constitucional: Inicialmente, en diferentes pronunciamientos, la Corte Constitucional consideró que los derechos sociales, económicos y culturales, los cuales configuraban los llamados "derechos de segunda generación" podían ser protegidos mediante acción de tutela sólo si se lograba demostrar que existía una conexidad (M.P. Jorge Ignacio Pretelt Chaljub, 2016) entre estos derechos y uno de índole fundamental, pero con el tiempo, otra corriente adoptada por la Corporación consideró que estos derechos definidos en ese momento como prestacionales, configuran también garantías fundamentales que conllevan a que el Estado

> ha de abstenerse de realizar acciones orientadas a desconocer estos derechos (deberes negativos del Estado) y con el fin de lograr la plena realización en la práctica de todos estos derechos —políticos, civiles, sociales, económicos y culturales— es preciso, también, que el Estado adopte un conjunto de medidas y despliegue actividades que implican exigencias de orden prestacional (deberes positivos del Estado). (M.P. Jorge Ignacio Pretelt Chaljub, 2016).

Así las cosas, la jurisprudencia constitucional ha concluido que todos los derechos constitucionales tienen el status de fundamentales (M.P. Jorge Ignacio Pretelt Chaljub, 2016) por relacionarse directamente con los bienes protegidos que los Constituyentes determinaron elevar a constitucionales y la seguridad social no es ajena a esta característica.

- Internacional: Está previsto en instrumentos constitucionales que integran el bloque de constitucional llamado a aplicar a través del artículo 93 de la Constitución Política.

5.2.2. Seguridad Social como servicio público

La seguridad social además es un servicio público:

Esto significa que:

1. Está bajo la dirección, coordinación y control del Estado, con sujeción a los principios de eficiencia, universalidad y solidaridad.

El Estado adquiere una posición de garante de la adecuada prestación del servicio, ya que es su debe dirigir, vigilar y coordinador a quienes intervienen en la prestación del mismo, para que los beneficios a que da derecho la seguridad social, sean prestados en forma adecuada, oportuna y suficiente. Las prestaciones de la seguridad social se reconocen a todas las personas, sin ninguna discriminación, y en todas las etapas de la vida, a través de una mutua ayuda entre las personas, las generaciones, los sectores económicos, las regiones y las comunidades.

En definitiva, supone que el Estado debe propender por una cobertura progresiva, en cuanto a destinatarios, y en cuanto a beneficios, buscando una protección a lo largo de la vida; está orientada además a la protección de la población más vulnerable, vinculando en su financiación a sus destinatarios de conformidad con sus ingresos económicos; y para esto, debe velar por un flujo continuo en los recursos que la financian y por su mejor empleo.

Ahora bien, el Estado como productor de bienestar, garante de la seguridad social, debe buscar el máximo bienestar posible dada una restricción presupuestaria.

2. La seguridad Social es un servicio público esencial en lo que tiene que ver con el reconocimiento de pensiones y asistencia en salud por lo que la huelga no se puede ejercer en ninguna de las actividades laborales relacionadas con estas dos funciones de la seguridad social. Sin embargo, no es del todo claro definir cuáles dependencias del subsistema de pensiones no están estrechamente ligadas al reconocimiento pensional. No sucediendo lo mismo en el subsistema de salud, ya que las labores administrativas se pueden diferenciar claramente de la actividad asistencial.

3. Que sea un servicio público supone a su vez que los recursos son de naturaleza pública. Sus recursos si bien tienen naturaleza pública no hacen parte del tesoro nacional. En efecto, nuestras Cortes han indicado que su destinación específica les otorga la naturaleza de recursos parafiscales.

5.2.3. Condiciones para la participación de los particulares en la prestación de este servicio público

En desarrollo del derecho a la libertad económica y de empresa, los particulares pueden participar en la Seguridad Social.

La intervención estatal se realiza a través de tres tipos de intervención. Esta intervención estatal en la economía puede ser conformativa, cuando establece los requisitos *"de existencia, formalización y funcionamiento de los actores económicos"* (M.P. Jorge Ignacio Pretelt Chaljub, 2012); finalística, cuando *"señala los objetivos generales o las metas concretas a los cuales han de propender los actores económicos"* (M.P. Jorge Ignacio Pretelt

Chaljub, 2012); y condicionante, cuando *"fija las reglas de juego del mercado o de un sector económicos"*. (M.P. Jorge Ignacio Pretelt Chaljub, 2012).

Aunado a ello, los diversos actos de intervención pueden exigir a los actores que presenten determinada información a las autoridades; pueden establecer condiciones para realizar la respectiva actividad económica, como
por ejemplo, una autorización previa para su ejercicio; y pueden radicar el
monopolio de una actividad en cabeza del Estado, excluyendo de su prestación a los particulares y reservándose *"para sí su desarrollo (...) de manera
directa o indirecta según lo que establezca la ley"*. (M.P. Jorge Ignacio Pretelt Chaljub, 2012), entre otras.

Ahora bien, el Estado interviene la respectiva actividad económica a
través de las tres ramas del poder público. Al legislador le corresponde la
definición de los elementos básicos que la limitan; el ejecutivo por su parte
interviene *"en la regulación de la economía en ejercicio de sus potestades
reglamentaria y de inspección, vigilancia y control"*. (M.P. Jorge Ignacio
Pretelt Chaljub, 2012). Y a la Corte Constitucional a través del estudio de
constitucionalidad de una ley, le corresponderá determinar si la restricción
legislativa, primero, respeta el núcleo esencial de la libertad económica y
segundo, responde a criterios de razonabilidad y proporcionalidad.

Para determinar el núcleo esencial de la actividad, la Corte ha indicado
que para no afectarlo: 1. Se debe velar por un tratamiento no discriminato-
rio entre empresarios, en la misma posición; 2. Se debe garantizar el derecho
a ingresar y a retirarse del mercado; 3. Se debe establecer la imposibilidad
del Estado de inmiscuirse en asuntos internos de la empresa como su organización; 4. Se les debe garantizar a los empresarios la posibilidad de crear
establecimientos de comercio conforme a la Ley; y 5. Y el derecho a recibir un beneficio económico razonable. (M.P. Jorge Ignacio Pretelt Chaljub,
2012).

Para valorar la razonabilidad y proporcionalidad de la medida restrictiva, por su parte, se debe analizar el tipo de actividad realizada; la finalidad
de la medida; la idoneidad del medio restrictivo y la proporcionalidad entre
la restricción y el efecto de la misma. (M.P. Jorge Ignacio Pretelt Chaljub,
2012).

En materia de seguridad social, ha indicado la Corte igualmente que al
tratarse de un servicio público las restricciones serán mayores: su regulación
será reforzada. (M.P. Jorge Ignacio Pretelt Chaljub, 2012). En este sentido
se podría indicar la estrechez del núcleo esencial de la libertad de empresa,
de cara a la seguridad social. En efecto, el Estado se reserva el monopolio de
la administración del régimen de prima media del subsistema de pensiones;

hay requisitos especiales para ingresar o salir del mercado de la seguridad social y existen diversas medidas que por ejemplo puede adoptar la Superintendencia Nacional de Salud en ejercicio de su potestad de vigilancia dentro del subsistema de salud, entre otros tantos ejemplos.

6. PRINCIPIOS DE LA SEGURIDAD SOCIAL

6.1. *Qué son los principios*

Los principios se han definido como:

- Inspiradores de una legislación positiva.
- Principios eternos y universales de justicia.
- Juicios de valor anteriores a la ley y que la fundamentan.

Según la Corte Constitucional:

> Su alcance normativo no consiste en la enunciación de ideales que deben guiar los destinos institucionales y sociales con el objeto de que algún día se llegue a ellos; su valor normativo debe ser entendido de tal manera que signifiquen una definición en el presente, una base axiológico-jurídica sin la cual cambiaría la naturaleza misma de la Constitución y por lo tanto toda la parte organizativa perdería su significado y su razón de ser. Los principios expresan normas jurídicas para el presente; son el inicio del nuevo orden. (M.P. Ciro Angarita Barón, 1992).

Los principios constitucionalmente previstos y al gozar de fuerza normativa, cumplen la función de interpretación ineludible. Jamás pueden ser desconocido en beneficio de otra norma legal o constitucional, pero pueden, en ciertos casos, necesitar de otras normas constitucionales para poder fundamentar la decisión judicial. De igual manera, ninguna norma puede oponerse a los postulados expuestos en los principios.

No obstante, antes de adentrarnos en la exposición de los principios constitucionales de la Seguridad Social, nos referiremos a aquellos principios provenientes del Derecho Laboral que ha adoptado la Corte Suprema de Justicia, para resolver diversos asuntos.

6.2. *Los principios en Seguridad Social*

Algunos principios provenientes del derecho laboral y adoptados por la Corte Suprema de Justicia:

1. In-dubio pro operario. Proviene del derecho laboral y hace referencia a la aplicación de la interpretación más favorable al afiliado en caso de existir diversas interpretaciones de una misma norma.

2. La condición más beneficiosa. Es un principio que opera en tránsitos legislativos y supone la aplicación de la norma anterior a una situación configurada bajo la nueva norma, siempre y cuando el beneficiario de la misma gozase de una legítima expectativa de derecho al momento de operar el tránsito legislativo. En condición más beneficiosa la norma que aplico ya está derogada.

Para que opere deben configurarse los siguientes elementos:

- Al decir que debe haber un tránsito indicamos que estaba madurando el derecho cuando hubo un cambio.

- La nueva ley NO prevé un régimen de transición.

- El riesgo protegido ocurre en vigencia de la nueva norma. Y eso supone a su vez que,

- No se haya consolidado el derecho en la norma anterior.

- Aplico una norma anterior.

- Toca proteger una expectativa legítima. ¿Esta expectativa está definida en la ley? No necesariamente y con todo, esta legítima expectativa no es un derecho adquirido que ya está en el patrimonio del acreedor y se diferencia igualmente de la mera expectativa en donde no existen condiciones que hagan inferir una cercanía del derecho.

3. La favorabilidad. Supone la aplicación de la norma más favorable en caso de duda.

Estos tres principios, según lo indica la Corte Suprema de Justicia, derivan de un principio más general y transversal denominado principio de favor.

Ahora bien, los principios de la Seguridad Social contemplados en la Constitución Política son la universalidad, la eficiencia, la solidaridad, la sostenibilidad financiera y la progresividad. Los tres primeros están contemplados en su redacción original, la sostenibilidad fue introducida a través del Acto Legislativo 01 de 2005 y la progresividad aplica por conducto del bloque de constitucionalidad. Pasamos a explicarlos.

1. Universalidad:

Es la aspiración máxima que todos lleguemos a estar cubiertos. Es la tendencia de la seguridad social.

A este principio se opone la informalidad, la sostenibilidad, la falta de conciencia y la falta de credibilidad.

2. Principio de solidaridad:

Es unánimemente aceptada como "principio básico "o "fundante" de la seguridad social. Aunque algunos autores limitan el alcance de este principio sólo al financiamiento de sistema, debe reconocérsele una proyección mayor que trasciende el mero aspecto financiero, ya que la solidaridad social es una manifestación de la fraternidad entre los hombres que impone que quienes conviven en sociedad se presten reciproca ayuda. (Etala, 2007, pág. 50).

La solidaridad puede entenderse en dos sentidos: Una solidaridad general, en virtud de la cual todos los miembros de una sociedad prestan su cooperación al bien común aportando los medios necesarios para el suministro de las prestaciones a quienes las necesiten y con independencia del interés particular en la obtención del beneficio; y una solidaridad entre las generaciones, según la cual cada generación activa debe proveer a la tutela de las generaciones pasivas. (Etala, 2007, pág. 49).

3. Principio de la eficiencia:

Debe hacerse un manejo racional de los recursos escasos y se deben prestar servicios de manera oportuna y completa.

4. Progresividad:

Este principio tiene su origen en los pactos internacionales de derechos sociales. (López, 2011, pág. 203).

Los pactos de los derechos sociales, económicos y culturales, ya expuestos, que siguieron a los tratados sobre derechos civiles y políticos, aprendieron de estos, que no basta con que los estados contraigan obligaciones nudas reducidas a consignaciones abstractas de papel, sino que es necesario introducir, a la par de su consagración, mecanismos que aseguren que los derechos pactados trasciendan contundentemente y de manera permanente a la realidad cotidiana de la sociedad y de sus ciudadanos; que no se trata sólo de acordar un compromiso con valor histórico sino de asumir una obligación dinámica, que concuerde y vaya al ritmo de la evolución de la sociedad, en la misma medida de su desarrollo económico (Etala, 2007, pág. 49).

Es un principio de seguridad social implica que cuando el Estado otorga derechos, la tendencia del mismo Estado siempre debe ir encaminada a mejorar lo que otorgó. El Estado se compromete a que cuando genera unos beneficios no los puede disminuir. Es un compromiso de ir aumentando el cubrimiento.

Este principio de progresividad no se debe analizar en cada caso en concreto, sino frente al sistema. Si se quitan los beneficios, por ejemplo, para garantizar el beneficio de todos, no se sacrificaría. Esto supone que si hay medidas que aisladamente (bajo un análisis casuístico) se presentan regresivas, luego de someterlas a un test de constitucionalidad, no lo son al perseguir un fin constitucional, al adecuarse al fin pretendido y al ser necesarias, razonables y proporcionales.

Con todo, si bien el legislador tiene la facultad de configuración de las condiciones de causación de una prestación de la seguridad social, encuentra un límite en este principio, sin que lo mismo signifique que exista un derecho a la estabilidad legislativa.

5. Principio de sostenibilidad financiera:

Si bien en el ámbito internacional no es posible establecer una fecha global del surgimiento del concepto de sostenibilidad financiera, se puede indicar que su nacimiento depende de un cambio social y cultural a nivel mundial, en donde los paradigmas de la composición familiar y los cálculos de expectativa de vida empiezan a quebrantarse debido a las nuevas concepciones y avances científicos. Así, los avances médicos que introdujeron los métodos anticonceptivos y mejoraron la calidad de vida, aumentaron la expectativa de vida de las personas al tiempo de reducir la tasa de natalidad (López, 2011, pág. 219).

Sumado a ello, el crecimiento del desempleo y los problemas asociados al recaudo de cotizaciones a la seguridad, impactaron negativamente en la financiación del sistema.

Ante esto, se generó una alarma mundial en donde se advierte la necesidad de garantizar la sostenibilidad y la viabilidad financiera de los sistemas de pensiones a largo plazo, a través por lo menos, de proyecciones actuariales periódicas y la introducción de los ajustes necesarios. (Mesa-Lago, 2004).

En el ordenamiento jurídico colombiano, el principio de sostenibilidad financiera, no obstante haber sido introducido por el Acto Legislativo 01 de 2005, ha guiado la regulación y configuración de la Seguridad Social desde la expedición de la Ley 100 de 1993. En efecto, esta Ley unificó las reglas de la seguridad social, aumentó las contribuciones y requisitos de causación de derecho, y modificó el Ingreso Base de Liquidación y en definitiva el monto de la pensión, entre otras.

7. LA SEGURIDAD SOCIAL EN LA LEY 100 DE 1993

Tal y como se señaló, la Ley 100 de 1993 es una manifestación legislativa de unificación y organización de una profusa y dispersa legislación de la seguridad social. En efecto, esta Ley, entre muchas más cosas, buscó unificar las reglas del sistema, así como aumentar la cobertura del mismo.

En su primer artículo, podríamos encontrar una definición de la seguridad social en los siguientes términos:

- El sistema de seguridad social integral tiene por objeto garantizar los *derechos irrenunciables de la persona* y la comunidad para obtener la calidad de vida acorde con *la dignidad humana*, mediante la protección de *las contingencias que la afecten.*

- El sistema comprende las obligaciones del *Estado y la sociedad, las instituciones* y los *recursos* destinados a garantizar la cobertura de las prestaciones de carácter *económico, de salud y servicios complementarios*, materia de esta ley, u otras que se *incorporen normativamente en el futuro.*

En este sentido, se puede indicar que, partiendo del carácter irrenunciable de la seguridad social, se manifiesta que el objeto del sistema no es otro sino garantizar el acceso a este derecho. Derecho que además está inescindiblemente unido a la dignidad humana; cuya protección requiere la identificación de unas contingencias determinadas, la intervención no sólo estatal, sino de la sociedad y un adecuado uso de los recursos haciendo eco a los principios de eficiencia y sostenibilidad financiera.

Por su parte, en su artículo segundo lista una serie de principios a la luz de los constitucionales ya expuestos:

- Eficiencia o la mejor utilización de los recursos del sistema tanto económicos, como técnicos y administrativos para garantizar una cobertura suficiente y oportuna.

- La universalidad que es la garantía de protección a todas las personas y en todas las etapas de la vida.

- La solidaridad que manifiesta la ayuda mutua entre las personas, generaciones, sectores, regiones, en favor siempre de la población vulnerable.

- La integralidad podría tratarse de un principio integrado al de universalidad, pero la Ley 100 lo desarrolla de manera independiente y el cual hace referencia a la protección frente a todas las contingencias de vida de toda la población.

- La unidad que llama a la articulación del sistema a través de sus políticas, instituciones, regímenes, procedimientos y prestaciones. Es un principio de gran relevancia pues está estrechamente vinculado al correcto funcionamiento del sistema.

- Y el principio de participación que llama a la intervención de la comunidad en el control, gestión y fiscalización del sistema, pues en últimas, tal y como lo decía en su artículo primero: la seguridad social compete no solo al estado sino a la sociedad.

8. COMPETENCIA JUDICIAL EN SEGURIDAD SOCIAL

Con la expedición de la Ley 712 de 2001, que introdujo una importante modificación al Código Procesal del Trabajo de 1948, se producen dos importantes decisiones en torno a la competencia judicial en asuntos de seguridad social: El código pasa a denominarse "Código Procesal del Trabajo y de la Seguridad Social" y la segunda modificación relacionado con la competencia jurisdiccional en torno a la seguridad social: "las controversias referentes al sistema de seguridad social integral que se susciten entre los afiliados, beneficiarios o usuarios, los empleadores y las entidades administradoras y prestadoras, cualquiera que sea la naturaleza de la relación jurídica y de los actos jurídicos que se controviertan" (CPTSS, art. 2°, num. 4°, modificado por la L. 712/2001, art. 2°).

Posteriormente la ley 1437 de 2011 por la cual se expide el Código de Procedimiento Administrativo y de lo Contencioso Administrativo en su artículo 104 indicó que:

> La Jurisdicción de lo Contencioso Administrativo está instituida para conocer, además de lo dispuesto en la Constitución Política y en leyes especiales, de las controversias y litigios originados en actos, contratos, hechos, omisiones y operaciones, sujetos al derecho administrativo, en los que estén involucradas las entidades públicas, o los particulares cuando ejerzan función administrativa. Igualmente conocerá de los siguientes procesos: 1. Los relativos a la responsabilidad extracontractual de cualquier entidad pública, cualquiera que sea el régimen

aplicable. 2. Los relativos a los contratos, cualquiera que sea su régimen, en los que sea parte una entidad pública o un particular en ejercicio de funciones propias del Estado. 3. Los relativos a contratos celebrados por cualquier entidad prestadora de servicios públicos domiciliarios en los cuales se incluyan o hayan debido incluirse cláusulas exorbitantes. 4. Los relativos a la relación legal y reglamentaria entre los servidores públicos y el Estado, y la seguridad social de los mismos, cuando dicho régimen esté administrado por una persona de derecho público (...) (Código de Procedimiento Administrativo y de lo Contencioso Administrativo).

Ahora bien, con el Código General del proceso, Ley 1564 de 2012, posterior al Código de Procedimiento Administrativo y de lo Contencioso Administrativo en su artículo 622 se indicó:

Modifíquese el numeral 4 del artículo 2o del Código Procesal del Trabajo y de la Seguridad Social, el cual quedará así:
"4. Las controversias relativas a la prestación de los servicios de la seguridad social que se susciten entre los afiliados, beneficiarios o usuarios, los empleadores y las entidades administradoras o prestadoras, salvo los de responsabilidad médica y los relacionados con contratos". (Código General del Proceso).

En este orden de ideas, la lectura del nuevo numeral, nos permite concluir que la jurisdicción ordinaria laboral recuperó el conocimiento de todos los conflictos relativos a la seguridad social, con lo cual se modificó parcialmente el numeral 4 del artículo 104 del Código de Procedimiento Administrativo y de lo Contencioso Administrativo, para entregarle nuevamente a la justicia del trabajo o jurisdicción laboral el conocimiento de tales asuntos. Así, los jueces laborales, conocerán de las controversias relativas a la prestación de los servicios de la seguridad social que se susciten entre los afiliados, beneficiarios o usuarios, los empleadores y las entidades administradoras o prestadoras salvo que esos conflictos se deriven de asuntos de responsabilidad médica o de contratos, pues a partir de ello su atención le corresponderá a los jueces civiles o administrativos, según las reglas de competencias previstos en las normas adjetivas. Vemos de esta manera cómo el Código General del Proceso, que es una disposición procesal especial y posterior al Código de Procedimiento Administrativo y de lo Contencioso Administrativo, vino a otorgarle nuevamente a la jurisdicción ordinaria laboral, el conocimiento de las controversias relativas a la prestación de los servicios de la seguridad social que se susciten entre los afiliados, beneficiarios o usuarios, los empleadores y las entidades administradoras o prestadoras con las excepciones expuestas.

8.1. *Pronunciamientos jurisprudenciales sobre el tema de competencia*

La Corte Constitucional tuvo oportunidad de pronunciarse sobre el artículo 2° del Código Procesal del Trabajo y de la Seguridad Social, antes de la modificación introducida por la ley 712 de 2001, pero que resulta importante a efectos de comprender la distribución de competencias entre la jurisdicción ordinaria laboral y la jurisdicción contencioso administrativa. En Sentencia C-111 de 2000 (M.P. Álvaro Tafur Gálvis, 2000), se refirió a la inclusión de los litigios que se puedan suscitar entre las entidades públicas y sus afiliados en relación con la seguridad social, por considerar que esto vulneraba el derecho a la igualdad de los servidores públicos vinculados mediante una relación legal y reglamentaria, en el entendido que los servidores afiliados deberán tramitar sus discrepancias por la jurisdicción ordinaria, mientras que los que no presenten esa condición, tienen que acudir a la jurisdicción contencioso administrativa para tramitar cualquier clase de conflicto laboral. Además, la demanda también adujo una violación al principio del juez natural (C.P., art. 29), pues había una alteración indebida a la repartición de funciones de la jurisdicción contencioso administrativa que por su carácter especial, en criterio del actor, siempre debe ser la encargada de conocer cualquier clase de controversia en la que participe una entidad estatal o un servidor público.

Al declarar la exequibilidad del segmento normativo impugnado, la Corte consideró que:

> no se presentaba un exceso del legislador cuando asignó una nueva competencia a la jurisdicción del trabajo en la norma acusada, porque la radicación de una competencia en una determinada autoridad judicial no es una decisión de índole exclusivamente constitucional sino que pertenece al resorte ordinario del legislador, siempre y cuando el constituyente no se haya ocupado de asignarla de manera explícita entre los distintos entes u órganos del Estado. Además, como el constituyente de 1991 no hizo mención específica del objeto de la jurisdicción de la contencioso administrativo, el legislador en ejercicio de su libertad de configuración bien podía trasladar el conocimiento de algunas controversias atribuidas a dicha jurisdicción a otras, dada la finalidad perseguida de especializar a una sola, a la ordinaria, para la solución de los litigios sobre la seguridad social integral. (M.P. Álvaro Tafur Gálvis, 2000).

También consideró que:

> el hecho de que el legislador en la disposición acusada haya establecido que la jurisdicción del trabajo sea la competente para conocer las controversias que se susciten entre las entidades públicas del régimen de la seguridad social integral y sus afiliados, no contraviene el ordenamiento superior, por el contrario,

armoniza con el mismo, si se tiene en cuenta que en dicho señalamiento se reúnen las condiciones que se exponen a continuación: **i.)** se cumple con una atribución constitucional del legislador para regular sobre el ejercicio de una función pública, como es la de administrar justicia, en virtud de lo cual puede introducirse en el campo de la organización de las jurisdicciones estatales para llevar a cabo un reparto de competencias entre las autoridades judiciales que las integran, con arreglo a los factores que la determinan y bajo el entendido de que el constituyente no se ocupó de dicha materia (C.P., arts. 150-23 y 228); **ii.)** supone el desarrollo legal de un derecho fundamental como el debido proceso, precisamente, en su elemento esencial de la definición del juez o tribunal competente para el respectivo juzgamiento, es decir con prevalencia del principio del juez natural (C.P., art. 29); y **iii.)** no desconoce la voluntad del constituyente al organizar la jurisdicción contencioso administrativa pues la definición del objeto de la jurisdicción no obtuvo regulación constitucional sino que dicha labor constituye materia legislativa. (M.P. Álvaro Tafur Gálvis, 2000).

Y que la competencia entregada en la citada disposición a la jurisdicción ordinaria obedeció al propósito de darle desarrollo a la prestación del servicio público de la seguridad social mediante un régimen jurídico unificado. En este sentido afirmó que la asignación de competencia para la solución de las controversias suscitadas entre las entidades públicas y privadas de la seguridad social integral con sus afiliados:

responde a la necesidad de especializar una jurisdicción estatal con la asignación de dicha competencia, haciendo efectiva la aplicación del régimen jurídico sobre el cual se edificó la prestación del servicio público de la seguridad social". De esta forma igualmente consideró que cuando el artículo 1° de la Ley 362 de 1997 asignó tal competencia a la jurisdicción ordinaria, la acepción "seguridad social integral" allí consignada no puede ir más allá de su órbita para abarcar aspectos que se mantienen en otras jurisdicciones, u otras especialidades de la jurisdicción ordinaria, ya que las diferencias susceptibles de conocimiento de los jueces del trabajo en esta materia, se refieren al reconocimiento y pago de las prestaciones sociales económicas y de salud establecidas en favor de los afiliados y beneficiarios en la Ley 100 de 1993 y en el decreto 1295 de 1994 a cargo de entidades que conforman el Sistema Integral de Seguridad Social, así como las que se suscitan sobre los servicios sociales complementarios contemplados en la misma Ley 100 y no las que hacen parte de un sistema de prestaciones a cargo directo de los empleadores públicos y privados, cuya competencia se mantiene en los términos previstos en las leyes anteriores, por cuanto en estricto sentido no hacen parte del dicho Sistema Integral de Seguridad Social. (M.P. Álvaro Tafur Gálvis, 2000).

Finalmente, la Corte Constitucional concluyó que no existía un trato desigual injustificado entre servidores públicos por parte de la norma acusada, dada la vigencia de un régimen jurídico especializado al cual se someten los sujetos y las materias que integran el sistema de seguridad social. En suma, siendo el objeto de la norma acusada la atribución de una competencia a determinada jurisdicción con el fin de precisar la autoridad judicial que dirima las controversias de los sujetos que bajo un mismo régimen jurídico integran el sistema de seguridad social integral,

> es claro que la clase de vinculación al Estado no puede configurar un criterio válido para alegar una desigualdad de trato entre servidores públicos, pues se reitera que es en razón de la condición de afiliado a dicho sistema que se estructura la competencia judicial, en la forma de un factor subjetivo tenido en cuenta para la respectiva configuración". (M.P. Álvaro Tafur Gálvis, 2000).

Con la sentencia C-1027 de 2002 la Corte vuelve y se pronuncia indicando:

> Mediante la Ley 712 de 2001, por la cual se reforma el Código Procesal del Trabajo, se perfecciona el gran avance logrado por la Ley 362 de 1997, pues al delimitar el campo de la jurisdicción laboral en el artículo 1° de dicho ordenamiento se anuncia que en adelante el Código Procesal del Trabajo se denominará Código Procesal del Trabajo y de la Seguridad Social, agregando que los asuntos de que conoce la jurisdicción ordinaria "en sus especialidades laboral y de seguridad social" se tramitarán de conformidad con dicho Código.
>
> Así mismo, en el artículo 2° de la ley en mención se regula la competencia general de la jurisdicción ordinaria "en sus especialidades laboral y de seguridad social", atribuyéndole en su numeral 4° acusado el conocimiento de las controversias referentes al "sistema de seguridad social integral" que se susciten entre los afiliados, beneficiarios o usuarios, los empleadores y las entidades administradoras o prestadoras, cualquiera que sea la naturaleza de la relación jurídica y de los actos jurídicos que se controviertan.
>
> De esta forma, queda claro que el nuevo estatuto procesal del trabajo reconoce expresamente la autonomía conceptual que al tenor de lo dispuesto en el artículo 48 Fundamental ha adquirido la disciplina de la seguridad social, asignándole a la jurisdicción ordinaria laboral el conocimiento de los asuntos relacionados con el sistema de seguridad social integral en los términos señalados en el numeral 4° del artículo 2° de la Ley 712 de 2001. (M.P. Clara Inés Vargas Hernández, 2007).

Por su parte el Consejo de Estado, máxima autoridad jurisdiccional en lo contencioso administrativo ha señalado:

> Los conflictos relacionados con los regímenes de excepción establecidos en el artículo 279 de la Ley 100 de 1993 no fueron asignados por el legislador a la justicia ordinaria laboral, por tratarse de regímenes patronales de pensiones o prestacionales que no constituyen un conjunto institucional armónico, ya que los derechos allí regulados no tienen su fuente en cotizaciones ni en la solidaridad social, ni acatan las exigencias técnicas que informan el sistema de seguridad social integral. (C.P. César Palomino Cortés, 2018).

Y en otros pronunciamientos este mismo tribunal ha indicado:

> En cuanto al argumento de la demandada, según el cual, debe declararse la nulidad de todo lo actuado porque en virtud del artículo 2 de la Ley 712 de 2001 "las controversias referentes al sistema de seguridad social integral" son de competencia privativa de la Jurisdicción Ordinaria, la Sala desestima tal proposición, porque el presente asunto no es una controversia referente al sistema de seguridad social integral, pues a la pensión objeto de debate no se le aplicaron normas de Ley 100 de 1993 dado el cumplimiento de los requisitos del régimen de transición de su artículo 36, que permitió la aplicación del "régimen anterior", esto es, la Ley 33 de 1985, la cual no hace parte de dicho sistema de seguridad social. (C.P. Gerardo Arenas Monsalve, 2009).

En síntesis, es claro por aplicación normativa que, por regla general, los asuntos relativos a la seguridad social son competencia de la jurisdicción laboral con independencia de la naturaleza del vínculo o la calidad del funcionario (público o privado); sin embargo, los asuntos relativos a los regímenes exceptuados sí son competencia de la jurisdicción contencioso administrativa. Surge un interrogante finalmente a la competencia de los litigios que ocurran frente a quienes les aplican normas del sector público vía régimen de transición, pues para el Consejo de Estado en estos casos, también resulta competente la jurisdicción de lo contencioso administrativo.

9. REGÍMENES EXCEPTUADOS

Es importante diferenciar los regímenes especiales de los exceptuados. Mientras los primeros son regulaciones específicas especiales para determinados grupos de destinatarios a quienes SÍ les aplica el sistema de seguridad social integral, los otros están excluidos de su aplicación.

Los primeros tienen regulaciones especiales y más favorables por razones de equidad ya que son regulaciones que existen por regla general para grupos históricamente discriminados. En efecto y por ejemplo encontramos regulaciones más favorables en temas pensionales para las madres con hijos inválidos, para aquellos que sin ser inválidos (es decir sin ser calificados con más del cincuenta por ciento (50%) de pérdida de capacidad laboral) tienen una gran deficiencia o para quienes han laborado en actividades catalogadas como de alto riesgo.

Los exceptuados por su parte, no son destinatarios del sistema de seguridad social integral.

Vale señalar que esta distinción es una creación doctrinaria y no juris-prudencial; pues es común encontrar pronunciamientos en los que se trate indistintamente a los regímenes especiales y a los exceptuados.

Dicho esto, son regímenes exceptuados, siguiendo el artículo 279 de la Ley 100 de 1993 los siguientes:

- Fuerzas Militares y de Policía Nacional.

- El personal civil de las Fuerzas Militares y de Policía Nacional vincu-lado antes de la entrada en vigencia de la Ley 100 (23 de diciembre de 1993).

- Magisterio oficial afiliado al Fondo Nacional de Prestaciones Sociales del Magisterio.

- Servidores Públicos de Ecopetrol, vinculados antes de la entrada en vigencia de la Ley 797 de 2003 (29 enero de 2003).

Los regímenes exceptuados son importantes porque su existencia tiene efectos concretos en los sistemas de seguridad social en pensiones y en salud.

En pensiones los regímenes exceptuados permiten que una persona que ha recibido ingresos por actividades que lo obligan a afiliarse al sistema de seguridad social integral (por ejemplo, trabajador del sector privado) y que al tiempo ha trabajado en alguno de los regímenes exceptuados, pueda recibir dos pensiones: una reconocida por el régimen general de pensiones y otra por el régimen exceptuado.

Ahora bien, en salud hay que considerar el artículo 1° del Decreto 057 del año 2015 que modificó el 14 del Decreto 1703 de 2002, que indica:

"Artículo 14. Devolución de pagos dobles de cobertura. Las personas que se encuentren excepcionadas por ley para pertenecer al Sistema General de Seguridad Social en Salud, de conformidad con lo establecido en el artículo 279 de la Ley 100 de 1993, no podrán estar afiliados simultáneamente a un Régimen Especial o de Excepción y al Sistema General de Seguridad Social en Salud como cotizantes o beneficiarios, o utilizar paralelamente los servicios de salud en ambos regímenes.

Cuando la persona afiliada como cotizante a un régimen especial o de excepción o su cónyuge, compañero o compañera permanente, tenga una relación laboral o ingresos adicionales sobre los cuales esté obligado a cotizar al Sistema General de Seguridad Social en Salud —SGSSS—, el aportante deberá efectuar la respectiva cotización al Fondo de Solidaridad y Garantía —FOSYGA—. Los servicios asistenciales serán prestados exclusivamente a través del Régimen Especial o de Excepción y, las prestaciones económicas a cargo del Sistema General de Seguridad Social en Salud serán cubiertas por el Fosyga en proporción al Ingreso Base de Cotización sobre el cual se realizaron los respectivos aportes. Para tal efecto el empleador hará los trámites respectivos. Si el Régimen Especial o de Excepción no contempla la posibilidad de afiliar cotizantes distintos a los de su propio régimen, el cónyuge del cotizante deberá permanecer obligatoriamente en el Régimen Contributivo y los beneficiarios quedarán cubiertos por el régimen especial o de excepción. Igualmente, si no prevé la cobertura del grupo familiar, el cónyuge cotizante con sus beneficiarios permanecerá en el Sistema General de Seguridad Social en Salud (...)" (Decreto 057 del año 2015).

Este artículo, por tanto, establece el tratamiento dentro del subsistema de salud en virtud del cual se prevén los efectos frente a la cobertura en términos de prestaciones asistenciales y económicas tanto del afiliado cotizante como de su grupo familiar: las económicas serán cubiertas por el subsistema general de salud, mientras que las asistenciales lo serán por el régimen exceptuado. Frente a su grupo familiar el subsistema general asumirá la protección asistencial solamente cuando el exceptuado no lo permita.

Finalmente, de cara al subsistema de riesgos laborales, la afiliación se deberá hacer si asume la obligación de estar afiliado al sistema integral de seguridad social, no obstante estar también en un régimen exceptuado.

Ahora bien, antes de ingresar al estudio de cada subsistema, se presenta el siguiente cuadro introductorio.

10. CUADRO INTRODUCTORIO

Subsistema	Salud	Pensiones	Riesgos Laborales	Servicios sociales complementarios
Aseguradoras	* Régimen contributivo: EPS-C y cajas de compensación habilitadas para este Régimen. * Régimen subsidiado: EPS-S y cajas de compensación familiar habilitadas para el régimen subsidiado. Ente territorial para la población pobre no identificada.	* Régimen de Prima Media con Prestación Definida: Administradora Colombiana de Pensiones; * Régimen de Ahorro Individual con Solidaridad: Administradoras de Fondos Pensionales.	* Administradoras de Riesgos Laborales	* Cajas de compensación laboral

Subsistema	Salud	Pensiones	Riesgos Laborales	Servicios sociales complementarios
Afiliados	Residentes y otros en situación especial.	* Obligatorios: Trabajadores dependientes e independientes, servidores públicos; * Voluntarios.	* Obligatorios; * Voluntarios.	* Obligatorios: Trabajadores dependientes; * Voluntarios: los que voluntariamente decidan afiliarse.
Prestaciones	* Prestaciones Asistenciales. * Prestaciones económicas: subsidio por incapacidad temporal, licencia de maternidad y licencia de paternidad.	* Pensión de vejez; * Pensión de invalidez; * Pensión de Sobrevivientes; * Auxilio Funerario; * Devolución de saldos; * Indemnización sustitutiva de pensión. * Fondo de solidaridad Pensional; * BEPS.	* Prestaciones asistenciales; * Prestaciones económicas: Pensión de invalidez, indemnización permanente parcial, pensión de sobrevivientes, subsidio por incapacidad temporal, auxilio funerario.	* Recreación, deporte, servicios de crédito y ahorro, educación, protección al desempleo, subsidios para vivienda, entre otros.

SUBSISTEMA DE SALUD

1. INTRODUCCIÓN

Como características del sistema de salud, anterior a la instauración del subsistema de salud con la Ley 100 de 1993, cabe resaltar que se trataba de un sistema inequitativo y de muy baja cobertura. La Constitución Política de 1991 y posteriormente la Ley 100 de 1993, a partir de estas dos situaciones, fundan un sistema que se concentró en la búsqueda de una cobertura universal a partir de un sistema solidario de financiación.

Dado que este subsistema tiene un fundamento constitucional, su exposición ha de iniciar con el estudio del artículo 49 de la Constitución Política de Colombia.

2. PREVISIÓN CONSTITUCIONAL DE LA SALUD

No obstante existir una previsión constitucional expresa de la Seguridad Social, el constituyente destinó un artículo especialmente para la salud: el artículo 49, mostrando con ello, la gran importancia que revistió la misma para la fundación del Estado Social de Derecho.

Este artículo nos indica lo siguiente:

– La atención de la salud y el saneamiento ambiental son servicios públicos a cargo del Estado.

Es interesante la relación que se plantea entre la salud y el saneamiento ambiental, pues de esta manera se comienza a estructurar un sistema de salud que no se concibe aislado a unas condiciones óptimas ambientales. Si bien no los identifica, la Constitución explicita la imposibilidad de considerar la salud aislada de un medio ambiente sano.

De igual manera y en sintonía con el artículo 48, se señala que la salud estará a cargo del Estado y que se trata de un servicio público —no derecho—. La previsión expresa de la salud como derecho se la debemos a la Ley estatutaria de salud 1751 del año 2015.

Con todo cabe resaltar que el constituyente primario le dio la connotación de servicio público y no de derecho, dada la posibilidad de garantizar su atención de manera progresiva y no inmediata.

- Se garantiza a todas las personas el acceso a los servicios de promoción, protección y recuperación de la salud.

  Sobre este aparte se resalta el campo de cobertura: "todas las personas" —aludiendo al principio de universalidad—, y los tres estadios que se deben atender en la prestación del servicio de salud: la promoción para prevenir daños a la salud, la protección y la última fase de recuperación. La prestación de este servicio por tanto es compleja y no se reduce a la atención de la enfermedad, tanto así que se podría afirmar que la parte más importante de la prestación del servicio de salud es la prevención, asociada además a un ambiente sano.

- Corresponde al Estado organizar, dirigir y reglamentar la prestación de servicios de salud a los habitantes y de saneamiento ambiental.

  El Estado estará a cargo de la salud y por tanto le corresponde organizar, dirigir y reglamentar su prestación incluyendo el saneamiento ambiental.

- Conforme a los principios de eficiencia, universalidad y solidaridad.

  Hay un llamado constitucional para que el Estado cumpla su función de dirección buscando la universalidad, solidaridad y velando por un eficiente uso de los recursos escasos.

- También, establecer las políticas para la prestación de servicios de salud por entidades privadas, y ejercer su vigilancia y control.

  Al igual que la previsión constitucional de la Seguridad Social, la previsión de la salud contempla la prestación por entidades privadas, en ejercicio del Derecho a la Libertad de empresa. Sobre este punto cabe el mismo análisis realizado al respecto sobre el Derecho a la Seguridad Social.

- Así mismo, establecer las competencias de la Nación, las entidades territoriales y los particulares, y determinar los aportes a su cargo en los términos y condiciones señalados en la ley.

  En la prestación del servicio a la salud, las entidades territoriales deben cumplir un papel fundamental considerando que una correcta prestación del servicio, debe tener un enfoque diferencial por territorio: las enfermedades, la infraestructura, entre otras, son diferentes a lo largo del territorio nacional y requieren medidas diversas.

- Los servicios de salud se organizarán en forma descentralizada, por niveles de atención y con participación de la comunidad.

Reafirmada la descentralización, debe resaltarse que hay un llamado constitucional a la participación de la comunidad en la prestación del servicio.

Este llamado a la comunidad se tiene como un elemento que se debe considerar a la hora de generar políticas públicas para la adecuada prestación del servicio de salud.

- La ley señalará los términos en los cuales la atención básica para todos los habitantes será gratuita y obligatoria.

Hay una apuesta constitucional para buscar una cobertura básica gratuita para todos los habitantes. El Estado está compelido a buscar este fin constitucional.

- Toda persona tiene el deber de procurar el cuidado integral de su salud y la de su comunidad.

Se resalta que en la salud los beneficiarios estamos obligados constitucionalmente a procurar nuestro cuidado. En este sentido, la Constitución apela a la responsabilidad de todos de hacer un buen uso del sistema.

Finalmente, con el Acto Legislativo 02 del año 2009, se incorporó al texto original lo siguiente:

> El porte y el consumo de sustancias estupefacientes o sicotrópicas está prohibido, salvo prescripción médica. Con fines preventivos y rehabilitadores la ley establecerá medidas y tratamientos administrativos de orden pedagógico, profiláctico o terapéutico para las personas que consuman dichas sustancias. El sometimiento a esas medidas y tratamientos requiere el consentimiento informado del adicto.
>
> Así mismo el Estado dedicará especial atención al enfermo dependiente o adicto y a su familia para fortalecerla en valores y principios que contribuyan a prevenir comportamientos que afecten el cuidado integral de la salud de las personas y, por consiguiente, de la comunidad, y desarrollará en forma permanente campañas de prevención contra el consumo de drogas o sustancias estupefacientes y en favor de la recuperación de los adictos. (Acto Legislativo 02 del año 2009).

La primera parte de este aparte *"El porte y el consumo de sustancias estupefacientes o sicotrópicas está prohibido, salvo prescripción médica"* fue demandado ante la Corte Constitucional, por considerar los actores, que lo mismo configura un vicio de competencia al quebrantar el principio de dignidad humana consustancial a la Constitución Política de 1991. La Corte Constitucional entonces, mediante sentencia de constitucionalidad C-574 del año 2011 (M.P. Juan Carlos Henao, 2011), se declara inhibida al

considerar que: i) la demanda es sustancialmente inepta ya que no está sufi-
cientemente argumentada —requisito de la suficiencia— y ii) no se formula
la proposición jurídica completa, indispensables para que pudiera entrar a
realizar un examen y proferir una decisión de fondo.

3. LEY ESTATUTARIA DE SALUD 1751 DE 2015

El constituyente de 1991 estableció que existen una clase de leyes deno-
minadas Leyes estatutarias que regulan (artículo 152 CP):

- Derechos y deberes fundamentales y mecanismos para su protección.

- La administración de Justicia.

- La Organización y régimen de los partidos políticos, estatuto de la
  oposición y funciones electorales.

- Las Instituciones y mecanismos de participación ciudadana.

- Los Estados de excepción.

Como se observa, las leyes estatutarias están instituidas para la regulación y protección de los derechos, entre otras.

Dada la relevancia constitucional dada a estas leyes las mismas gozan de
unas características especiales: tienen trámite especial pues deben aprobarse
por mayoría absoluta en las cámaras y durante una misma legislatura y la
Corte Constitucional, ejerce sobre estas leyes un control previo de constitucionalidad.

Dicho esto, el artículo 2º de la Ley estatutaria 1751 de 2015 contempla
que *la salud es un derecho fundamental autónomo*.

3.1. Principios Ley estatutaria

Igualmente en su artículo 6º introducirá una serie de principios:

1. Universalidad

Este es un principio es de rango constitucional y está establecido en el
artículo 2º de la Ley 100 de 1993, así como en las Leyes 1438 de 2011 y
1751 de 2015. Este principio supone que la salud será prestada a todas las
personas sin excepción alguna. De acuerdo a la Sentencia de Constitucionalidad 313 del año 2014, supone además que el Estado trabajará articu-
ladamente con la sociedad y las instituciones prestadoras de salud con el
fin de crear planes y programas de salud pública que generen una mayor

inclusión y una oferta más amplia de beneficios, sin descuidar los servicios actualmente prestados, mejorando además la calidad de los mismos. (M.P. Gabriel Eduardo Mendoza Martelo, 2014).

A la luz de lo indicado por la Corte Constitucional:

> Para la Corte, resulta de particular interés destacar lo vertido en el informe sobre la salud en el mundo de 2013. En dicho documento, la O.M.S. precisó: (...) el concepto de cobertura universal se funda en una visión amplia de los servicios necesarios para gozar de unas buenas condiciones de salud y bienestar. Estos servicios van desde la atención clínica del paciente individual hasta los servicios públicos que protegen la salud de una población entera. (M.P. Gabriel Eduardo Mendoza Martelo, 2014).

2. Pro Homine

Concreta la aplicación del principio de favorabilidad en materia de salud al señalar que ha de preferirse siempre la interpretación más favorable no para los intereses del usuario, sino para la protección del derecho a la salud. Es interesante que la favorabilidad se predica del derecho fundamental a la salud y no del usuario.

3. Equidad

A través de éste principio se plantea el acceso al Plan de Beneficios a todos los afiliados del Sistema, independientemente de su capacidad de pago; así como evitar que prestaciones asistenciales individuales, que no son pertinentes bajo una óptica técnico científica, pongan en riesgo la estabilidad financiera del sistema.

4. Continuidad

Siguiendo al Doctor Juan Carlos Cortés *"la Corte Constitucional entiende que este postulado se basa en el artículo 2° de la Carta Política y en el postulado de la confianza legítima, en los términos del artículo 83 de esta"*. (Cortés, 2015, pág. 136).

Indica en efecto la Corte Constitucional que la confianza legítima supone que las actuaciones de particulares y autoridades públicas se deben ceñir al principio de buena fe, de tal manera que no podrá suspenderse un tratamiento brindado a una persona una vez haya iniciado. (M.P. Gabriel Eduardo Mendoza Martelo, 2014).

Igualmente ha indicado que

> Como se observa, la corporación (...) ha descartado los móviles presupuestales o administrativos como aceptables para privar del servicio de salud a las personas. No ha estimado la jurisprudencia que tales motivos sean de recibo ni

aun cuando la suspensión del servicio no resulte arbitraria e intempestiva. (M.P. Gabriel Eduardo Mendoza Martelo, 2014).

Esta postura ha sido reiterada por la Corte Constitucional en la sentencia de Tutela 234 del año 2013:

> Una de las características de todo servicio público, atendiendo al mandato de la prestación eficiente (Art. 365 C.P.), la constituye su continuidad, lo que implica, tratándose del derecho a la salud, su prestación ininterrumpida, constante y permanente, dada la necesidad que de ella tienen los usuarios del Sistema General de Seguridad Social. Sobre este punto, la Corte ha sostenido que una vez haya sido iniciada la atención en salud, debe garantizarse la continuidad del servicio, de manera que el mismo no sea suspendido o retardado, antes de la recuperación o estabilización del paciente. Asimismo, este derecho constitucional a acceder de manera eficiente a los servicios de salud, no solamente envuelve la garantía de continuidad o mantenimiento del mismo, también implica que las condiciones de su prestación obedezcan a criterios de calidad y oportunidad. (Luis Guillermo Guerrero Pérez, 2013).

5. Oportunidad

La prestación de los servicios y tecnologías de salud deben proveerse sin dilaciones.

6. Prevalencia de derechos

Este principio en palabras del doctor Juan Carlos Cortés González

> Implica el reconocimiento preferente de beneficios para las personas cubiertas, lo que supone en lógica la asignación también prioritaria de recursos para cubrir las atenciones que a ellas correspondan, no obstante los beneficios puedan ser los mismos que se reconocen a la generalidad. (Cortés, 2015, pág. 144).

Vale indicar que las obligaciones que se pueden derivar de este principio no están radicadas exclusivamente en el Estado sino que competen además a la familia. (M.P. Gabriel Eduardo Mendoza Martelo, 2014).

7. Progresividad

De acuerdo con el artículo 3 de la ley 1438 de 2011, la progresividad vela por *"la gradualidad en la actualización de las prestaciones incluidas en el plan de beneficios"*

En este sentido, se cumplirá con este principio en la medida en que se disponga con nuevas tecnologías en salud y sea posible incluirlas dentro del Plan de salud.

En lo que refiera a la actualización progresiva del plan de beneficios, el alto tribunal constitucional en sentencia de Tutela 760 del año 2008 señala:

La actualización supone, más allá de ajustes puntuales, una revisión sistemática del POS conforme a (i) los cambios en la estructura demográfica, (ii) el perfil epidemiológico nacional, (iii) la tecnología apropiada disponible en el país y (iv) las condiciones financieras del sistema. (M.P. Manuel José Cepeda Espinosa, 2008).

Y en lo que respecta el principio de progresividad, la misma Corte en sentencia T-760 de 2008 señala:

Para la jurisprudencia constitucional, cuando el goce efectivo de un derecho constitucional fundamental depende del desarrollo progresivo, 'lo mínimo que debe hacer [la autoridad responsable] para proteger la prestación de carácter programático derivada de la dimensión positiva [de un derecho fundamental] en un Estado Social de Derecho y en una democracia participativa, es, precisamente, contar con un programa o con un plan encaminado a asegurar el goce festivo de los derechos (...).

Este concepto de 'progresiva efectividad' es el reconocimiento de que la plena efectividad de todos los derechos económicos, sociales y culturales, en general, ni podrá lograrse en un breve periodo de tiempo. No obstante, el hecho de que la efectividad plena de los derechos se dé a lo largo del tiempo, o en otras palabras progresivamente, no se ha de interpretar equivocadamente como que previa a la obligación de todo contenido significativo. Como lo ha resaltado la doctrina, la idea de progresividad contempla dos conceptos; el de gradualidad, el de pasos, pero a la vez el de progreso, avance. (M.P. Manuel José Cepeda Espinosa, 2008).

8. *Libre elección*

Las personas tienen la libertad de elegir sus entidades de salud dentro de la oferta disponible según las normas de habilitación.

9. *Sostenibilidad*

Se trata de un principio introducido con la Ley 1438 de 2011, en donde se establece que las prestaciones que brinda el sistema deben financiase con los recursos destinados para tal fin y las decisiones que se tomen dentro del mismo deben consultar criterios de sostenibilidad fiscal. Así, tanto en el capítulo V de dicha ley y en la ley 1393 de 2010 se definen de forma clara las fuentes de financiación del sistema.

10. *Solidaridad*

El sistema general de seguridad social en salud, estableció que el régimen de salud siempre dependería de una colaboración intergeneracional y una ayuda mutua entre los ciudadanos. Al promulgarse la Ley 100 de 1993 se buscó el traslado de recursos de grupos que tienen una mayor capacidad económica hacia la población que no tiene suficientes ingresos económicos, con el fin de garantizarles el acceso al sistema de salud por lo menos en un mínimo de servicios.

Al respecto ha indicado la Corte Constitucional en sentencia de Tutela 737 de 2011:

> Para la Corte este precepto ha permitido en el ámbito de la Salud desarticular la prestación del servicio de la capacidad de pago. Así por ejemplo, en sede de tutela el juez constitucional ha protegido a personas en condiciones de debilidad manifiesta y sin capacidad de pago como aquellas que se encuentran en situación de indigencia. (...) no siempre la capacidad económica de las personas es la que determina el grado de atención en salud, porque debe existir siempre un mínimo de servicios de salud que tiene que ser igual para todos, permitiendo concluir que, no todo el sistema de salud está determinado por la capacidad económica de las personas, pues también se aplica el principio de la solidaridad, en virtud del cual quienes no tienen recursos económicos para cotizar al sistema reciben la atención en salud y son beneficiados con los recursos que se reciben a través del FOSYGA cuya finalidad es garantizar la compensación entre personas de distintos ingresos. (M.P. Mauricio González Cuerto, 2011).

Lo anterior no quiere decir que la solidaridad exclusivamente sea entendida desde su aspecto económico, como quiera que existe la responsabilidad social de las personas con el sistema de no exponerse a situaciones que producen un riesgo, a conciencia y de actuar de forma adecuada auto-brindándose protección frente a un ambiente riesgoso. (M.P. Gabriel Eduardo Mendoza Martelo, 2014).

11. Eficiencia

Se trata de un principio establecido desde la Carta Política, la cual en sus artículos 48 y 49 indica, respectivamente, que la seguridad social es un servicio público a cargo del Estado que debe prestarse bajo el principio de eficiencia.

A su turno, la ley 1438 de 2011 introduce la eficiencia como principio del Sistema General de Seguridad Social en Salud al siguiente tenor: *"es la óptima relación entre los recursos disponibles para obtener los mejores resultados en salud y calidad de vida de la población"*.

Sobre este principio en el Sistema de Salud el doctor Juan Carlos Cortés señala:

> Puede afirmarse que criterios como el referido control sobre la aplicación de los recursos provenientes del pago de la UPC por parte de las EPS contenido en el artículo 23 de la ley 1438 de 2011, desarrollan en concepto de eficiencia.
> El criterio de eficiencia tiene un especial impacto dentro del sistema. Se trata de entender que la razón de ser de este es satisfacer el derecho a la salud y la calidad de vida de la población, por lo cual todos los recursos y medio al alcance del servicio público deben orientarse hacia eso propósitos, para lo cual el Estado intervendrá y regulará el mercado para hacer compatible el fin legítimo que persi-

guen los actores desde su racionalidad económica, con la teleología del sistema. (Cortés, 2015, pág. 152).

La importancia de este principio es reconocida por la Corte Constitucional, no solo por su incidencia en los recursos económicos del sistema, sino como un factor determinante en la mejora de la prestación de los servicios de salud y que ha sido reconocido a nivel internacional, así en sentencia C-313 de 2014 se lee:

> La Organización Mundial de la Salud en su informe sobre la financiación de los sistemas de salud, ha expuesto, en su capítulo titulado elocuentemente "más salud por el dinero", que un obstáculo significativo en la consecución de la cobertura universal es la falta de eficiencia. Ha precisado la OMS, que se puede lograr más salud por el mismo dinero asignado a la cobertura del mismos, sí, en aplicación de la eficiencia, se eliminan las fuentes principales de ineficiencia (…).
> No pocas de es fuentes encuentra explicación en filas en el funcionamiento del sistema, como lo pueden ser controles y sistemas de vigilancia inadecuados o salarios insuficientes para el personal sanitario, contratación basada en el favoritismo, contratos fijos inflexibles, conocimiento o aplicación deficiente de protocolos médicos. (M.P. Gabriel Eduardo Mendoza Martelo, 2014).

12. Enfoque diferencial (Interculturalidad, protección a pueblo indígenas, Rrom, negras, afrocolombianas, raizales y palenqueras)

Establecido en el artículo 3 de la Ley 1438 de 2011. Este principio que hemos denominado enfoque intercultural abarca los tres últimos principios previstos por la norma: el de interculturalidad, el de protección a pueblos indígenas y el de protección a pueblos y comunidades Rrom (gitanos), negros, afrocolombianos, raizales y palenqueros, llama a la generación y establecimiento de políticas y medidas especiales que correspondan a las condiciones particulares de los grupos poblacionales protegidos (Cortés, 2015). A la luz de este principio el gobierno debe diseñar políticas especiales y programas en los cuales se desarrollen estrategias dinámicas y flexibles para grupos marginados y excluidos tendientes siempre al mejoramiento en la prestación del servicio. (M.P. Gabriel Eduardo Mendoza Martelo, 2014) además de respetar e integrar la diversidad de saberes asociados con el servicio de salud.

Sobre este enfoque ha indicado la Corte en sentencia de Tutea 010 de 2015:

> La Constitución Política de Colombia, desde el artículo 1° señala que el Estado Colombiano es un Estado pluralista. Así mismo, el artículo 7° de la Carta Magna, hace un reconocimiento expreso a la diversidad étnica y cultural de la Nación, así como a las manifestaciones sociales, culturales y económicas de las

diferentes etnias del país. Dicho reconocimiento, implica un deber de no discriminación, en razón a la pertenencia a determinada comunidad.

Dicho principio de enfoque diferencial, es producto del reconocimiento lógico que ciertos grupos de personas tienen necesidades de protección distintas ante
condiciones económicas de debilidad manifiesta (art. 13 C.P) y socio-culturales
específicas.

El enfoque diferencial entonces como desarrollo del principio de igualdad,
en tanto trata diferencialmente a sujetos desiguales, busca proteger a las personas
que se encuentren en circunstancias de vulnerabilidad o de debilidad manifiesta,
de manera que se logre una verdadera igualdad real y efectiva, con los principios de equidad, participación social e inclusión. (M.P. Martha Victoria Sáchica
Méndez, 2015).

3.2. *Elementos esenciales del derecho fundamental a la salud de la Ley estatutaria*

Junto a los principios, el expuesto artículo 6 de la Ley Estatutaria contempla los siguientes elementos esenciales del Derecho Fundamental a la
salud:

a. DISPONIBILIDAD: El Estado garantiza la existencia de servicios,
   tecnologías e instituciones de salud, así como programas y personal
   médico competente.

b. ACEPTABILIDAD: Los agentes del Estado deberán ser respetuosos
   de la ética médica, así como de las culturas de pueblos y minorías
   étnicas en materia de salud

c. ACCESIBILIDAD: Los servicios y tecnologías deben ser accesibles a
   todos en condiciones de igualdad, esto es, sin discriminación económica o por condiciones físicas o sociales.

d. CALIDAD E IDONEIDAD PROFESIONAL: Servicio centrado en el
   usuario con estándares mínimos de calidad.

El que sean elementos del Derecho a la salud, determina cuál es el núcleo
esencial del mismo y dota de contenido el Derecho. Sin embargo, esto no
supone que el Derecho el núcleo esencial se reduzca a tales elementos, pues
la aplicación concreta del mismo puede ampliar su contenido.

4. ORGANIZACIÓN INSTITUCIONAL DEL SISTEMA DE SEGURIDAD SOCIAL EN SALUD (SGSS).

4.1. *Organismos de Dirección*

4.1.1. Ministerio de Salud y Protección Social

Dentro de las funciones del Ministerio de salud encontramos las siguientes:

- Dirigir el sistema de salud y protección social en salud, a través de políticas de promoción de la salud, prevención de contingencias, tratamiento y rehabilitación de la enfermedad.

- Se encarga de la coordinación intersectorial para el desarrollo de políticas sobre determinantes en salud.

- Velar por la integración de todas las instituciones y la comunidad, en todos los procesos y acciones que incidan en la salud.

- Definir, modificar los planes de Salud.

- Definir cada año el valor de la UPC[5] de cada Régimen (Contributivo y Subsidiado).

- Definir el Régimen que aplicará Empresas Promotoras de Salud del Régimen Contributivo para el reconocimiento y pago de prestaciones económicas para el afiliado cotizante.

- Revisar y establecer el manual de tarifas mínimas para el pago de gastos médicos de este subsistema.

4.2. *Organismos de Inspección, vigilancia y control*

4.2.1. Superintendencia Nacional de Salud

Según el Artículo 233 Ley 100 de 1993 y al Decreto 2462 del año 2013, la Superintendencia Nacional de Salud es una entidad de carácter técnico,

---

5   Es la unidad de pago por capitación. Lo que al sistema le cuesta cada afiliado anualmente. Estas UPC son valores diferenciales: dependen de criterios como el género; grupo etario, es decir, edad; y zona geográfica. Igualmente, la UPC del régimen contributivo es diferente a la del subsidiado. No es lo mismo lo que le cuesta al sistema una mujer de 50 años a una mujer de 28; tampoco es lo mismo lo que le cuesta un niño de amazonas que un niño de Bogotá.

adscrita al Ministerio de Salud y Protección Social, con personería jurídica, autonomía administrativa y patrimonio independiente.

Es la cabeza del Sistema de Inspección Vigilancia y Control de este subsistema.

Ejerce funciones de inspección, vigilancia y control. La labor de inspección comprende el conjunto de actividades encaminadas al seguimiento, monitoreo y evaluación del subsistema a partir del análisis de la información sobre la prestación del servicio, la situación financiera, jurídica, técnica-científica y administrativa de las entidades sometidas a la vigilancia de la Superintendencia Nacional de Salud.

Como vigilante por su parte debe advertir, prevenir, orientar y propender porque las entidades vigiladas cumplan con las normas que rigen subsistema.

Y el control supone la posibilidad de aplicar los correctivos tendientes a la superación de una situación crítica o irregular y sancionar las actuaciones u omisiones que se contravengan las normas del subsistema.

De acuerdo al Decreto 2462 del año 2013 la Superintendencia Nacional de Salud ejerce sus funciones a través de las siguientes delegadas:

- Superintendencia Delegada para la Supervisión de Riesgos.
- Superintendencia Delegada para la Protección al Usuario y la Participación Ciudadana.
- Superintendencia Delegada para las Medidas Especiales.
- Superintendencia Delegada para la Función Jurisdiccional y Conciliación.
- Superintendencia Delegada para la Supervisión Institucional.
- Superintendencia Delegada de Procesos Administrativos.

Dentro de las funciones de la Superintendencia Delegada para la Supervisión de Riesgos, se resaltan las siguientes: Ejerce la inspección y vigilancia sobre los riesgos inherentes al subsistema de salud relacionados con los aspectos de prestación del servicio como aquellos de tipo técnico y financiero. Para ello debe vigilar e inspeccionar la implementación de indicadores de riesgo por parte de los vigilados, evaluar periódicamente su estado de riesgo en salud y financiero.

La Delegada para medidas especiales debe adoptar aquellas medidas especiales derivadas de situaciones que pongan en riesgo la prestación del servicio de salud tales como: vigilancia especial; recapitalización; administración fiduciaria, cesión total o parcial de activos, pasivos, contratos, entre otros; escisión y asociación; fusión; programa de recuperación; exclusión de activos o pasivos; programa de desmonte progresivo; provisión para pasivos laborales; prohibición de compensación en cooperativas financieras (más de tipo bancario). Y en último término se aplica la intervención forzosa para administrar o para liquidar.

Debe realizar el seguimiento y monitoreo a las entidades que estén sometidas a acciones y medidas especiales; el seguimiento de la gestión de los agentes especiales interventores, agentes especiales liquidadores y contralores; evaluar el cumplimiento de los requisitos establecidos en la ley para la aceptación de promoción de acuerdos de reestructuración y proponer al Superintendente Nacional de Salud la persona que actuará como promotor.

Dentro de las funciones de la delegada para procesos administrativos se encuentra adelantar la investigación administrativa, cuando en ejercicio de las diferentes actividades de inspección y vigilancia ejecutadas por las Superintendencias Delegadas, se evidencien asuntos que puedan conllevar infracción, por parte de los sujetos vigilados, de las normas del Sistema General de Seguridad Social en Salud.

La Delegada para la función jurisdiccional, conocida como el juez de la salud, conoce en primera instancia y con las facultades de un juez los asuntos definidos taxativamente en el artículo 41 de la Ley 1122 del año 2007 adicionado por el artículo 126 de la Ley 1438 del año 2011:

- Cobertura de los procedimientos, actividades e intervenciones del plan de beneficios cuando su negativa por parte de la Entidad Promotora de Salud, ponga en riesgo o amenace la salud del usuario;

- Reconocimiento económico de los gastos en que haya incurrido el afiliado por concepto de atención de urgencias en caso de ser atendido en una Institución Prestadora de Salud que no tenga contrato con la respectiva Empresa Promotora de Salud y en caso de incapacidad, imposibilidad, negativa injustificada o negligencia demostrada de la Entidad Promotora de Salud para cubrir las obligaciones para con sus usuarios;

- Conflictos que se susciten en materia de multiafiliación dentro del Sistema General de Seguridad Social en Salud;

- Conflictos relacionados con la libre elección que se susciten entre los usuarios y las aseguradoras y entre estos y las prestadoras de servicios de salud y conflictos relacionados con la movilidad dentro del Sistema General de Seguridad Social en Salud.

- Sobre las prestaciones excluidas del Plan de Beneficios que no sean pertinentes para atender las condiciones particulares del individuo;
- Conflictos derivados de las devoluciones o glosas[6] a las facturas entre entidades del Sistema General de Seguridad Social en Salud;
- Conocer y decidir sobre el conocimiento y pago de las prestaciones económicas por parte de las Empresas Promotoras de Salud o del empleador.

Finalmente, dentro de las funciones de la delegada para la función de conciliación se señala la de conciliar, de oficio o a petición de parte, los conflictos que surjan entre los actores del Sistema General de Seguridad Social en Salud, Los acuerdos conciliatorios tendrán efecto de cosa juzgada y el acta que la contenga, donde debe especificarse con toda claridad las obligaciones a cargo de cada una de ellas, prestará mérito ejecutivo.

Dicho de esto cabe señalar que de acuerdo al artículo 118 de la Ley 1438 del año 2011, con el fin de lograr mayor efectividad en sus funciones de inspección, vigilancia y control, la Superintendencia Nacional de Salud se desconcentrará y podrá trasladar sus funciones a nivel departamental y distrital, gozando sin embargo de un poder preferente de acuerdo a lo previsto en el artículo 40 literal e de la Ley 1122 del año 2007. En virtud de esta norma la Superintendencia Nacional de Salud puede proseguir o remitir cualquier investigación o juzgamiento de competencia de los demás órganos que ejercen inspección, vigilancia y control dentro del Sistema General de Seguridad Social en Salud.

Este poder no es arbitrario. El poder preferente lo puede pedir el vigilado, la dirección territorial o de oficio la misma Superintendencia motivando en cada caso la decisión de asumir la competencia respectiva.

4.2.2. Las Entidades Departamentales, Distritales y Municipales

En desarrollo de sus propias competencias, les corresponde cumplir y hacer cumplir en sus respectivas jurisdicciones, las disposiciones concernientes al subsistema de salud, que expida, entre otros, el Ministerio de Salud y la

---

[6]   De acuerdo a la Resolución 3047 del año 2008 modificada por la Resolución 416 del año 2009, por glosa nos referimos a una no conformidad que afecta en forma parcial o total el valor de la factura por prestación de servicios de salud, encontrada por la entidad responsable del pago durante la revisión integral, que requiere ser resuelta por parte del prestador de servicios de salud.

Protección Social, divulgarlas y además brindar asistencia y auditar a los prestadores de salud de su respectiva jurisdicción.

4.2.3. La Unidad de Gestión Pensional y Parafiscales UGPP

De acuerdo con el Decreto 575 del año 2013, la Unidad Administrativa Especial de Gestión Pensional y Contribuciones Parafiscales de la Protección Social (UGPP) es una entidad administrativa del orden nacional con personería jurídica, autonomía administrativa y patrimonio independiente, adscrita al Ministerio de Hacienda y Crédito Público.

Dentro de otras funciones, en lo que tiene que ver con la función de vigilancia y control, le corresponde sancionar a los empleadores por los incumplimientos establecidos en los artículos 161, 204 y 210 de la Ley 100 de 1993 y en las demás que las modifiquen y adicionen.

4.2.4. El Instituto Nacional de Salud, INS

Es un establecimiento público del orden Nacional, con personería jurídica, patrimonio propio y autonomía administrativa y financiera, adscrito al Ministerio de Salud y de la Protección Social.

De acuerdo al Decreto 272 de 2004, la Ley 1122 del año 2007 y la Ley 1438 del año 2011, el Instituto Nacional de Salud opera y desarrolla el sistema de vigilancia y control en salud pública en el marco del subsistema de salud.

4.2.5. El Instituto Nacional de Vigilancia de Medicamentos y Alimentos INVIMA

El Instituto Nacional de Vigilancia de Medicamentos y Alimentos —INVIMA— es un establecimiento público del orden nacional, con personería jurídica, autonomía administrativa y patrimonio independiente, adscrito al Ministerio de Salud y de la Protección Social.

Creado con el Decreto 1290 del año 1994, dentro de sus funciones y de acuerdo a lo señalado por La Ley 1122 del año 2007 le corresponde la vigilancia de salud pública que tienen que ver con el beneficio de animales para consumo humano, distribución de medicamentos y materias primas para la fabricación de medicamentos.

4.2.6. Participación de los usuarios en salud

Atendiendo el mandato constitucional que busca involucrar a las comunidades en la prestación del servicio de salud, se prevé la participación de los usuarios en salud.

Esta se concreta en diversos modos de participación, como son:

- El ejercicio de Derechos de petición o medios judiciales.

- Las Empresas Promotoras de Salud y las Instituciones prestadoras de Salud deberán establecer un servicio de atención a los afiliados y vinculados.

- La participación comunitaria a través de los COPACOS. Esta es la sigla empleada para designar los comités de participación comunitaria en salud. De acuerdo a lo previsto en el Decreto 1757 del año 1994 en todos los municipios se conformarán los Comités de Participación Comunitaria en Salud establecidos por las disposiciones legales como un espacio de concertación entre los diferentes actores sociales y el Estado, para cuyos efectos estarán integrados así: el alcalde municipal, distrital o metropolitano o su respectivo delegado, quien lo presidirá. En los resguardos indígenas el comité será presidido por la máxima autoridad indígena respectiva; el jefe de la Dirección de Salud Municipal; el director de la entidad prestataria de servicios de salud del Estado más representativa del lugar. La asistencia del director es indelegable; un representante por cada una de las formas organizativas sociales y comunitarias y aquellas promovidas alrededor de programas de salud, en el área del Municipio. Dentro de sus funciones se destacan la intervención en las actividades de planeación, asignación de recursos y vigilancia y control del gasto en todo lo atinente al sistema general de seguridad social en salud en su jurisdicción respectiva; participar en el proceso de diagnóstico, programación control y evaluación de los Servicios de Salud; presentar planes, programas y prioridades en salud a la Junta Directiva del organismo o entidad de salud, o a quien haga sus veces; proponer y participar prioritariamente en los programas de atención preventiva, familiar, extrahospitalaria y de control del medio ambiente; consultar e informar periódicamente a la comunidad de su área de influencia sobre las actividades y discusiones del comité, entre otras.

- Las Alianzas o Asociaciones de Usuarios son agrupaciones de afiliados del régimen contributivo y subsidiado, del Sistema General de Seguridad Social en Salud, que velarán por la calidad del servicio y la defensa del usuario. Dentro de sus funciones se contemplan: asesorar a sus asociados en la libre elección de Empresas Promotoras de Salud y los profesionales adscritos a la entidad promotora de salud, asesorar a sus asociados en la identificación y acceso al paquete de servicios, entre otras.

– El defensor del usuario en salud según lo dispone el artículo 42 de la Ley 1122 del año 2007 y la Ley 1438 del año 2011 depende de la Superintendencia Nacional de salud en coordinación con la Defensoría del Pueblo; hay uno en cada Departamento y en el Distrito Capital y su función es ser vocero de los usuarios ante las Empresas Promotoras de Salud, con el fin de conocer, gestionar y trasladar a las instancias competentes las quejas relacionadas con la prestación del servicio público de salud.

4.3. Administradoras/aseguradoras

Sus funciones se ejecutan en desarrollo de un esquema de aseguramiento.

4.3.1. Del aseguramiento en salud

De Acuerdo a lo indicado por la Ley 1122 de 2007 en su artículo 14, el aseguramiento en salud comprende: la administración del riesgo financiero, la gestión del riesgo en Salud, la articulación de los servicios que garantice el acceso efectivo, la garantía de la calidad en la prestación de los servicios de Salud y la representación del afiliado ante el prestador y los demás actores sin perjuicio de la autonomía del usuario.

Lo anterior supone que la aseguradora asume un riesgo transferido:

i) Protegiendo a la persona ante el riesgo financiero en que podría incurrir ante el acaecimiento de una contingencia de salud.

ii) Gestionándolo al dispersarlo entre muchos asegurados, al prevenir su ocurrencia y al administrar el gasto médico.

Para esto firma un contrato con el asegurado para enseguida garantizar la obligación condicional de prestar el servicio de salud a través de una red de prestadoras del servicio de salud y cubrir las contingencias económicas a que haya lugar, dentro del marco legal. Esto significa que el alcance de la cobertura depende de lo expresamente señalado en la Ley: el sistema no cubrirá cualquier prestación económica o asistencial que se reclame, pues su alcance está limitado por lo previa y expresamente señalado por el legislador.

Dicho esto, hay dos medios para ingresar al sistema de seguridad social en salud: a través de un sistema contributivo y a través de un sistema subsidiado. En cada sistema existen unas determinadas aseguradoras que cumplen su función bajo el esquema de aseguramiento ya explicado:

4.3.2. Aseguradoras

Sistema contributivo

- Régimen contributivo: son aseguradoras las Empresas promotoras de Salud del régimen contributivo (EPS-R) y las cajas de compensación familiar que tengan habilitado el aseguramiento en salud dentro del régimen contributivo.

- Régimen de planes voluntarios de salud: medicina prepagada, pólizas de salud y planes de atención complementaria. Estos pueden ofertar el plan mínimo de beneficios, beneficios adicionales y también pueden ofertar hotelería. Los planes voluntarios pueden brindar beneficios asistenciales o económicos.

Sistema subsidiado

Para hablar de aseguramiento en salud subsidiado, debemos referirnos al régimen subsidiado y al aseguramiento de la población no afiliada al régimen subsidiado.

- Régimen subsidiado: el aseguramiento en salud de los pobres identificados y clasificados. El asegurador es la Empresa Promotora de Salud Subsidiada (EPS-S) o la caja de compensación familiar que tenga habilitado el servicio de aseguramiento en salud del régimen subsidiado.

- La Población no afiliada comprende a la población pobre no asegurada, que teniendo el beneficio a un subsidio pleno no se afilia y la población no identificada como pobre, que, sin tener el beneficio de un subsidio, en muchas ocasiones no tiene la capacidad de pago suficiente para pertenecer al régimen contributivo. Frente a estos que no están en el régimen contributivo, ni subsidiado, ni pertenecen a ninguno especial, el aseguramiento lo asumen los departamentos o distritos con cargo al rubro subsidio a la oferta. Este grupo por su parte sólo puede acceder a una red contratada de prestadoras que a su vez sólo pueden ser Empresas sociales del Estado ESE o Instituciones Prestadoras de Salud Indígenas IPSI[7]. Sin embargo, es posible que contrate otro tipo de red cuando: i) No haya ESE o IPSI en el correspondiente ente territorial; ii) Cuando habiendo, el servicio requerido no lo tiene habilitado; iii) Cuando habiendo ESE o IPSI con el servicio habilitado, no tiene capacidad de oferta instalada. En estos tres casos se requiere autorización por parte del Ministerio de salud y Protección social.

4.3.3. Habilitación de las EPS del régimen contributivo y subsidiado y de las cajas de compensación habilitadas para asegurar en ambos regímenes

De acuerdo a lo establecido por el Decreto 682 del año 2018, se establecen unos requisitos especiales para la habilitación en cuanto a la capacidad científica, técnica, administrativa y tecnológica, atendiendo a la especial protección constitucional que se le ha dado al servicio público de la seguridad social y la salud, que incluso puede establecer mayores límites al ejercicio de la libertad de empresa.

Esta habilitación es concedida por la Superintendencia Nacional de Salud a través de un acto administrativo que indica, entre otras, el régimen en el que va a operar; la definición del ámbito territorial de funcionamiento, pues la habilitación tiene un alcance territorial (por departamento, municipio o distrito, dependiendo de las posibilidades y voluntad de habilitación de la respectiva aseguradora), no nacional; la facultad para afiliar y recibir por tanto por cada afiliado la UPC o Unidad de Pago por Capitación.

La capacidad técnico administrativa demuestra el cumplimiento de unas condiciones legales y procesos administrativos, contables, logísticos y de recurso humano para el cumplimiento de sus funciones.

La capacidad tecnológica y científica demuestra que se cuenta con la infraestructura, tecnologías, procesos y recursos humanos para cumplir sus funciones.

Debe incluir un estimado de la población que pretende afiliar, su distribución rural y urbana, su distribución etaria, demanda estimada en servi-

---

[7] De acuerdo con lo previsto en los artículos 25 de la ley 691 de 2001 y 54 de la ley 715 de 2001 las I.P.S. Indígenas son empresas prestadoras de los servicios de seguridad social en salud y hacen parte de la red pública como unidades prestadoras del servicio de salud a nivel territorial.

cios de prevención y promoción, la demanda estimada en servicios en los primeros tres años, el estado de salud de la población en términos de morbilidad y mortalidad y las condiciones sociales y económicas incluyendo laborales, étnicas, culturales y ambientales de la población.

Debe contar además con un certificado por parte de revisor fiscal que garantice unas condiciones mínimas financieras y de solvencia. Esto es, unas condiciones de capital mínimo y patrimonio adecuado. Además, debe contar con un certificado por parte del director financiero que dé cuenta de la metodología para el cálculo de reservas técnicas y el régimen de inversión de estas reservas.

Quien se pretenda habilitar también debe contar con estudio de factibilidad financiera incluyendo un presupuesto mensual proyectado para el primer año de operación y anual para los tres primeros años.

Finalmente, también debe presentar un Código de conducta y gobierno organizacional.

Para habilitarse se les entrega a las entidades un certificado de viabilidad técnica y financiera, y a partir de este momento disponen de un plazo de tres meses para demostrar a la Superintendencia Nacional de Salud el cumplimiento de las condiciones con las cuales se les concedió el certificado de viabilidad. Cumplido este plazo y verificado el cumplimiento de las condiciones, se expide el certificado de autorización para iniciar el aseguramiento en salud.

La autorización de funcionamiento tendrá una vigencia inicial de un año. Cumplido este año la Superintendencia Nacional de Salud, programará una visita para hacer seguimiento a las condiciones de habilitación y permanencia de la entidad. Si la evaluación, tras la visita, es satisfactoria la autorización será renovada por cinco años adicionales y si no es satisfactoria, se adoptará un plan de mejoramiento y se expedirá un certificado provisional de un año con visitas periódicas para seguimiento del plan de mejoramiento.

Las entidades por su parte pueden habilitarse para prestar el servicio de aseguramiento dentro de los dos regímenes.

4.4. *Son prestadores de servicios de salud*

A la luz de lo previsto por el Decreto 1011 del año 2006, se consideran como tales las Instituciones Prestadoras de Servicios de Salud, los Profesionales Independientes de la Salud y el Servicios de Transporte Especial de Pacientes. Los profesionales independientes de servicios de la salud por su parte son personas naturales egresadas de un programa de educación superior de ciencias de la salud con las facultades para actuar de manera autónoma en la prestación del servicio.

Para habilitarse debe cumplir a su vez:

- Condiciones de capacidad tecnológica y científica de acuerdo a los estándares que establezca el Ministerio de Salud y de la Protección Social. Para esto las entidades territoriales podrán presentar propuestas de estándares que no obstante deberán ser aprobados previamente por el indicado Ministerio. Estas propuestas son importantes en desarrollo del enfoque diferencial por territorio.

- Deben acreditar condiciones de suficiencia patrimonial y financiera que son las condiciones que posibilitan la estabilidad financiera de las prestadoras de salud.

- Condiciones técnico administrativas que se refieren al cumplimiento de las normas respecto a su existencia y de requisitos financieros que demuestren la capacidad de tener un sistema contable.

En cada Departamento y Distrito debe haber un registro de los prestadores de salud habilitados. Estas entidades territoriales por su parte serán las responsables de verificar el cumplimiento de las condiciones y llevar el registro con el que las prestadoras declaran el cumplimiento de los requisitos de habilitación. A partir de la radicación de la inscripción en la Entidad Departamental o Distrital de Salud, el Prestador de Servicios de Salud se considera habilitado para ofertar y prestar los servicios declarados. Previa a la radicación de la inscripción, el mismo prestador debe autoevaluar el cumplimiento de los requisitos de habilitación y una vez son radicados el ente territorial se encargará de verificar su cumplimiento a través del análisis de los soportes aportados. Con todo, tendrá que realizar visitas periódicas para verificar que se siga cumpliendo con los requisitos mínimos exigidos.

La inscripción de cada Prestador en el Registro Especial de Prestadores de Servicios de Salud, tendrá un término de vigencia de cuatro (4) años, contados a partir de la fecha de su radicación ante la Entidad Departamental o Distrital de Salud correspondiente.

La entidad territorial deberá realizar una visita al menos durante este lapso de cuatro (4) años.

4.5. ADRES

Creada por el artículo 66 de la Ley 1753 de 2015, la Administradora de los Recursos del Sistema General de Seguridad Social en Salud —ADRES— es una entidad adscrita al Ministerio de Salud y Protección Social, con personería jurídica, autonomía administrativa y financiera y patrimonio independiente. La entidad es asimilada a una Empresa Industrial y Comercial del Estado y en definitiva, fue creada con el fin de garantizar el adecuado flujo de los recursos del subsistema de salud.

Esta entidad, entre otras, tiene diversas funciones:

- Efectuar el reconocimiento y pago de las Unidades de Pago por Capitación (UPC) y demás recursos del aseguramiento obligatorio en salud. Y para esto, administra la Base de Datos Única de Afiliados que contiene la información para el reconocimiento de los pagos periódicos que se les hace a las Empresas Promotoras por el aseguramiento en salud.

- Realizar los giros a los prestadores de servicios de salud y proveedores de tecnologías en salud, de acuerdo con lo autorizado por el beneficiario de los recursos para optimizar el flujo de recursos.

- Adelantar las verificaciones para el reconocimiento y pago de prestaciones que promueven la eficiencia en la gestión de los recursos.

- Puede comprar cartera reconocida de Instituciones Prestadoras de Servicios de Salud con Empresas Promotoras de Salud.

4.6. Organismos suprimidos

1. El Consejo Nacional de Seguridad Social en salud

Según lo disponía el artículo 171 de la Ley 100 del año 1993, era el principal Organismo de Regulación del subsistema de salud a quien correspondía formular, en coordinación con el Ministerio de Salud y Protección Social, las políticas, planes programas y proyectos que orientan los recursos y las acciones de este subsistema. Sus funciones fueron trasladadas al Ministerio de Salud y de la Protección Social.

2. La comisión de regulación en salud, CRES

Atendiendo las voces del artículo 3 de la Ley 1122 del año 2007, era una Unidad Administrativa Especial con personería jurídica, autonomía administrativa, técnica y patrimonial adscrita al Ministerio de la Protección Social.

Estaba conformada por el Ministro de Salud y la Protección Social o el viceministro de Protección Social; el ministro de Hacienda o su delegado; cinco comisionados expertos designados por el Presidente de la República de ternas enviadas por entidades especializadas y un Secretario Técnico designado por el Presidente de la Comisión.

Y dentro de sus funciones encontrábamos: Definir y modificar el Plan Obligatorio de salud de los regímenes contributivo y subsidiado y definir el valor de la UPC de cada régimen que ahora están en cabeza del Ministerio de Salud y de la Protección Social.

5. AFILIACIÓN

A la luz del Decreto 2353 de 2015 la afiliación es el acto de ingreso al Sistema General de Seguridad Social en Salud que se realiza por una única vez (pueden haber diferentes novedades a lo largo de la vida que deben reportarse al sistema de seguridad social en salud, pero ninguna supone la terminación de la afiliación), a través de la inscripción en una Entidad Promotora de Salud o en términos generales a través de una aseguradora, porque también se podrá realizar por conducto de una Caja de Compensación Familiar habilitada. Esta afiliación sólo puede hacerse a través de una única aseguradora, pues de lo contrario, se presentaría el fenómeno de la multiafiliación. Esta elección, sin embargo, no impide el traslado y con todo es libre.

Este acto supone a su vez el nacimiento derechos y obligaciones y será obligatorio para todos los RESIDENTES del territorio nacional excluyendo a los que hagan parte de un régimen exceptuado. Al hablar de residentes nos fundamos en un concepto jurídico que exige una vocación de permanencia, lo que significa que el subsistema de salud está diseñado para proteger a quienes residan en el territorio nacional y no a los que simplemente están de paso. De igual manera, al excluir a quienes hagan parte de un régimen exceptuado, excluye su afiliación del subsistema de salud en tanto tengan la calidad de beneficiario de un régimen exceptuado, no pudiéndose entonces gravar los ingresos provenientes de este régimen para la financiación del subsistema de salud; no obstante, sí podrán ser gravados los ingresos provenientes de una relación que suponga su afiliación obligatoria al subsistema de salud como ser trabajador dependiente de una entidad de naturaleza privada. Así las cosas, es posible, como se explicó al comienzo de esta obra que la persona cotice tanto al régimen exceptuado como al subsistema general de salud, al tener la condición de afiliado obligatorio a ambos regímenes, pudiendo gravarse los ingresos percibidos en cada uno de estos sistemas con destino a ambos.

Ahora bien, al momento de afiliarse se vincula a cualquiera de los dos regímenes que existen dentro del sistema de seguridad social en salud: régimen contributivo o subsidiado. Si se hace a través del contributivo se hace como afiliado cotizante y si se hace al régimen subsidiado, ingresa como cabeza de familia. En cada uno igualmente se tiene la posibilidad de afiliar al grupo familiar. Así, en el contributivo tenemos dos tipos de afiliados: afiliado cotizante y afiliado beneficiario y en el subsidiado: afiliado cabeza de familia y su grupo familiar.

Tanto el grupo familiar como los afiliados beneficiarios, tienen cobertura asistencial dentro del sistema sin tener que asumir valor extra.

Vale señalar que no obstante ingresar a través de alguno de estos dos regímenes, se puede mover entre ambos si llega a perder capacidad de pago o a ganarla: del contributivo al subsidiado o del subsidiado al contributivo, previo cumplimiento a las condiciones de ingreso de cada uno de los regímenes que veremos más adelante.

Desde el momento de la afiliación tendrá acceso a todos los beneficios asistenciales ofrecidos por el sistema de salud.

5.1. Grupo Familiar y beneficiarios

De acuerdo a lo previamente expuesto, tanto el cotizante como el cabeza de familia, pueden vincular a su grupo familiar sin asumir valor adicional por cada uno. Es importante mencionar que los miembros de este grupo tienen acceso a las prestaciones asistenciales en cada régimen que serán explicadas más adelante, no pudiendo acceder, los beneficiarios del cotizante, a las prestaciones económicas que existen dentro del régimen contributivo.

Este núcleo familiar está conformado por:

• Cónyuge, a falta de él o ella (por nulidad, muerte o divorcio) compañera(o) permanente, incluyendo las parejas del mismo sexo.

Sobre este grupo de beneficiarios vale indicar que, para el sistema de salud, prima la relación matrimonial, pues sólo a falta de ella podría vincularse al compañero o compañera permanente. Así las cosas, aun cuando es posible que coexistan un matrimonio y una unión marital de hecho, para el subsistema de salud no es posible que se afilie a la o él cónyuge y la compañera(o) permanente, al mismo tiempo.

Lo anterior no impide que, en determinadas situaciones, vía acción de tutela, se pueda proteger a la compañera permanente aun existiendo un vínculo matrimonial vigente, pues existen casos en los que, sin haber habido divorcio, pero sí separación de cuerpos, se construye un nuevo vínculo afectivo y una nueva familia que en su integridad depende del cotizante. Sin embargo, la Ley no lo contempla.

Esta relación con un compañero o compañera, para el sistema de salud, a su vez exige la configuración de la unión marital de hecho, pues expresamente señala que la misma se ha de probar a través de cualquiera de los medios que dan origen a la unión marital de hecho: 1. Por escritura pública ante Notario por mutuo consentimiento de los compañeros permanentes, 2. Por Acta de Conciliación suscrita por los compañeros permanentes, en centro legalmente constituido, 3. Por sentencia judicial, mediante los medios ordinarios de prueba consagrados en el Código de Procedimiento Civil hoy Código General del Proceso, con conocimiento de los Jueces de Familia de Primera Instancia. En este sentido, no bastaría la prueba de la simple comunidad de vida con la intención de constituir una familia, por cualquier medio que no diera a su vez origen a la unión marital de hecho, como puede acreditarse en la pensión de sobrevivientes. Esto, entre otras, muestra la dependencia de la acreditación de la calidad de compañero(a) para el subsistema de salud, frente al derecho civil.

En suma, dentro del subsistema de salud sólo se puede vincular como beneficiaria (o) del cotizante a la compañera(o) permanente que exige la existencia de una unión marital de hecho, siempre y cuando no haya un vínculo matrimonial vigente. Puesto que aun cuando es posible la coexistencia de unión marital y un vínculo matrimonio, la norma expresamente prefiere el vínculo matrimonial, excluyendo la unión marital.

Finalmente se resalta que el subsistema de salud reconoce la existencia de parejas del mismo sexo y les brinda protección.

- Hijos menores de veinticinco (25) años que dependan económicamente del cotizante o cabeza de familia. Frente a la prueba de la dependencia económica vale indicar que la Ley no prevé un único medio de prueba y que tampoco exige la acreditación de la condición de estudiante.

- Hijos de cualquier edad que estén incapacitados y dependan económicamente. Cuando la norma se refiere a hijos incapacitados hace referencia a hijos inválidos, lo que significa que estén dictaminados con una pérdida de capacidad laboral igual o superior al cincuenta por ciento (50%). Esta pérdida la dictamina: las aseguradoras en salud (EPS o cajas de compensación familiar), las Administradoras de Riesgos Laborales (ARL), el fondo de pensiones al que se encuentre vinculado el beneficiario, las Juntas Regionales de Calificación o la Junta Nacional de calificación.

- Los hijos del cónyuge o compañera o compañero permanente del afiliado incluyendo las parejas del mismo sexo, si cumplen los requisitos anteriores. Sobre esta categoría vale preguntarse si sólo se cubre a los hijos de quien funge como pareja ante el sistema, partiendo de la exclusión del compañero(a) permanente cuando subsiste un vínculo matrimonial con otra persona. Dando respuesta, vale señalar que, a través de una interpretación exegética de la norma, la misma establece una disyunción entre la compañera(o) y cónyuge y no una conjunción: los hijos del cónyuge o compañera o compañero permanente, por lo que se deberá vincular a los hijos de quien funja como pareja de acuerdo a la primera categoría de beneficiarios y no a ambos. Esto resulta relevante porque es posible pensar en una situación en la que sin haber divorcio se ha configurado una comunidad de vida con una nueva persona que tiene hijos y con la que además puede haberse declarado una unión marital de hecho.

- Los hijos de mis hijos beneficiarios hasta que conserven tan condición. Sobre lo mismo valdría preguntarse si quienes deben acreditar tal condición de hijo inválido o menor de veinticinco (25) son mis hijos, mis nietos o ambos. Dando respuesta se indica que ambos, tanto mis hijos como mis nietos, deben acreditar tal condición: ser inválidos o menores de veinticinco (25) años junto a la dependencia económica.

- Los que estén en relación hasta el tercer grado de consanguinidad menores de veinticinco (25) o incapacitados que dependan económicamente del causante por pérdida patria potestad, fallecimiento o ausencia de padres.

- A falta de esposa e hijos con derecho (Esto, es no se exige que no existan, sino que no existan pareja e hijos con DERECHO) los padres que no estén pensionados y dependan económicamente del afiliado cotizante o cabeza de familia. Sobre este grupo vale preguntarse si el requisito denominado falta de hijos, incluye los hijos de mi pareja y mis nietos. Es decir, es posible pensar en una situación en la que no existen hijos, pero sí hijos de mi pareja, nietos, o hijos de mi pareja y nietos. En este sentido y atendiendo la literalidad de la norma, la misma solo excluye la afiliación de los padres ante la presencia de HIJOS, no nietos ni hijos de mi pareja.

Se señala que se prevé la cobertura de ambos padres, no sólo de uno.

- Los menores de 18 entregados en custodia legal. Sobre este grupo de beneficiarios se resalta que su cobertura no depende de la inexistencia de otro grupo de beneficiarios, como sí sucede con los padres.

Aunque resulte obvio, se aclara que los hijos adoptivos son hijos y por tanto son beneficiarios del cotizante siempre y cuando acrediten las condiciones para serlo: ser menores de veinticinco (25) años o inválidos y depender económicamente del cotizante o cabeza de familia.

Dicho esto, cada uno de estos beneficiarios debe acreditar su condición. Pasamos a continuación a explicar cómo ha de acreditar tal condición:

Miembro	Medio de Prueba
Cónyuge, a falta de él o ella (por nulidad, muerte o divorcio) compañera(o) permanente.	Registro civil de matrimonio y para compañero: acta de conciliación, sentencia judicial o declaración ante notario.
Hijos menores de veinticinco (25) c años que dependan económicamente del cotizante o cabeza de familia.	Registro civil de nacimiento y declaratoria de dependencia.
Hijos de cualquier edad que estén incapacitados y dependan económicamente. Incapacitados significa que estén dictaminados con una pérdida de capacidad laboral igual o superior al cincuenta por ciento (50%).	Registro civil de nacimiento, el dictamen de pérdida de capacidad laboral expedido por la EPS, ARL, fondo de pensión o juntas de calificación de invalidez: regional o nacional.
Los hijos del cónyuge o compañera o compañero permanente del afiliado incluyendo parejas del mismo sexo, si cumplen los siguientes requisitos: • Menor de veinticinco (25) años y dependencia económica frente al cotizante o cabeza de familia. • Hijo de cualquier edad que dependa económicamente del causante o cabeza de familia.	Registro civil de nacimiento; declaración de dependencia y dictamen en el caso de ser inválido.
Los hijos de mis hijos hasta que tengan tal condición. Es decir, mis nietos siempre que sean menores de veinticinco (25) años o inválidos y dependan económicamente; y sólo los frente a mis hijos menores de veinticinco (25) o inválidos que dependan económicamente.	Registro civil de nacimiento de mi hijo y nieto; declaración dependencia de ambos y dictamen de declaratoria de invalidez cuando se requiera.

Miembro	Medio de Prueba
Los que estén en relación hasta el tercer grado de consanguinidad menores de veinticinco (25) o incapacitados que dependan económicamente del causante por pérdida patria potestad, fallecimiento o ausencia de padres.	Registro civil de nacimiento; dictamen de invalidez cuando se requiera. Sentencia que demuestra la pérdida de patria potestad de sus padres. Cuando es por muerte de los mismos se requiere registro civil de defunción; y cuando es por ausencia, se necesita la declaración por parte del causante o cabeza de familia del abandono.
A falta de esposa e hijos, los padres que no estén pensionados y dependan económicamente.	Registro civil de nacimiento y declaración de dependencia.
Menores de dieciocho (18) entregados en custodia legal	Acto administrativo mediante el cual se concede la custodia y registro civil de nacimiento.
Aplica para hijos adoptivos	Resolución del Instituto de Bienestar Familiar ICBF.

Como afiliado cotizante o cabeza de familia asumo la carga de registrar todas las novedades en los beneficiarios so pena de tener que reintegrar el valor de la UPC de estos. Por ejemplo, si mi hijo cumple veintiséis (26) años debo registrar tal novedad porque ya no podrá estar en el grupo familiar.

Finalmente, como se indicó que la dependencia económica debe acreditarse frente al cabeza de familia inclusive, partiendo de la falta de capacidad de pago de los afiliados al régimen subsidiado, cabe aclarar que para el subsistema es posible predicar la dependencia económica incluso dentro de los miembros del régimen subsidiado, más aún cuando la capacidad económica el subsistema la deriva de todo aquel que devengue al menos un salario mínimo legal mensual vigente, tal y como se explicará más adelante. Así, es posible que se dependa económicamente de alguien que devenga ingresos inferiores al salario mínimo.

5.2. Afiliado adicional

Dentro del régimen contributivo existe la posibilidad de afilar a otras personas que no cumplan con las condiciones de un beneficiario. Así, cuando tenga a su cargo otras personas que dependan económicamente de él y se encuentren hasta el cuarto grado de consanguinidad o segundo de afinidad y no cumplan los requisitos para ser cotizantes o beneficiarios en el régimen contributivo, podrá incluirlos en el núcleo familiar, pagando la UPC correspondiente a su grupo de edad. Este afiliado se denominará afiliado adicional y tiene derecho a la prestación de los servicios de salud del plan de beneficios, es decir, a las prestaciones asistenciales (no económicas) que veremos más adelante. El periodo mínimo de inscripción y pago por estos afiliados será mínimo de un (1) año salvo cuando el afiliado cotizante deja de reunir las condiciones para continuar como cotizante o cuando el afiliado adicional reúne las condiciones para inscribirse como cotizante o beneficiario de otro cotizante.

5.3. Afiliación de padres de cotizantes

Cuando ambos cónyuges, compañeros o compañeras permanentes, incluidas las parejas del mismo sexo, tengan la calidad de cotizantes, se podrá inscribir en el núcleo familiar a los padres que dependan económicamente de uno de los cónyuges, compañeros o compañeras permanentes y no tengan la calidad de cotizantes, en concurrencia con los beneficiarios, los cuales quedarán inscritos con el otro cotizante.

En este sentido, como los padres sólo pueden ser vinculados a falta de otros beneficiarios, si ambos miembros de la pareja cotizan, podrán inscribirse los padres junto a los restantes beneficiarios.

Se resalta que sólo puede afiliarse a los padres de uno de los miembros de la pareja que dependan de la misma, sin poder afiliar a los padres del otro miembro, al mismo tiempo.

Si uno de los cónyuges, compañera o compañero permanente cotizantes dejare de ostentar tal calidad de afiliado cotizante, los padres podrán continuar inscritos en la misma aseguradora como afiliados adicionales, cancelando los valores correspondientes.

5.4. Afiliación cuando varios miembros del núcleo familiar son cotizantes —parejas—

Cuando los cónyuges, compañeros o compañeras permanentes, incluidas las parejas del mismo sexo de un mismo núcleo familiar, tengan la calidad de cotizantes, éstos y sus beneficiarios deberán estar inscritos en la misma aseguradora en el régimen contributivo. Se exceptúa de esta regla cuando uno de los cotizantes no resida en la misma entidad territorial y la aseguradora en la que se encuentre afiliado el otro cotizante y los beneficiarios no tenga cobertura en la misma y no haga uso del derecho a la portabilidad (figura que se explicará más adelante).

Si uno de los cónyuges, compañera o compañero permanente cotizantes dejare de ostentar tal calidad, tanto éste como los beneficiarios quedarán inscritos en cabeza del cónyuge que continúe cotizando.

Entre otras razones, el que deban estar en la misma aseguradora facilita el cambio en la condición de cotizante a beneficiario de alguno de los miembros de la pareja. Los costos se incrementarían si estuviesen en diferentes aseguradoras; del mismo sucede con los restantes beneficiarios.

5.5. *Afiliación del recién nacido con padres afiliados*

El recién nacido quedará afiliado desde su nacimiento y desde este momento se comenzará a aportar la UPC. La afiliación se hará con el registro civil de nacimiento o en su defecto, con el certificado de nacido vivo.

Quedará registrado en la aseguradora de la madre, incluso cuando el padre este en otra o en un régimen exceptuado. Si la madre fallece, quedará en la aseguradora de su padre, de quien detente su custodia o tenga a su cargo su cuidado personal. Cabe resaltar que para el sistema es tan importante la protección del menor, que permite su afiliación a la aseguradora de quien asuma su cuidado, así no tenga relación de consanguinidad con el mismo.

Si la madre ostenta la condición de beneficiaria ingresará al grupo de beneficiarios del afiliado cotizante.

Finalmente, si el padre que tiene una aseguradora diferente o está en un régimen exceptuado, desea incluir al recién hijo dentro de su grupo de beneficiarios, lo podrá hacer después del primer mes de vida del menor. Sobre este punto cabe destacar que es posible que la madre esté en una aseguradora diferente a la del padre en aquellos casos en los que la misma también es cotizante: y no conforman un mismo núcleo familiar.

5.6. *Afiliación del menor con padres no afiliados*

Si alguno de los padres cumple las condiciones para hacer parte del régimen contributivo, la prestadora afiliará inmediatamente al contributivo a los padres y al hijo; si no cumple los requisitos de este y sí los del subsidiado se ingresarán al subsidiado; si no cumplen las condiciones para ingresar a alguno de los regímenes indicados, pues como se verá más adelante, cada uno tiene unas condiciones de ingreso, el menor debe ser afiliado a alguna aseguradora del régimen subsidiado del municipio donde nació.

5.7. *Afiliación de recién nacido cuando hay parto no institucional*

Cuando el recién nacido no nace en una prestadora de salud (ver quiénes son prestadoras de salud) se considera que es un parto no institucional. En este caso, cuando los padres, quien tenga la custodia o el cuidado del menor demanden los servicios de la salud para el recién nacido, la prestadora que lo atienda expedirá el certificado de nacido vivo y lo comunicará a la aseguradora que tenga lugar, cuando alguno de los padres, ambos, el que tenga la custodia o ejerza el cuidado ya esté afiliado a alguno de los regímenes del subsistema de salud. En caso contrario, procederá su afiliación de estos junto a la del menor, o la del menor solamente a alguna aseguradora del régimen subsidiado donde nació, siguiendo lo indicado en anterior punto.

5.8. *Terminación de afiliación a una aseguradora*

Terminará la afiliación a una aseguradora (no al sistema de salud ya que la afiliación es vitalicia) con:

1. El traslado o cuando haya cambio de aseguradora.

2. Cuando es desvinculado como trabajador dependiente y el empleador reporta tal novedad y la persona: i) no reporta la novedad de afiliado cotizante en otra categoría, ii) no pasa a integrar un grupo familiar en calidad de beneficiario o afiliado adicional, iii) no tenga derecho o haya agotado el periodo de protección laboral (que se explicará más adelante), iv) no tenga derecho o haya agotado el periodo derivado de la protección al cesante (que se explicará dentro del subsistema de servicios sociales complementarios), v) cuando no ingresa al régimen subsidiado que se conoce como movilidad.

3. Cuando el trabajador independiente: i) no reúne las condiciones para ser cotizante, ii) no reporte la novedad como afiliado adicional o como beneficiario; iii) no tenga derecho o haya agotado el periodo de protección laboral, iv) no tenga derecho o haya agotado el periodo derivado de la protección al cesante, v) cuando no ingresa al régimen subsidiado que se conoce como movilidad.

4. Cuando, en el caso de los beneficiarios, desaparezcan las condiciones establecidas para ser beneficiarios y no reporten la novedad de afiliado cotizante, afiliado adicional o de movilidad al otro régimen.

5. Cuando el afiliado cotizante y su núcleo familiar fijen su residencia fuera del país y reporte la respectiva novedad. Esta deberá reportarse más tardar el último día del mes en que ésta se produzca y no habrá

lugar al pago de las cotizaciones durante los periodos por los que se termina la inscripción. Sin embargo, cuando el afiliado cotizante que fije su residencia fuera del país no reporte la novedad se mantendrá la inscripción y se causará deuda e intereses moratorios por el no pago de las cotizaciones.

6. Cuando el afiliado cumpla con las condiciones para pertenecer a un régimen exceptuado o especial legalmente establecido sin cumplir a su vez las condiciones para seguir en el régimen contributivo del subsistema de salud; pues como se vio es posible que haga esté vinculado tanto a un régimen exceptuado como al contributivo. No podría sin embargo estar en el subsidiado y en el exceptuado.

7. Cuando se determine que personas inscritas en una aseguradora del régimen subsidiado reúnen las condiciones para tener la calidad de cotizantes o para pertenecer al régimen contributivo sin poder permanecer en la misma aseguradora. En efecto como se verá más adelante es posible que permanezca en la misma aseguradora aun cuando cambie de régimen.

8. Frente a las personas privadas de la libertad y los menores de tres (3) años, que convivan con sus madres en los establecimientos de reclusión, cuyo aseguramiento está a cargo del Fondo Nacional de Salud de las Personas Privadas de la Libertad. En el caso de las personas privadas de la libertad que se encuentren obligadas a cotizar, la terminación de la inscripción sólo aplicará para el cotizante y el menor de tres (3) años que conviva con la madre cotizante, los restantes miembros del grupo familiar seguirán en la misma aseguradora del régimen contributivo.

6. RÉGIMEN CONTRIBUTIVO

Como se ha ido desarrollando, hacen parte del régimen contributivo las personas que tienen capacidad de pago, quienes se denominan afiliados cotizantes. Estas, tienen el derecho a vincular a un grupo de beneficiarios junto a los afiliados adicionales a que haya lugar.

Para identificar a la población con capacidad de pago, nuestra Ley identifica una serie de situaciones generadoras de ingresos que permiten identificar a la persona beneficiaria del ingreso y por tal, en capacidad para aportar al sistema.

Pasamos a continuación a exponer quiénes hacen parte teniendo en cuenta la situación generadora de ingresos.

6.1. Quiénes hacen parte

a. Todas aquellas personas nacionales o extranjeras, residentes en Colombia, vinculadas mediante contrato de trabajo que se rija por las normas colombianas, incluidas aquellas personas que presten sus servicios en las sedes diplomáticas y organismos internacionales acreditados en el país. En estos casos el empleador es quien asume la obligación de afiliarlos y garantizar la cotización: se convierte en garante de la cotización mensual. Es él quien hace la deducción de la parte que le corresponde asumir al trabajador mensualmente y quien se encarga de realizar el pago efectivo al sistema de seguridad social integral. Que garantice el pago no significa no obstante que asuma el valor total de la cotización, pues en estas relaciones laborales subordinadas al empleador le corresponde asumir el ocho punto cinco por ciento (8,5%) de la cotización mientras el trabajador asume el cuatro por ciento (4%).

En estos casos, las personas jurídicas y naturales con al menos dos trabajadores (el requisito de tener al menos dos trabajadores sólo aplica para las personas naturales) que sean declarantes del impuesto sobre la renta y complementarios y sujetos pasivos del impuesto sobre la renta para la equidad —CREE—, por sus empleados que devenguen, individualmente considerados, menos de diez (10) salarios mínimos mensuales legales vigentes, sólo cotizarán los aportes a salud que corresponden al cuatro por ciento (4%) del IBC, es decir lo que corresponde al aporte asumido por el trabajador.

El porcentaje que grava el ingreso por su parte se aplica al salario devengado por el trabajador que para efectos de cotización al subsistema recibe el nombre de Ingreso Base de Cotización IBC. El IBC no podrá ser inferior a un salario mínimo legal mensual vigente, ni superior a veinticinco salarios mínimos legales mensuales vigentes.

Lo anterior supone que para aquellos trabajadores que devengan menos de un salario mínimo su IBC será igual un salario mínimo legal mensual vigente, y quienes devenguen más de veinticinco salarios mínimos legales mensuales vigentes su IBC serán estos veinticinco.

b. Servidores públicos: Aplican las mismas reglas de trabajadores dependientes.

c. Pensionados incluyendo todos pensionados por jubilación, vejez, invalidez, sobrevivientes, sustitutos o que reciban una pensión gracia tanto del sector público como del sector privado. En los casos de sustitución pensional o pensión de sobrevivientes deberá afiliarse la persona beneficiaria de dicha sustitución o pensión o el cabeza de los beneficiarios. Esto significa que, en caso de una pensión de sobrevivientes o sustitución pensional con varios beneficiarios, cuando hay cabeza de beneficiarios, éste se afiliará como cotizante al subsistema de salud fungiendo los restantes como beneficiarios. Caso contrario, ante la inexistencia de una cabeza, como, por ejemplo, cuando reciben la pensión de sobrevivientes dos personas que fueron pareja del causante (dos compañeras(os), la esposa(o) y una compañera(o)) podría preguntarse si ambas(os) fungen como cotizantes teniendo la posibilidad de afiliar dos grupos diferentes de beneficiarios o si por el contrario, una(o) asumiría la condición de cotizante y la otra de beneficiaria. Se podría concluir que, como la norma establece la afiliación de un cotizante con un grupo de beneficiarios, en la pensión de sobrevivientes, cuando no hay un "cabeza de los beneficiarios", no se deriva la situación descrita de un cotizante y varios beneficiarios.

Ahora bien, estos pensionados cotizan sobre el doce por ciento (12%) de la mesada pensional y en caso de varios beneficiarios de la pensión de sobrevivientes el IBC es la mesada pensional (dividida) que en su totalidad se le aplica un doce por ciento (12%).

Al valor sobre el que se cotiza a pensión se le denomina Ingreso Base de Cotización IBC y nunca podrá ser inferior a un salario mínimo legal mensual vigente ni superior a los veinticinco (25) salarios mínimos legales mensuales vigentes. Con todo, las pensiones no pueden ser inferiores ni superiores a un salario mínimo y veinticinco salarios mínimos, respectivamente.

Finalmente es el fondo quien asume la obligación de cotizar al subsistema de salud.

d. Los trabajadores independientes, los rentistas, los propietarios de las empresas y en general todas las personas residentes en el país, que no tengan vínculo contractual y reglamentario con algún empleador y cuyos ingresos mensuales sean iguales o superiores a un salario mínimo mensual legal vigente.

El IBC al Sistema de Seguridad Social Integral de este grupo corresponde mínimo al cuarenta por ciento (40%) del valor mensualizado de cada contrato. En ningún caso el IBC podrá ser inferior al salario mínimo mensual legal vigente ni superior a veinticinco (25) veces el salaría mínimo mensual legal vigente.

Con el Decreto 1273 del año 2018, en aquellos casos en que el contratista cotice por varios ingresos, la retención y pago de aportes se efectuará sobre el valor resultante en cada uno de los contratos, independientemente de que el resultado de la aplicación del cuarenta por ciento (40%) al valor mensualizado del contrato o contratos sujetos a retención sea inferior a un (1) salario mínimo legal mensual vigente.

Sobre esto cabe preguntarse qué pasa si esta norma aplica para todos los contratos, esto es:

– Para aquellos cuya suma sea un salario mínimo.

– Frente a aquellos contratos que de manera independiente generan ingresos cada uno de al menos un salario mínimo.

– Para todos los contratos incluso cuando la sumatoria de los ingresos provenientes de cada uno no alcance el salario mínimo.

En ninguno de los tres escenarios se garantizaría un IBC igual a un salario mínimo. Incluso en el segundo, en donde se reciben mayores ingresos, si tenemos dos contratos de un salario mínimo, al aplicarles el cuarenta por ciento (40%) no obtendríamos un IBC de un salario mínimo.

Si atendemos la literalidad de la norma, siempre que haya una pluralidad de contratos (que no sean de trabajo), independiente de los ingresos derivados de los mismos, se debe cotizar a salud. En este sentido, el contratista asumiría la diferencia proporcional frente a cada contrato hasta alcanzar un IBC del salario mínimo.

Otra interpretación podría exigir que sólo cuando al aplicar el cuarenta por ciento (40%) de todos los contratos se alcance el IBC mínimo de un salario mínimo, se cotiza a salud. De tal manera que lo que se busca con la misma, es que se vincule al sistema, todos aquellos contratistas con varios contratos que al sumar el cuarenta por ciento (40%) de los mismos alcanzan un IBC igual al salario mínimo.

Ahora bien, de acuerdo al artículo 9° del Decreto 3032 del año 2013 los contratistas cuyos ingresos no provengan de una relación laboral, o legal y reglamentaria y sean inferiores a un salario mínimo legal mensual vigente, no tienen la obligación de cotizar al subsistema de salud. Caso contrario, si sus ingresos son iguales o superiores a un salario mínimo sí tendrá la obligación.

En este sentido, el contratista con un solo contrato inferior al salario mínimo no está obligado a cotizar al subsistema de salud, pero sí lo está aquél que recibe ingresos de al menos un salario mínimo provenientes de su contrato (atendiendo las voces además del Decreto 780 de 2016 único reglamentario del sector salud y protección social que relaciona quiénes son afiliados cotizantes); sin embargo, en este caso el IBC no será el cuarenta por ciento (40%) del salario mínimo que recibe pues se hablaría de un IBC inferior a este monto, sino igual a un salario mínimo, teniendo la obligación el contratista de completar la diferencia entre el cuarenta por ciento (40%) del salario y el salario mínimo.

Y haciendo una interpretación entre ambos Decretos, el que tenga varios contratos estará obligado siempre y cuando los ingresos provenientes de los mismos alcancen al menos a un salario mínimo legal mensual vigente; teniendo entonces el contratista la obligación de completar proporcionalmente por cada contrato la diferencia entre el cuarenta por ciento (40%) y el IBC igual a un salario mínimo legal mensual vigente, pues no en todos los casos la sumatoria del cuarenta por ciento (40%) de todos asciende a un salario mínimo legal mensual vigente.

En suma:

- Todo contratista que de su único contrato devengue un salario mínimo estará obligado a cotizar al subsistema de salud sobre un IBC igual al salario mínimo teniendo la obligación de asumir la diferencia entre el cuarenta por ciento (40%) de sus ingresos y el salario mínimo.

- Por el contrario, quienes no devenguen el salario mínimo no son afiliados cotizantes.

- Los contratistas con múltiples contratos cuya sumatoria alcanza el salario mínimo así de manera individual no, son afiliados obligatorios y tienen que cotizar sobre un IBC igual al salario mínimo, teniendo que completar la diferencia entre el cuarenta por ciento (40%) del valor total de sus contratos y el salario mínimo que eventualmente exista.

- No están obligados a cotizar quienes, teniendo varios contratos, la sumatoria de los ingresos provenientes de los mismos no alcance un salario mínimo legal mensual vigente.

Por otra parte, el IBC nunca podrá superar los veinticinco salarios mínimos legales mensuales vigentes.

A este IBC se le aplica un porcentaje del doce punto cinco por ciento (12,5%) para obtener el valor de la cotización al subsistema de salud que es asumido en su totalidad por el contratista.

Cabe finalmente indicar que con el Decreto 1273 del año 2018 quien asume la obligación de cotizar, no de asumir el monto de la cotización (que sigue siendo el contratista), es el contratante.

Establecidos los que adquieren la condición de afiliados cotizantes, cabe preguntarse por aquellos con diversos ingresos que superan el tope de los veinticinco salarios mínimos legales. Sobre el particular, el parágrafo del artículo 65 del Decreto 806 de 1998, señala que cuando el afiliado perciba salario o pensión de dos o más empleadores u ostente simultáneamente la calidad de asalariado e independiente, las cotizaciones correspondientes serán efectuadas en forma proporcional al salario, ingreso o pensión devengado de cada uno de ellos.

Conforme a este artículo se podría concluir que en aquellos casos en los que por diversos ingresos incluido varios contratos de trabajo superen el tope de los veinticinco (25) salarios mínimos legales mensuales vigentes, cotizarán proporcionalmente por cada uno.

e. Los aprendices que, de acuerdo al Decreto 933 de 2003 están vinculados a través de un contrato que no es laboral son afiliados obligatorios al subsistema de salud. Este contrato tiene unas características especiales: no puede exceder los dos años; a través de este una persona natural recibe formación teórica y práctica en una entidad de formación autorizada con el auspicio de una empresa patrocinadora que, suministra los medios para que adquiera formación profesional requerida en su oficio dentro del manejo administrativo, operativo, comercial o financiero propios del giro ordinario de las actividades del patrocinador. El aprendiz por su parte, recibe un apoyo de sostenimiento suficiente que garantice el proceso de aprendizaje y el cual, en ningún caso, constituye salario.

Ahora bien, durante las fases lectiva y práctica el aprendiz estará cubierto por el Sistema de Seguridad Social en Salud y la cotización será cubierta plenamente por la empresa patrocinadora, sobre la base de un salario mínimo legal mensual vigente

Se presenta el siguiente cuadro que identifica el IBC, el porcentaje, el obligado a cotizar y quien asume la cotización.

Afiliado Cotizante	IBC	%	Quién cotiza	Quién asume Cotización
Trabajador dependiente/servidor público	Salario: tope mínimo 1 salario mínimo máximo 25 salarios mínimos	12,5%: • 8,5 % asume empleador • 4% asume trabajador.	Empleador	Empleador y trabajador
Trabajador independiente o todo aquel que devengue al menos un salario mínimo	40% de ingresos mensuales: tope mínimo 1 salario mínimo máximo 25 salarios mínimos.	12,5%	Contratante	Contratista
Pensionado	Mesada pensional que con todo nunca será inferior a 1 salario mínimo ni superior a 25 salarios mínimos legales mensuales vigentes	12%	Fondo Pensional	Pensionado
Aprendiz	Un salario mínimo legal mensual vigente.	12,5%	Empresa patrocinadora	Empresa Patrocinadora

6.2. *Prestaciones dentro del régimen contributivo*

El régimen contributivo otorga dos tipos de prestaciones: económicas y asistenciales:

1. **Prestaciones asistenciales:** se suministran al cotizante y beneficiarios. Desde el momento de la afiliación.

2. **Prestaciones económicas:** Se suministran al cotizante y tienen unas condiciones de causación.

6.2.1. Prestaciones asistenciales

Las prestaciones asistenciales buscan dar una cobertura integral a los afiliados en: atención de urgencias; maternidad; enfermedad general; promoción de la salud y prevención de la enfermedad; diagnóstico; tratamiento y rehabilitación de la enfermedad.

Urgencias:

Según el Decreto 412 del año 1992, urgencia es la alteración de la integridad física o mental de una persona, causada por un trauma o por una enfermedad, que requiere de una atención médica inmediata y efectiva para disminuir los riesgos de invalidez y muerte.

Esta alteración requiere en efecto: i) acciones que tiendan a estabilizar a quien la sufre, en sus signos vitales, ii) realizar un diagnóstico de impresión y iii) la definición del destino inmediato del paciente, tomando como base el nivel de atención y el grado de complejidad de la entidad que realiza la atención inicial de urgencia. Así las cosas, la urgencia comprende la estabilización de signos vitales, un diagnóstico de impresión y la definición del destino del paciente. Podría inferirse que la atención derivada de la urgencia se extiende hasta la definición del destino del paciente, previa estabilización del mismo.

Esto significa que una vez se ha prestado la atención inicial de urgencias, la entidad prestadora de salud podrá optar por una de las siguientes opciones: i) continuar prestando el servicio si tiene contrato con la aseguradora a la cual está afiliado el paciente o tiene contrato con el Estado; ii) puede en caso contrario remitirlo a la prestadora que indique su aseguradora o a la institución que corresponda cuando se trata de una persona asegurada por su entidad territorial, previa autorización por parte de las mismas. Esta autorización, debe otorgarse dentro de las horas siguientes a la cobertura de la urgencia so pena de entenderse autorizada la atención subsiguiente y adicional que requiera el paciente.

Con todo, todas las instituciones de salud, públicas o privadas, están obligadas a prestar atención inicial de urgencia a cualquier persona que lo requiera, independientemente de su capacidad socioeconómica, pues su prestación no requiere contrato ni orden previa.

Ahora bien, quiénes son usuarios del servicio de urgencias. Sobre el particular ya se había señalado con ocasión de la exposición del artículo 49 de la Constitución Política de Colombia que contempla el servicio público de salud y la Ley estatutaria que constitucionalmente se prevé la protección a todos los habitantes, en tanto la mencionada Ley contempla una protección a los residentes.

Para el caso de la atención de urgencias, de acuerdo con lo dispuesto por el artículo 168 de la Ley 100 de 1993, en concordancia con el artículo 675 de la Ley 715 de 2001, la atención inicial de urgencias debe ser prestada en forma obligatoria por todas las entidades públicas y privadas que presten servicios de salud, a todas las personas, independientemente de la capacidad de pago.

En la misma línea el artículo 14 de la Ley estatutaria de salud dispuso que para acceder a servicios y tecnologías de salud, cuando se trate de urgencias, no se requerirá ningún tipo de autorización administrativa entre el prestador de servicios y la entidad que cumpla la función de gestión de servicios de salud.

Y al respecto, la Sentencia T-314 de 2016, la Corte Constitucional en trámite de revisión, aludiendo a su vez a la sentencia C-834 de 2007 (M.P. Humberto Antonio Sierra Porto, 2007), indicó que todos los extranjeros que se encuentren en Colombia tienen derecho a recibir un mínimo de atención por parte del Estado en casos de necesidad y urgencia con el fin de atender sus necesidades más elementales y primarias, lo que no restringe al Legislador para ampliar su protección con la regulación correspondiente. Así, tienen derecho a recibir un mínimo de atención por parte del Estado en casos de urgencia con el fin de atender sus necesidades básicas, especialmente las relacionadas con asuntos de salud. (M.P. Gloria Stella Ortiz Delgado, 2016).

De esta manera, se puede concluir que la atención de urgencia no se restringe al concepto de residente en el territorio nacional. Sin embargo, la atención diferente a urgencias sí requiere la condición de residente.

Plan de Beneficios:

El Plan de Beneficios en Salud con cargo a la UPC es un mecanismo de protección colectiva que establece las coberturas de los servicios y tecnologías en salud que deberán ser garantizados por las aseguradoras en salud o las entidades que hagan sus veces, a los afiliados al Sistema General de Seguridad Social en Salud en el territorio nacional, en las condiciones de calidad establecidas por la normatividad vigente. Este Plan debe ser actualizado periódicamente y el Estado debe brindarlo de manera indistinta a los afiliados a ambos regímenes, esto es, hay una obligación de unificación de los Planes ofertados en ambos regímenes que no obstante, se viene progresivamente cumpliendo.

El Plan de Beneficios en Salud con cargo a la UPC es el conjunto de servicios y tecnologías en salud estructurados sobre una concepción integral de la salud, que incluye: i) la prevención y promoción de la salud que son las actividades tendientes a la prevención y detección temprana; ii) las acciones para la recuperación de la salud que integran la atención en urgencias, ambulatoria, domiciliaria, con internación y a la maternidad; iii) procedimientos diversos, como quirúrgicos, reconstructivos, trasplantes, injertos, atención para la salud oral; iv) la atención paliativa y con un enfoque frente a los menores de edad; v) medicamentos; que se constituye en un mecanismo de protección al derecho fundamental a la salud, bajo los lineamientos que fije el Estado.

El Plan de Beneficios será brindado bajo ciertos principios:

1. Integralidad, en virtud del cual toda tecnología en salud contenida en el Plan de Beneficios en Salud con cargo a la UPC para la promoción de la salud, prevención, diagnóstico, tratamiento, rehabilitación y paliación de la enfermedad, debe incluir lo necesario para su realización.

2. Territorialidad. Toda tecnología en salud contenida en el Plan de Beneficios en Salud con cargo a la UPC, está cubierta para ser realizada dentro del territorio nacional, por lo que no tiene cobertura internacional.

3. Complementariedad. Las acciones en salud deben financiarse de manera articulada con las fuentes de financiación de sectores distintos al de la salud, según corresponda.

4. Transparencia. Los agentes y actores del subsistema de salud que participen en la aplicación, seguimiento y evaluación del Plan de Beneficios en Salud con cargo a la UPC, deben actuar de manera íntegra y ética, reportando con calidad y oportunidad la información correspondiente, dando a conocer a los usuarios los contenidos del mencionado plan.

5. Competencia. En la aplicación del Plan Beneficios en Salud con cargo a la UPC, el profesional de la salud tratante es el competente para determinar lo que necesita un afiliado en las fases de promoción de la salud, prevención, diagnóstico, tratamiento, rehabilitación y paliación de la enfermedad, sustentado en la autonomía profesional y soportado en la evidencia científica.

6. Corresponsabilidad. El usuario es responsable de seguir las instrucciones y recomendaciones del profesional de la salud tratante y demás miembros del equipo de salud. La corresponsabilidad implica el autocuidado del usuario, el cuidado de la salud de su familia y de la comunidad, así como propender por un ambiente sano, el uso racional y adecuado de los recursos del Plan de Beneficios en Salud con cargo a la UPC.

7. Calidad. La provisión de las tecnologías en salud a los afiliados se debe realizar cumpliendo los estándares de calidad de conformidad con la normatividad vigente.

8. Los residentes en el territorio colombiano gozarán efectivamente del derecho fundamental a la salud en todas las etapas de la vida.

Debe señalarse que existen exclusiones listadas por el mismo Estado sobre procedimientos, medicamentos, entre otros que no son cubiertos por el Plan de Beneficios y por tal no son financiados con cargo a la UPC.

6.2.2. Prestaciones económicas

Se suministran únicamente a los cotizantes a excepción de los pensionados. Estas prestaciones económicas son: 1. Subsidio económico por incapacidad por enfermedad general o común; 2. Licencia de maternidad y 3. Licencia de paternidad.

a. *Subsidio por incapacidad temporal*

¿Qué es la incapacidad? La incapacidad es el estado de inhabilidad física o mental de una persona que le impide desempeñar temporalmente y de forma transitoria su oficio habitual.

¿Qué las genera? Las enfermedades de origen común, o una enfermedad de origen laboral, o un accidente laboral.

¿Quiénes las certifican? Los únicos que pueden emitir incapacidades son el personal de la salud: los médicos, los odontólogos, los psiquiatras, el personal de la salud en general, tratante. El documento o certificado de la incapacidad es un documento público aun cuando tiene connotaciones o información de contenido reservado. Es público al ser parte del sistema de seguridad social y acredita una condición relevante para el sistema.

La expedición del documento implica un acto de responsabilidad y así las cosas hay lugar a delitos por alteraciones del documento. Es un acto profesional, libre y responsable y que compromete al profesional de la salud que lo emite, así como a cualquier persona que participe en su emisión.

¿Por cuánto tiempo se otorga? El periodo máximo por el que se puede emitir es por treinta (30) días y puede prorrogarse indefinidamente por periodos máximo de treinta (30) días cada uno. Puede prorrogarse además de manera discontinua. Así, para contabilizar la incapacidad como una sola a pesar de ser discontinua, debe acreditarse de manera concurrente que:

1. El interregno entre los periodos de incapacidad no supere los treinta (30) días.

2. Las incapacidades reconocidas de manera discontinua deriven de la misma patología o de otra que esté relacionada con la primera patología de manera directa.

¿A qué tiene derecho durante este periodo y quién reconoce los pagos? A un descanso para recuperar su estado de salud y a un pago. Lo que reconoce por concepto de incapacidad sin embargo es un subsidio y no un salario por lo que su monto no puede equipararse al monto salarial, en caso de los trabajadores dependientes, ni a los ingresos de los restantes.

Este descanso podrá ascender a ciento ochenta (180) días. Los primeros 90 días se le pagará un subsidio que corresponde a las dos terceras (2/3) partes del IBC y en adelante se le pagará un subsidio igual al cincuenta por ciento (50%) del IBC, sin que pueda ser inferior al salario mínimo.

En sentencia de constitucionalidad C-543 del año 2007, al pronunciarse sobre el monto de este subsidio la Corte Constitucional manifestó que:

> "La base para calcular el valor del auxilio por incapacidad en enfermedad general es el 66.67% del salario sobre el cual se cotizó en el último mes, para los primeros noventa (90) días de duración de la cesación de labores y del 50% para los siguientes noventa (90) días, excepto, cuando al aplicar las citadas proporciones, el resultado sea inferior al mínimo vigente, caso en el cual la compensación tiene que ser igual al 100% del salario mínimo". (M.P. Álvaro Tafur Galvis, 2007).

Ahora bien, si el IBC es variable extendiendo la aplicación del artículo 228 del Código Sustantivo del Trabajo para los demás cotizantes, salvo el pensionado que no tiene derecho a prestaciones económicas, se toma como base el promedio de los IBC reportados y sobre los que cotizó durante el año anterior a la fecha en cual empezó la incapacidad, o en todo el tiempo que llevase si no alcanzare a un (1) año, sin promediar los periodos en cero.

Los dos primeros días este subsidio lo reconoce el empleador y desde el tercer día hasta el ciento ochenta (180) la aseguradora del régimen contributivo la que se encuentre vinculado. Esto significa que sólo el trabajador dependiente tiene derecho al pago de la incapacidad de los dos primeros días, no teniendo derecho los demás afiliados cotizantes.

¿Qué pasa si la persona sigue incapacitada luego de los ciento ochenta (180) días? De acuerdo al artículo 41 de la Ley 100 de 1993, entre el día ciento veinte (120) y ciento cincuenta (150) la aseguradora debe emitir un concepto favorable o desfavorable de rehabilitación que indique si la persona se va a recuperar o no, haciendo un pronóstico sobre el eventual restablecimiento de su capacidad laboral. Este concepto lo debe colocar bajo el conocimiento del fondo pensional al cual se encuentre afiliado el cotizante.

Si el concepto es favorable, el fondo pensional asumirá el pago de incapacidades a partir del día ciento ochenta y uno (181) en adelante. En caso de ser favorable se podrán prorrogar hasta por 360 días adicionales a los ciento ochenta (180) días iniciales hasta llegar a un tope de quinientos cuarenta (540) días de incapacidad.

Si la aseguradora en salud no emite el concepto, cualquiera sea la razón, seguirá pagando las incapacidades con cargo a sus propios recursos hasta el momento en que se emita el concepto y lo ponga en conocimiento del fondo pensional.

Si el concepto es desfavorable se procede a la valoración de pérdida de capacidad laboral para determinar su grado de invalidez por parte de su fondo pensional.

De aquí surgen dos situaciones:

– ¿Qué pasa si llegado el día ciento ochenta (180), existiendo concepto desfavorable no se ha calificado la pérdida de capacidad laboral? ¿quién reconoce el subsidio por incapacidad laboral? Dando respuesta la persona sigue protegida con este subsidio. Y ante la falta de previsión legal expresa sobre quién debe asumir el pago, la Corte Constitucional en reiteradas sentencias de tutela ha manifestado que debe ser el fondo pensional del cotizante. Véanse, entre otras: sentencia T-146 de 2016 (M.P. Jorge Iván Palacio Palacio, 2016); sentencia T-333 de 2013 (M.P. Luis Ernesto Vargas Silva, 2013); sentencia T-729 de 2012 (M.P. Alexei Julio Estrada, 2012); sentencia T-920 de 2009 (M.P. Gabriel Eduardo Mendoza Martelo, 2009).

– ¿Qué pasa si hay concepto desfavorable y se dictamina una pérdida de capacidad laboral inferior al cincuenta por ciento (50%), es decir la persona no es inválida? Ante este vacío la Corte Constitucional en sede de tutela ha manifestado que también le corresponde al fondo de pensiones.

Ahora bien, de acuerdo al artículo 67 de la Ley 1753 del año 2015, si al día quinientos cuarenta (540) la persona sigue incapacitada le corresponde a su aseguradora en salud volver a asumir el pago de incapacidades en adelante, es decir, a partir del día quinientos cuarenta y uno (541).

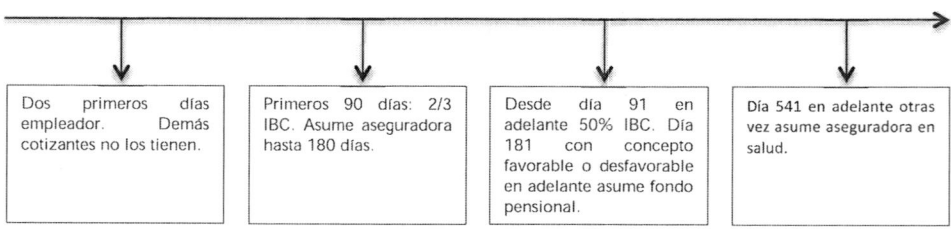

¿Se deben haber cotizaciones durante este periodo? De acuerdo al artículo 70 del Decreto 806 del año 1998, durante el periodo de incapacidad de origen común, se deberán realizar las cotizaciones a salud y pensiones en las mismas proporciones que debían hacerse y las asumirá la aseguradora en el porcentaje del empleador.

En este sentido, la aseguradora asumirá el ocho punto cinco por ciento (8,5%) del empleador y en todos los casos será la encargada de realizar las cotizaciones tanto al subsistema de salud y pensiones tomando como IBC el monto del subsidio sin que pueda ser inferior al salario mínimo.

No se harán cotizaciones a riesgos laborales porque no se presta el servicio.

¿Existen requisitos de cara al subsistema para que se cause esta prestación? Para el reconocimiento y pago de la prestación económica de la incapacidad por enfermedad general, conforme a las disposiciones laborales vigentes, se requerirá que los afiliados cotizantes hubieren efectuado aportes por un mínimo de cuatro (4) semanas. Y con todo, no habrá lugar al reconocimiento de esta prestación económica con cargo a los recursos del Sistema General de Seguridad Social en Salud, cuando la incapacidad se origine en servicios excluidos del plan de beneficios y sus complicaciones.

El tiempo mínimo de cotización es un problema para los trabajadores dependientes que cotizan mes vencido, pues puede no tener acreditadas las semanas mínimas por una vinculación laboral reciente. En este caso será el empleador quien asumirá el pago de esta prestación sin poder recobrar al subsistema de salud.

Y como con el Decreto 1273 del año 2018, el pago de cotizaciones de los trabajadores independientes también se hará mes vencido, los contratistas se verán expuestos a la pérdida de esta prestación al no tener a quien cobrarla, como sí sucede con el trabajador dependiente frente al empleador.

¿Reembolso? Ahora bien, de acuerdo al artículo 121 del Decreto 19 del año 2012, el reconocimiento en un primer momento de las prestaciones económicas le corresponde al empleador quien después adelantará el trámite de re cobro ante la correspondiente aseguradora.

Por su parte, el artículo 28 de la Ley 1438 de 2011, previó que el derecho de los empleadores de solicitar a las aseguradoras del valor de las prestaciones económicas prescribe en el término de tres (3) años contados a partir de la fecha en que el empleador hizo el pago correspondiente al trabajador.

Ahora bien, el trámite de cobro de la incapacidad ante la aseguradora por parte del empleador y del contratista, se desarrollará de la siguiente manera: i) elevada la solicitud por parte del aportante; se realizará ii) la revisión y liquidación de las solicitudes de reconocimiento de prestaciones económicas por parte de la aseguradora dentro de los quince (15) días hábiles siguientes a la solicitud; después iii) se procederá con la autorización, para lo que no existe un plazo determinado y finalmente iv) el pago de la prestación se hará a través de reconocimiento directo o transferencia electrónica en un plazo no mayor a cinco (5) días hábiles contados a partir de la autorización de la prestación económica por parte de la aseguradora.

Si la aseguradora no cumple con el plazo previsto deberá reconocer el pago de intereses moratorios y con todo el incumplimiento en el pago dará lugar a la intervención de la Superintendencia Nacional de Salud. Es difícil determinar el retardo ante la falta de estipulación expresa sobre un plazo para la autorización.

b. *Licencia de maternidad*

Introducción La finalidad de la licencia de maternidad es doble: 1. Que la mamá se recupere de su estado de salud; y 2. El cuidado del recién nacido.

Duración. Se extiende dieciocho (18) semanas que serán reconocidas así: una (1) semana con anterioridad a la fecha probable del parto debidamente acreditada y si por alguna razón médica la futura madre requiere una semana adicional previa al parto podrá gozar de las dos (2) semanas, con dieciséis (16) posparto. Si en caso diferente, por razón médica no puede tomar la semana previa al parto, podrá disfrutar las dieciocho (18) semanas en el posparto inmediato.

De las dieciocho (18) semanas de licencia remunerada, la semana anterior al probable parto será de obligatorio goce. La licencia remunerada es incompatible con la licencia de calamidad doméstica y en caso de haberse solicitado esta última por el nacimiento de un hijo, estos días serán descontados de la misma.

Monto. La licencia será remunerada con el IBC con cargo al cual cotizaba al momento de iniciar su licencia. Y ante un IBC variable, por analogía se aplica lo previsto en el artículo 236 del Código Sustantivo del Trabajo que no obstante se refiere solo al salario.

Así se tomará el IBC promedio del último año o de todo el tiempo si fuese menor, sin que se promedien periodos en cero y sin que pueda ser inferior al salario mínimo legal mensual vigente.

La limitación del monto a un salario mínimo se justifica además de cara a las cotizaciones al subsistema de salud, pues ninguna cotización puede hacerse sobre un IBC inferior al salario mínimo como se vio párrafos atrás.

Ahora bien, de acuerdo a lo establecido por el Decreto 780 del año 2016 el pago de esta prestación en un cien por ciento (100%) depende de la cotización realizada sin interrupción al subsistema de salud durante todo el periodo de gestación. Pues en caso de cotización por un periodo inferior al de gestación se reconocerá y pagará proporcionalmente como valor de la licencia de maternidad, un monto equivalente al número de días cotizados frente al periodo real de gestación.

Esto supone que frente a los trabajadores dependientes sea el empleador el que asuma la diferencia que exista entre la licencia que debe reconocer y como mínimo ascender al salario mínimo mensual durante las dieciocho semanas y lo que proporcionalmente le reembolse la aseguradora en salud liquidado en días, o toda la licencia cuando no haya lugar al reembolso por no contar con las cotizaciones mínimas.

Por su parte, cuando la trabajadora independiente cuyo ingreso base de cotización sea de un salario mínimo mensual legal vigente haya cotizado un periodo inferior al de gestación tendrá derecho al reconocimiento de la licencia de maternidad conforme a las siguientes reglas: 1. Cuando ha dejado de cotizar hasta por dos periodos procederá el pago completo de la licencia. 2. Cuando ha dejado de cotizar por más de dos periodos procederá el pago proporcional de la licencia en un monto equivalente al número de días cotizados que correspondan frente al periodo real de gestación.

En este caso y conforme al acuerdo 414 del año 2009 del Consejo Nacional de Salud, la licencia de maternidad se liquidará proporcionalmente a los días cotizados que correspondan al periodo real de gestación de cada trabajadora. Cuando los días cotizados sean inferiores a los días del periodo real de gestación, el número de días a reconocer será el porcentaje que resulta de dividir el número de días cotizados sobre el número de días reales de gestación. En el evento en que el periodo real de gestión sea inferior a doscientos setenta (270) días y siempre y cuando este periodo corresponda con los días cotizados, la aseguradora reconocerá el máximo de licencia, o en forma proporcional cuando el tiempo de cotización sea menor al tiempo de gestación.

Esto significa que la liquidación de la aseguradora de la licencia de maternidad se hará en días tanto para el trabajador dependiente como independiente, teniendo derecho a la totalidad de los días hábiles de las dieciocho semanas quien cotizó durante todo el periodo de gestación y a menos días cuando no cotizó durante todo el periodo de gestación. La liquidación igualmente se hará sobre el respectivo IBC que no podrá ser inferior al salario mínimo legal mensual vigente.

Así las cosas, quien cotizó durante el periodo de gestación que comúnmente son nueve meses que corresponden a doscientos setenta días (270) días pero que pueden ser menor por partos prematuros, tiene derecho al pago de ciento veintiséis (126) días que corresponden a siete (7) días calendario durante dieciocho semanas; y quien cotiza menos de los doscientos setenta (270) o los días durante los que se extienda el periodo real de gestación, tendrá derecho no al pago de ciento veintiséis (126) días sino a menos.

Por poner un empleo. Si cotizó seis (6) meses de los nueve (9) meses que duró el embarazo sobre un salario mínimo, se sigue el siguiente procedimiento:

- Seis (6) meses corresponden a ciento ochenta (180) días
- Ciento ochenta (180) x ciento veintiséis (126) (que son las dieciocho (18) semanas de licencia) / doscientos setenta (270).
- Tendrá derecho a ochenta y cuatro (84) días liquidados sobre un IBC de al menos el salario mínimo.

Esto pone en desventaja a la trabajadora independiente porque en todo caso, si cotiza sobre el mínimo no recibirá un salario mínimo mensual durante toda la licencia sino menos, caso contrario, la trabajadora dependiente sí lo recibirá pues el empleador asume (y pierde) la diferencia.

Finalmente, en caso de mora en aportes tanto del empleador frente a su trabajador y del trabajador independiente, habrá lugar al pago o reembolso de la licencia una vez se ponga al día y se paguen los intereses moratorios a que haya lugar.

Reembolso. Igual que en el subsidio por incapacidad temporal, le corresponde al empleador asumir las prestaciones económicas y luego solicitar el reembolso a la aseguradora en salud.

Cabe señalar que el reembolso en favor del empleador por parte de la aseguradora y su monto dependerá de la cotización hecha de cara a la cotización debida durante todo el periodo de gestación.

Finalmente, se reitera que en los casos en que, durante el periodo de gestación de la afiliada, el empleador no haya realizado el pago oportuno de las cotizaciones, habrá lugar al reembolso de la licencia de maternidad siempre y cuando, a la fecha del parto se haya pagado la totalidad de las cotizaciones adeudadas con los respectivos intereses de mora por el periodo de gestación.

Requisitos Es requisito para la causación de la licencia el nacimiento con vida del menor, más no que la madre permanezca con vida pues si fallece la prestación será reconocida al padre que quede a cargo del recién nacido, o a quien quede con la custodia y cuidado del mismo.

Si el menor muere antes de nacer se configura un aborto que da lugar a una licencia por aborto de dos a cuatro semanas, remunerada con el salario que devengaba en el momento de iniciarse el descanso. Para gozar de esta licencia, la trabajadora debe presentar al empleador certificado médico en el que se indique que la trabajadora ha sufrido un aborto o paro prematuro, el día en que haya tenido lugar, y el tiempo de reposo que necesita.

Esta licencia está prevista en el artículo 237 del Código Sustantivo de Trabajo. No obstante, se considera una licencia del subsistema de salud, no un derecho exclusivo de la trabajadora con un contrato de trabajo, por lo que debe ser otorgado a la trabajadora independiente cuando haya lugar.

Finalmente, vale indicar que el requisito de la cotización durante el tiempo de gestación no afecta la causación del derecho sólo el monto de la prestación.

Parto múltiple Ante el eventual caso de tener un parto múltiple se sumarán dos semanas a las dieciocho (18) iniciales.

Parto prematuro La Licencia comenzará a correr desde la fecha probable de parto que es aquella que le indicó su médico tratante, y no desde la real, ganando el tiempo comprendido entre la real (anterior a la fecha probable) y la probable de parto.

Madre adoptante En caso de adopción de un menor de dieciocho (18) años habrá lugar a esta licencia y para tal efecto se tomará como fecha probable de parto la fecha de entrega efectiva del menor, pudiendo en consecuencia gozar de una semana anterior para prepararse para la entrega indicada.

Cotización a Seguridad Social. Durante la licencia de maternidad también se deben hacer aportes a los subsistemas de salud y pensiones tomando como IBC el monto de la licencia. En caso de trabajadores dependientes lo asumirá el empleador y luego recobrará a la aseguradora la proporción correspondiente al ocho punto cinco por ciento (8,5%) y en caso del trabajador independiente será el contratista.

c. Licencia de paternidad

Finalidad. Esta instituida para acompañar al menor en los primeros días de vida del menor.

Requisitos. La Ley establece que se concederá al padre del menor que ostente la condición de compañero o cónyuge. No obstante, la Corte de Constitucionalidad en sentencia de constitucionalidad C 382 de 2012 manifestó que no es restrictiva pues se concederá también al padre que no ostenta ninguna de estas condiciones. No es necesario por tanto que el padre acredite la convivencia o la existencia de un vínculo legal con la madre del menor. (M.P. Luis Ernesto Vargas Silva, 2012).

De igual manera para que opere el reconocimiento por parte de la aseguradora en salud debe presentarse ante la misma dentro de los treinta (30) días siguientes a la fecha del nacimiento del menor, el registro civil de nacimiento. En caso de no presentarse, el empleador asumirá la carga económica de su reconocimiento y el independiente no podrá solicitar su reconocimiento.

La norma además señala que para acceder a la licencia de paternidad debe haber cotizado durante las semanas previas al reconocimiento de la licencia remunerada de paternidad. Esta norma sin embargo no establece un número mínimo de semanas. Así las cosas, la Corte Constitucional en sentencia de constitucionalidad 633 del año 2009, señaló que se debe haber cotizado durante las semanas correspondientes al periodo de gestación. (M.P. Jorge Ignacio Pretelt Chaljub, 2009).

Duración. La licencia de paternidad se extenderá durante ocho (8) días hábiles.

6.2.3. Compatibilidad prestaciones económicas

Sobre la posibilidad de recibir las prestaciones económicas descritas al mismo tiempo, cabe señalar que no existe norma que se oponga. Normalmente se recurre al artículo 21 del Decreto 770 del año 1975 que expresamente prohibió tal posibilidad de cara al reconocimiento de las prestaciones a cargo del Instituto de Seguros Sociales y al concepto 201311200478701 del 19 de abril de 2013 del Ministerio de Salud y de la Protección Social que indica que, si bien no es posible reconocerlas al mismo tiempo, se reconocerá el monto de la de la licencia de maternidad en caso de coexistir con el subsidio por incapacidad y que se seguirá reconociendo este subsidio (en el monto que corresponda) si continua la incapacidad pero ha finalizado el periodo de licencia de maternidad.

La explicación a esto es que son prestaciones que se financian con recursos del mismo subsistema y que además buscan suplir el ingreso que no percibiría al encontrarse en la imposibilidad de prestar sus servicios (como trabajador independiente o dependiente). Así, al recibir una ya se cumpliría con la finalidad buscada cual es la recepción de ingresos, por lo que no sería necesario la recepción de otros ingresos derivados de otra prestación.

6.3. Mora

El no pago de dos periodos consecutivos cuando la asegurado no se hubiese allanado a la mora, es decir, siempre y cuando no la hubiese aceptado porque adelantó las respectivas gestiones de cobro genera los siguientes efectos tanto para el asegurado, para el que está obligado a realizar la cotización y para la misma aseguradora.

6.3.1. Frente al trabajador dependiente

Las consecuencias varían dependiendo de si hay o no descuento por parte del empleador del monto que debe asumir el trabajador.

1. *Cuando ha habido descuento*: La aseguradora tiene la obligación de brindar la cobertura asistencial al afiliado como a su grupo familiar más no tendrá la obligación de cubrir las prestaciones económicas. El costo de las prestaciones asistenciales tiene que ser reembolsado por parte del empleador, quien además de cubrir las prestaciones económicas, estará en la obligación de pagar las cotizaciones debidas más los intereses de mora. Para probar el descuento, el trabajador deberá allegar el desprendible con los descuentos o documento equivalente en el que conste el respectivo descuento.

2. *Cuando no ha habido descuento*: Tanto las prestaciones asistenciales y económicas del trabajador como de su grupo familiar deben ser cubiertas por el empleador, quien además tiene la obligación de pagar las cotizaciones debidas junto a los intereses de mora. La suspensión del servicio asistencial por parte de la aseguradora, sin embargo, no opera frente a gestantes ni menores de edad.

6.3.2. Frente a trabajadores independientes

Tras dos meses consecutivos de no pago sin que la aseguradora se hubiese allanado, la aseguradora no está en la obligación de prestar asistencia al trabajador independiente ni de reconocer las prestaciones asistenciales. No obstante, se suspende la prestación del servicio como la obligación de pagar cotizaciones e intereses de mora. La cobertura del servicio asistencial del afiliado y de su núcleo familiar le será brindada por la red pública hospitalaria.

Cuando el trabajador independiente o uno de los integrantes de su núcleo familiar se encuentre gozando de tratamientos en curso, la aseguradora en la cual se encuentre inscrito deberá garantizar la continuidad de la prestación de los servicios de salud al trabajador y a los integrantes de su núcleo familiar hasta por cuatro (4) periodos consecutivos de mora. Vencido dicho término, se le garantizará la continuidad de la prestación de los servicios de salud a través de los prestadores de la red pública. En este caso la obligación de cotizar se suspende tras el periodo descrito y por tanto sólo se causarán intereses de mora por los cuatro periodos de no pago consecutivos.

Se debe aclarar que en el caso en que la obligación de cotizar radique en un tercero como una agremiación, o en el contratante, será este tercero el que debe asumir las prestaciones asistenciales y económicas.

Finalmente, y al igual que en el trabajador dependiente, la suspensión de la prestación asistencial no opera frente a las madres gestantes ni frente a los menores de edad.

6.3.3. Frente a los pensionados

No opera la suspensión de servicios asistenciales. El Fondo pensional deberá pagar los meses debidos junto a los intereses de mora.

6.3.4. Cuadro de síntesis

Afiliado Cotizante	Consecuencias para el afiliado y grupo familiar	Consecuencias para el obligado al pago	Consecuencias para la aseguradora
Trabajador dependiente con descuento del trabajador	Aseguradora cubrirá prestaciones asistenciales. Económicas a cargo del empleador.	Empleador asumirá prestaciones económicas, rembolso de las asistenciales, pago de cotizaciones debidas e intereses de mora.	Debe asumir las prestaciones asistenciales tanto del beneficiario como su grupo familiar.

Afiliado Cotizante	Consecuencias para el afiliado y grupo familiar	Consecuencias para el obligado al pago	Consecuencias para la aseguradora
Trabajador dependiente sin descuento.	Empleador cubrirá prestaciones asistenciales y económicas. La aseguradora seguirá cubriendo asistenciales de madres gestantes y menores de edad.	Asumirá prestaciones asistenciales, económicas, pago de cotizaciones e intereses de mora.	No debe asumir ni prestaciones económicas ni asistenciales, salvo la asistencia de menores de edad y madres gestantes.
Trabajador independiente con la obligación de cotizar.	A los dos o cuatro meses se suspende su obligación de cotización y será atendido por la red hospitalaria. Sin embargo, frente a madres gestantes y menores de edad seguirá siendo la aseguradora la que cubra la asistencia médica.	Es el independiente luego son las mismas consecuencias señaladas.	Sólo tendrá derecho a las cotizaciones de los dos o cuatro meses con sus correspondientes intereses de mora.
Trabajador independiente con un tercero obligado a cotizar	El tercero obligado a cotizar (agremiación y contratante con el Decreto 1273 del año 2018) asumirá las prestaciones asistenciales y económicas. Sin embargo, las asistenciales frente a madres gestantes y menores las seguirá cubriendo aseguradora.	Cubrirá prestaciones asistenciales y económicas salvo las asistenciales de las madres gestantes y menores de edad.	No asumirá prestaciones asistenciales ni económicas y tendrá derecho a las cotizaciones debidas junto a los intereses de mora. No opera suspensión tras dos o cuatro meses.
Pensionados	No se suspenden prestaciones asistenciales.	Pagar cotizaciones debidas junto a intereses de mora.	Cubrir prestaciones asistenciales y tiene derecho a cotizaciones junto a prestaciones asistenciales.

6.3.5. Allanamiento a la mora

Se resalta finalmente que si se ha allanado a la mora porque no ha adelantado gestiones para el cobro de los aportes debidos la aseguradora en todos los casos tendrá que seguir garantizando las prestaciones (tanto económicas y asistenciales) a que haya lugar. Esta figura del allanamiento, según pronunciamientos de la Corte Constitucional[8], busca proteger la prestación del afiliado quien no puede sufrir las consecuencias derivadas de la no cotización.

---

[8]   Se puede consultar las sentencias de tutela T-921 de 2005, T-680 del año 2008 y T-761 del año 2010.

Sin embargo, vale precisar que el allanamiento se presenta en tres situaciones: no cobrar cuando no ha habido pago alguno, no cobrar cuando ha habido pago parcial y no cobrar en tiempo, habiendo pago extemporáneo.

La Corte se ha referido al allanamiento cuando no hay cobro por pago parcial y pago extemporáneo. Pero frente al escenario de no pago en absoluto no se ha referido. Esto se justifica pues no podría alegar la cobertura cuando hay un pago que ha recibido, aunque haya sido de manera extemporánea o parcial. Hay que recordar además que la prestación económica debe ser reconocida incluso cuando el pago es extemporáneo siempre y cuando se este al día al momento de la causación de la respectiva prestación, de acuerdo a lo previsto en el Decreto 780 del año 2016.

Con todo, consideramos que no pueden ser iguales las consecuencias cuando el allanamiento opera frente al no pago en absoluto de las cotizaciones. No se justificaría el reconocimiento de prestaciones sin haber habido pago alguno.

Ahora bien, sobre la presunta afectación al afiliado (que en últimas es lo que se protege con esta figura), valdría preguntarse cómo operaría de cara a las prestaciones, si en todo caso siempre hay alguien que las reconozca. Dando respuesta, analizaremos la afectación frente a las prestaciones asistenciales y económicas.

1. Asistenciales: Respecto al dependiente y su grupo familiar la afectación radica en que el empleador por lo general, al no ser una prestadora de salud, no tiene la capacidad para asumir la prestación oportuna de lo debido; de cara al independiente sucede lo mismo cuando es el contratante quien asume la cobertura asistencial y cuando es la red pública la afectación, se concreta en el cambio de prestadora (que no siempre será mejor).

2. Económicas: No es clara la afectación del dependiente pues en todo caso siempre es el empleador quien asume las prestaciones económicas pudiendo adelantar, no obstante, el reembolso ante la aseguradora; y frente al independiente como ahora es el contratante quien asume la obligación de cotizar, es este el que debe garantizar el pago de la prestación. Así las cosas, no es claro cómo la mora podría generar una afectación en cuanto a las prestaciones económicas.

Dicho esto, si lo que se protege finalmente es al afiliado, es justificable el reconocimiento de las asistenciales cuando ha habido allanamiento, pero no el de las económicas, pues no hay una afectación real del afiliado. Así las cosas, consideramos que la justificación de la figura del allanamiento más que proteger al afiliado busca proteger el recaudo de los recursos de la seguridad social, castigando a las aseguradoras con la cobertura de las prestaciones, cuando no ha adelantado las gestiones de cobro.

Finalmente vale señalar que el allanamiento en modo alguno supone una condonación de la deuda.

6.4. Periodo de protección laboral

Cuando se reporta la terminación del vínculo que ha dado lugar a la condición de afiliado cotizante, bien porque ha terminado el vínculo laboral y el empleador ha reportado la novedad o bien porque el independiente la ha reportado al perder las condiciones para ser cotizante, surge el llamado periodo de protección laboral.

Durante el periodo de protección laboral, el afiliado cotizante y su núcleo familiar tendrán derecho a la prestación de los servicios asistenciales de salud por el periodo de un (1) mes cuando haya estado inscrito en la misma aseguradora como mínimo los doce (12) meses anteriores y de tres (3) meses cuando haya estado inscrito de manera continua durante cinco (5) años o más.

En este sentido y como la Ley se refiere a periodos mínimos, si estuvo inscrito cuatro (4) años o más, pero menos de cinco (5), tendrá derecho sólo a un mes. Y en el mismo sentido, así haya tenido más de cinco (5) el periodo de protección laboral sólo se podrá extender por máximo tres (3) meses.

Ahora bien, si durante el periodo de protección laboral al afiliado se le otorga el Mecanismo de Protección al Cesante (figura que se puede consultar en los servicios sociales complementarios), el periodo de protección laboral cesará.

7. RÉGIMEN SUBSIDIADO

Este régimen está constituido para proteger aquellas personas que no tienen capacidad de pago reconociéndoles solamente prestaciones asistenciales (no económicas) previstas en el plan de beneficios de salud. Sobre las prestaciones a que haya lugar puede consultarse el aparte que desarrolla el plan de beneficios en el régimen contributivo, pues en búsqueda de la unificación de los planes de beneficios de ambos regímenes, actualmente sólo existen pequeñas diferencias de cobertura.

Vale señalar que, aunque el Estado ha buscado identificar a la población sin capacidad de pago, sigue existiendo una población vulnerable que no ha sido focalizada conocida como población pobre no asegurada. No obstante, se busca que poco a poco esta población desparezca y que toda se concentre en el régimen subsidiado.

Ahora bien, para determinar los grupos poblacionales que deben ser afiliados al régimen subsidiado la Ley ha establecido dos mecanismos de focalización:

– Encuesta SISBEN: Los clasificados en los niveles rango I, II y III son afiliados al régimen subsidiado siempre y cuando no cumplan con las condiciones para hacer parte del contributivo.

– Listados censales: Permiten identificar aquellas personas que, por sus condiciones de vulnerabilidad, marginalidad, discriminación o en situación de debilidad deben pertenecer al régimen subsidiado sin necesidad de que así lo determine la encuesta SISBEN.

En el evento de que la persona cumpla los requisitos para pertenecer al Régimen Subsidiado y rehúse afiliarse, la entidad territorial procederá a inscribirla de oficio en una aseguradora de las que operan en el municipio. Sin embargo, la persona podrá en ejercicio del derecho a la libre escogencia trasladarse a una aseguradora de su elección dentro de los dos (2) meses siguientes.

Cabe reiterar que todo el grupo familiar debe estar vinculado a la misma aseguradora del régimen subsidiado. Este grupo familiar estará compuesto por el jefe de familiar y sus beneficiarios.

Vale finalmente señalar que el régimen contributivo prevalece sobre el subsidiado de tal manera que, si se cumplen las condiciones para estar en ambos regímenes, se ha de afiliar al contributivo.

7.1. Encuesta SISBEN

La encuesta del sistema de identificación y clasificación de potenciales beneficiarios de programas sociales conocida por sus siglas SISBEN, es una encuesta a la que tenemos derecho todos los residentes del territorio colombiano y que determina quiénes son aptos para optar por ciertos beneficios del Estado (no sólo beneficios en salud). Se utiliza para identificar de manera objetiva a la población en situación de pobreza y vulnerabilidad para focalizar la inversión social y garantizar la asignación de recursos a quienes más lo necesitan.

Esta encuesta califica: necesidades básicas insatisfechas, vulnerabilidad, pobreza y condiciones de vida y la deben practicar las entidades territoriales.

El Departamento Nacional de Planeación es el encargado de definir la metodología de esta encuesta y orientar los municipios para su implementación, quienes la diseñaran de acuerdo a las particularidades de su territorio, bajo un enfoque diferencial. Los municipios por tanto son los responsables por la implementación, actualización, administración y operación de la base de datos de esta encuesta: los encargados de registrar cambios, el ingreso de personas y la actualización de su información.

Ahora bien, son beneficiarios del régimen subsidiado en salud las personas identificadas en los niveles I, II y III de la encuesta SISBEN.

7.2. *Listados censales*

Son poblaciones que han sido calificadas como vulnerables sin necesidad de que se les aplique la encuesta SISBEN. A continuación, se pasan a exponer indicando además qué entidad realiza el listado censal y quién se encarga de escoger la aseguradora del régimen subsidiado a la que se vinculará.

1. Las personas que dejen de ser madres comunitarias y sean beneficiarias del subsidio de la Subcuenta de Subsistencia del Fondo de Solidaridad Pensional, en los términos de lo dispuesto en el artículo 164 de la Ley 1450 de 2011. El Instituto Colombiano de Bienestar Familiar elaborará el listado censal. Ellas mismas escogerán su aseguradora en salud.

2. Población infantil abandonada a cargo del Instituto Colombiano de Bienestar Familiar. El listado censal de beneficiarios será elaborado por el Instituto Colombiano de Bienestar Familiar (ICBF) quien además escogerá la aseguradora en salud del régimen subsidiado.

3. Menores desvinculados del conflicto armado. El listado censal será elaborado por el ICBF quien escogerá además la aseguradora del régimen subsidiado que cubrirá a esta población.

4. Población infantil vulnerable bajo protección en instituciones diferentes al ICBF. El listado censal de beneficiarios de esta población será elaborado por las alcaldías municipales quienes se encargarán de escoger la aseguradora del régimen subsidiado en salud de esta población.

5. Comunidades Indígenas. La identificación y elaboración de los listados censales de la población indígena para la asignación de subsidios se efectuará de conformidad con lo previsto en el artículo 5 de la Ley 691 de 2001 y las normas que la modifiquen adicionen o sustituyan. Esta norma indica que las tradicionales y legítimas autoridades de cada Pueblo Indígena, elaborarán un censo y lo mantendrán actualizado, para efectos del otorgamiento de los subsidios. Estos censos deberán ser registrados y verificados por el ente territorial municipal donde tengan asentamiento los pueblos indígenas. Será además la máxima autoridad indígena la que escoja la aseguradora en salud de esta población.

6. Población desmovilizada. El listado censal de beneficiarios para la afiliación al Régimen Subsidiado de Salud de las personas desmovilizadas y su núcleo familiar deberá ser elaborado por la Agencia Colombiana para la Reintegración o quien haga sus veces. Los miembros de esta población escogerán por sí mismos la aseguradora en salud del subsidiado a la que deseen pertenecer.

7. Adultos mayores en centros de protección. Los adultos mayores de escasos recursos y en condición de abandono que se encuentren en centros de protección, el listado de beneficiarios será elaborado por las alcaldías municipales o distritales quienes además escogerán la aseguradora en salud que le preste el servicio a esta población.

8. Población Rrom o gitana. El listado censal se realizará mediante un listado censal elaborado por la autoridad legítimamente constituida (SheroRom o portavoz de cada Kumpania). El listado deberá ser registrado y verificado por la alcaldía del municipio o distrito en donde se encuentren las Kumpania. No obstante, cada miembro de esta comunidad, respetando la afiliación de todo el núcleo familiar, escogerá la aseguradora a la que se desea vincular.

9. Personas incluidas en el programa de protección a testigos. El listado censal será elaborado por la Fiscalía General de la Nación quién además escogerá la aseguradora en salud del régimen subsidiado.

10. Víctimas del conflicto armado que se encuentren en el Registro Único de Víctimas elaborado por la Unidad Administrativa Especial para la Atención y Reparación Integral a las Víctimas. Las víctimas por sí mismas escogerán la aseguradora a la que se desean vincular.

11. Población privada de la libertad a cargo de las entidades territoriales del orden departamental, distrital o municipal y a cargo del Instituto Nacional Penitenciario Carcelario. La prestación de los servicios de

salud a las personas privadas de la libertad y los menores de tres (3) años que convivan con sus madres en los establecimientos de reclusión se realizará a través del modelo de atención por parte del Fondo Nacional de Salud de las Personas Privadas de la Libertad que prevalecerá sobre la atención en salud a cargo del Sistema General de Seguridad Social en Salud o de los regímenes exceptuados o especiales.

Los servicios de salud de esta población y de la de los menores de tres años por su parte, serán prestados a través de una o varias aseguradoras tanto del Régimen Subsidiado como del Régimen Contributivo, autorizadas para operar el Régimen Subsidiado, que determine la Unidad de Servicios Penitenciarios y Carcelarios (USPEC).

Con todo, las personas privadas de la libertad que, de acuerdo con la normativa vigente, estén obligadas a cotizar deberán efectuar el pago de sus aportes y no tendrán acceso a las prestaciones asistenciales y económicas a cargo del Sistema. Sin embargo, los servicios de salud al núcleo familiar, si lo hubiere, le serán prestados a través de la aseguradora del régimen contributivo a la que se realicen las cotizaciones.

El listado censal de esta población será elaborado por las gobernaciones o las alcaldías distritales o municipales y por el INPEC.

12. Los migrantes colombianos que han sido repatriados, han retornado voluntariamente al país, o han sido deportados o expulsados de la República Bolivariana de Venezuela. Cada entidad territorial municipal o distrital donde se encuentren ubicados, de manera temporal o definitiva, será la responsable de garantizar su afiliación y de elaborar el respectivo listado censal. Esta población se encargará de escoger la aseguradora que desee.

13. El aseguramiento en salud de los miembros de las Fuerzas Armadas Revolucionarias de Ejercito Colombia del Pueblo —FARC-EP— durante su permanencia en los Puntos de Pre-agrupamiento Temporal, Zonas Veredales Transitorias de Normalización y Puntos Transitorios de Normalización, así como de los que hagan parte del Mecanismo de Monitoreo y Verificación, o el que haga sus veces, de los que participen en tareas humanitarias y de construcción de confianza acordados en los diálogos paz y de los que hagan parte del proceso de tránsito a la legalidad realizará a través del Régimen Subsidiado mientras subsistan condiciones que así lo permitan, y siempre y cuando no reúnan las condiciones para pertenecer al Ré-

gimen Contributivo. La Oficina del Alto Comisionado para la Paz entregará al Ministerio Salud y Protección Social el listado recibido de parte del miembro representante las FARC-EP designado ello. El Ministerio de Salud y de la Protección Social se encargará de seleccionar la aseguradora a la que se vinculará.

14. De acuerdo al Decreto 2058 del año 2018, los voluntarios acreditados y activos de la Defensa Civil Colombiana, Cruz Roja Colombiana y cuerpo de bomberos, así como su núcleo familiar, salvo que sean cotizantes o beneficiarios del Régimen Contributivo, harán parte del régimen subsidiario. El listado censal de esta población será elaborado por la entidad a la cual pertenezca el voluntario, que será la responsable de la información suministrada y de su acreditación como activo.

15. Los adultos entre 18 y 60 años, en condición de discapacidad, de escasos recursos y en condición de abandono que se encuentren en centros de protección. El listado censal de esta población será elaborado por las gobernaciones o las alcaldías distritales o municipales.

8. TRASLADO

El traslado es una figura prevista en el sistema integral de salud que aplica dentro de los dos regímenes existentes: contributivo y subsidiado y que, en desarrollo de la libre escogencia, permite el cambio de aseguradora en salud. Sin embargo, para que no se afecte la prestación del servicio, existen unas reglas para que opere el traslado.

8.1. Reglas para que opere el traslado

1. Un periodo mínimo de trescientos sesenta (360) días continuos o discontinuos contados a partir del momento de la inscripción del afiliado cotizante o cabeza de familia. En el régimen contributivo el término previsto se contará a partir de la fecha de inscripción del afiliado cotizante y en el régimen subsidiado se contará a partir del momento de la inscripción del cabeza de familia. Cuando el beneficiario adquiere la condición de cotizante y desea trasladarse, este término se contará a partir de la fecha de su inscripción como beneficiario. Este término se contabilizará desde la fecha de inscripción inicial, teniendo en cuenta todos los días de inscripción en la misma aseguradora del

afiliado cotizante o cabeza de familia, descontando los días de suspensión de la afiliación por mora o de terminación de la inscripción a la aseguradora.

2. No estar el afiliado cotizante-jefe de familia o cualquier miembro de su núcleo familiar internado en una institución prestadora de servicios de salud de la respectiva aseguradora.

3. Estar el cotizante independiente a paz y salvo en el pago de las cotizaciones al Sistema General de Seguridad Social en Salud. Esto significa que la mora en que se incurra frente al trabajador dependiente no afectará la posibilidad de trasladarse.

4. Inscribir en la solicitud de traslado a todo el núcleo familiar.

5. El traslado de las personas que pertenecen al régimen subsidiado en salud cuya aseguradora no es escogida por ellos mismos sino por una entidad diferente, lo deberá hacer la misma entidad.

8.2. Excepciones a la regla de permanencia

No se debe acreditar el requisito mínimo de permanencia de trescientos sesenta (360) en los siguientes casos:

1. Revocatoria total o parcial de la habilitación o de la autorización de la aseguradora.

2. Disolución o liquidación de la aseguradora.

3. Cuando la aseguradora, se retire voluntariamente de uno o más municipios o cuando disminuya su capacidad de afiliación, previa autorización de la Superintendencia Nacional de Salud.

4. Cuando el usuario vea menoscabado su derecho a la libre escogencia de prestadora de salud o cuando se haya afiliado con la promesa de obtener servicios en una determinada red de prestadores y ésta no sea cierta, previa autorización de la Superintendencia Nacional de Salud.

5. Cuando se presenten casos de deficiente prestación o suspensión de servicios por parte de la aseguradora o de su red prestadora debidamente comprobados, previa autorización de la Superintendencia Nacional de Salud.

6. Por unificación del núcleo familiar cuando los cónyuges o compañero(a)s permanente(s) se encuentren afiliados en asegurado-

ras diferentes; o cuando un beneficiario cambie su condición a la de cónyuge o compañero(a) permanente.

7. Cuando la persona ingrese a otro núcleo familiar en calidad de beneficiario o en calidad de afiliado adicional.

8. Cuando el afiliado y su núcleo familiar cambien de lugar de residencia y la aseguradora donde se encuentran afiliados no tenga cobertura en la respectiva entidad territorial a la que se desplazan.

9. Cuando ha habido afiliación forzosa por parte de la UGPP.

10. Cuando el empleador o el fondo pensional han afiliado de manera forzosa a un trabajador y a un pensionado, de manera respectiva, en los eventos en que los mismos no han seleccionado la aseguradora a a la que desean estar vinculados. En tales casos deberán permanecer vinculados a la respectiva aseguradora por un periodo mínimo de tres (3) meses.

11. Cuando el afiliado ha sido inscrito por la entidad territorial en el régimen subsidiado cuando se ha rehusado a vincularse. En esta situación el periodo mínimo de permanencia es de dos (2) meses.

8.3. *Efectos del traslado*

El traslado entre aseguradoras producirá efectos a partir del primer día calendario del mes siguiente a la fecha del registro de la solicitud de traslado, cuando éste se realice dentro de los cinco (5) primeros días del mes. Cuando el registro de la solicitud de traslado se realice con posterioridad a los cinco (5) primeros días del mes, el mismo se hará efectivo a partir del primer día calendario del mes subsiguiente a la fecha del citado registro, es decir no en el mes inmediato sino el siguiente a este.

La aseguradora a la que se traslada cubrirá desde el momento en que surta efectos el traslado.

9. MOVILIDAD

Mientras el traslado se refiere al cambio de aseguradora dentro del mismo régimen, la movilidad es el cambio de régimen dentro de la misma aseguradora. En virtud de la movilidad, los afiliados podrán cambiar de un régimen a otro con su núcleo familiar, sin solución de continuidad, manteniendo su inscripción en la misma aseguradora.

Debe aclararse que la movilidad requiere que se reporte, pues no opera de manera automática y que no necesariamente quien dejar de hacer parte del régimen contributivo ingresa de manera inmediata al régimen subsidiado, pues sólo ingresarán a este régimen quienes cuenten con los puntos requeridos de acuerdo a la encuesta SISBEN o quien esté en algún listado censal.

9.1. *Movilidad del régimen subsidiado al contributivo*

La novedad de movilidad del régimen subsidiado al régimen contributivo deberá ser registrada por el afiliado el día en que adquiere una vinculación laboral o las condiciones para cotizar como independiente.

Producirá efectos a partir del primer día calendario del mes siguiente a la fecha del registro de la novedad de movilidad.

Para que la movilidad sea posible, las aseguradoras habilitadas para operar en el régimen subsidiado podrán administrar en el régimen contributivo, hasta el 10% del total de sus afiliados, con su actual habilitación, sin que se les exija el cumplimiento de los requisitos de habilitación de las aseguradoras del régimen contributivo.

9.2. *Movilidad del régimen contributivo al subsidiado*

La novedad de movilidad del régimen contributivo al régimen subsidiado deberá ser registrada por el afiliado al día siguiente de la terminación de la vinculación laboral o de la pérdida de las condiciones para seguir cotizando como independiente y a más tardar el último día calendario del respectivo mes o al día siguiente del vencimiento del periodo de protección laboral o del mecanismo de protección al cesante (figura que se verá en el subsistema de servicios sociales complementarios), si los hubiere. Si no registra la movilidad en este plazo, ya no hay forma de acceder a la movilidad y debe cambiarse a una aseguradora del otro régimen.

Producirá efectos a partir del día siguiente al vencimiento del periodo de protección laboral o del mecanismo de protección al cesante si el afiliado cotizante tuviere derecho a ellos (consultar periodo de protección laboral y periodo de protección al cesante); si no los tuviere, a partir del día siguiente al vencimiento del periodo o días por los cuales se efectuó la última cotización.

Las aseguradoras habilitadas para operar en el régimen contributivo podrán administrar en el régimen subsidiado hasta el diez por ciento (10%)

del total de sus afiliados sin que se les exija el cumplimiento de los requisitos de habilitación de las aseguradoras del régimen subsidiario.

10. PORTABILIDAD

Es la garantía de la accesibilidad a los servicios de salud, en cualquier municipio o distrito del territorio nacional, para todo afiliado al Sistema General de Seguridad Social en Salud que emigre del municipio o distrito domicilio de afiliación. Lo anterior partiendo de la habilitación con alcance territorial de las aseguradoras en salud, (pues no se habilitan para prestar sus servicios dentro de todo el territorio nacional) y a la existencia de un domicilio de afiliación.

El domicilio de afiliación es el municipio o distrito en el cual tiene lugar la afiliación de una persona al Sistema General de Seguridad Social en Salud y su grupo familiar, de tal manera que todo el núcleo tiene un único domicilio de afiliación. Será además el municipio o distrito del afiliado cotizante o jefe de familia.

Así, el aseguramiento en salud en un municipio o distrito diferente al domicilio de afiliación, opera de la siguiente manera:

1. Emigración ocasional: cuando el afiliado cotizante, jefe de familia o alguno de los beneficiarios migran por un espacio de tiempo hasta de un mes a un municipio o distrito diferente al domicilio de afiliación, cualquier prestadora de este le deberá brindar la atención de urgencias, así como la posterior que se requiera, con independencia de si la misma hace parte o no de la red de prestadoras de su aseguradora. En este sentido, ninguna prestadora se puede negar a brindar el servicio de urgencias y posterior requerido, excusándose en la inexistencia de un convenio con su aseguradora.

2. Emigración temporal: cuando la migración es superior a un mes y hasta un año y la aseguradora no tiene presencia al municipio o distrito al que se migra, la misma deberá garantizar la prestación del servicio, para lo que debe celebrar convenios con prestadoras del municipio o distrito (al que se migra).

3. Emigración permanente: Cuando la migración excede el año para todo el grupo familiar (si sólo es uno o algunos miembros se habla del escenario de la dispersión familiar) y la aseguradora no tiene presencia al municipio o distrito al que se migra se pueden trasladar.

4. Dispersión del grupo familiar: cuando alguno de los miembros del grupo fija su residencia en un lugar diferente al domicilio de afiliación su aseguradora debe garantizar la prestación del servicio.

SUBSISTEMA DE PENSIONES

1. ÉL MODELO COLOMBIANO DE SEGURIDAD SOCIAL EN PENSIONES. BREVE RECUENTO HISTÓRICO

1.1. *La reforma constitucional de 1936*

Situados a inicios del siglo XX, no es posible hablar de un sistema de protección, pues realmente no existían políticas articuladas que brindaran protección a las personas de forma conjunta y sistemática.

Ante éste panorama, se crearon modelos de protección mutualistas al interior de grupos sociales que desempeñan actividades en común. Así, como lo relata Arenas Monsalve en su obra *"El derecho colombiano de la seguridad social"*, para él año de 1886 se creó la protección pensional para el sector de la educación; mediante la Ley 82 de 1912 se creó el Sistema de Previsión Social para las Comunicaciones que agrupa a los trabajadores postales y telegrafistas y posteriormente, con la Ley 75 de 1925 se dio paso a la Caja de Sueldos de Retiro de las Fuerzas Militares.

En este contexto surgieron igualmente diversos movimientos sindicales que pusieron sobre la mesa la necesidad de establecer medidas de protección relacionadas con el trabajo. Esto debido, entre otras a: 1) la generación de precarias condiciones laborales, por el incremento de trabajadores agrícolas que migraron hacia ciudades; y 2) a la caída de la bolsa de Nueva York que debilitó el mercado internacional, al reducir el nivel de las exportaciones, impactando final y negativamente en la demanda de trabajadores. (Muñoz Segura, La reforma constitucional de 1936 y el camino hacia la construcción de la seguridad social., 2010, pág. 114).

Por lo anterior, preocupado por las necesidades obreras (Muñoz Segura, La reforma constitucional de 1936 y el camino hacia la construcción de la seguridad social., 2010, pág. 116) y además dentro de un cambio conceptual "frente al papel del Estado, pasando de un liberalismos clásico a uno intervencionista con un componente social" (Muñoz Segura, La reforma constitucional de 1936 y el camino hacia la construcción de la seguridad social., 2010, pág. 117) en el primer gobierno de Alfonso López Pumarejo se aprobó el Acto Legislativo 01 de 1936 el cual en su artículo 16 refirió que la *"asistencia pública es función del Estado"*, dirigida para quienes carecían de medios de subsistencia, no pudiendo exigir la ayuda de otras personas.

De esta manera se da un vuelco político al desarrollo de los modelos de protección social, pues de un modelo caritativo se pasó al establecimiento de una obligación Estatal, siendo este último el encargado de brindar los medios de protección social, para la población en general y sobre todo para los más débiles.

Al igual que el resto de la reforma constitucional, este punto en particular estuvo influenciado por las Constituciones de México, Weimar y España de 1931.

> (...) aunque vale advertir que en términos concretos, las tres constituciones reconocen de manera específica la financiación de la seguridad social a través del sistema de seguro social (modelo alemán), con una financiación de prima media y amparando los riesgos de vejez, invalidez y muerte entre otros. Es decir, parte de la existencia de un esquema claro de financiación, con unos objetivos específicos y hacia una protección cada vez más amplia, que inicia en los trabajadores pero que incluye otros sectores; en tanto, la consagración colombiana, si bien es cierto tiene una gran trascendencia como discurso político, tiene un carácter restrictivo superado de manera ostensible por las cartas políticas que la influenciaron. (Muñoz Segura, La reforma constitucional de 1936 y el camino hacia la construcción de la seguridad social., 2010, pág. 118).

Con todo, si bien con el cambio constitucional hay un cambio de visión política, no se establece claramente el tipo de asistencia a brindar, ni la necesidad de la creación de una institución encargada de ello. Tendrían que transcurrir diez años para que legalmente se estableciera el andamiaje necesario para la asunción del compromiso estatal.

1.2. *La creación del Instituto Colombiano de Seguros Sociales*

Fue el segundo gobierno de Alfonso López Pumarejo que dio paso a la entidad de seguros sociales. Como respuesta del gobierno al apoyo que los trabajadores dieron al presidente ante un inminente golpe de estado por parte de los militares, en Pasto se expidió la Ley 6 de 1945[9], que previó las

---

[9]   Así lo señala Durand, citado por Arenas Monsalve al señalar: *"Ya hemos dicho que durante las crisis políticas que jalonaron el segundo gobierno de López la lealtad de los trabajadores fue un hecho permanente. Era del caso entonces corresponder a esa fidelidad y a esa larga fatiga. La ocasión se presentó al romperse la legalidad por el golpe de Pasto. El estado de sitio que se decretó inmediatamente fue utilizado por el mundo oficial para satisfacer viejas demandas de los asalariados... López Pumarejo empleó en efecto el estado de sitio para legislar en favor de los trabajadores y, por eso, con la decisiva asesoría de su brillante ministro del ramo Adán Arriaga Andrade, dictó el Decreto*

prestaciones sociales a cargo del empleador, de forma transitoria, hasta que se creara la entidad estatal de protección social.

> Resulta curioso observar que los analistas de la historia política y social del país destacan en mayor o menor medida los aspectos laborales de la Ley 6 de 1945, pero en cambio no suelen referirse al aspecto de inmensa trascendencia desde el punto de vista de la seguridad social como fue el establecimiento de las prestaciones sociales a cargo de los empleadores como antecedente inmediato de la seguridad social en el país. (Arenas, El derecho colombiano de la Seguridad Social, 2011, pág. 65).

La ley 6 de 1945 estableció que el trabajador oficial y privado estaría cubierto ante ciertos riesgos como el accidente de trabajo, la enfermedad profesional y el auxilio por enfermedad.

Por su parte, para los empleados públicos del orden nacional se creó la Caja de Previsión Social de los Empleados y Obreros Nacionales - Cajanal, quien asumiría la pensión vitalicia de jubilación e invalidez.

Atendiendo el llamado de la Ley 6 de 1945, el 26 de diciembre de 1946 se expidió la Ley 90 que estableció la creación del Instituto Colombiano de Seguros Sociales como entidad con personería jurídica y patrimonio autónomo, que brindaría las prestaciones económicas y asistenciales en la cobertura de enfermedades de origen común, maternidad, accidentes y enfermedades profesionales, invalidez, vejez y muerte[10].

La afiliación y cobertura territorial del Instituto se planteó de forma gradual y la financiación de las prestaciones se previó de forma tripartita entre el empleador, el trabajador y el Estado.

En punto a la asunción de los riesgos pensiónales por invalidez, vejez y muerte, éste tardo alrededor de treinta años, pues entró en vigencia el 1 de enero de 1976.

> Aunque en la Junta Directiva del Instituto existió siempre un marcado interés por asumir los seguros económicos (riesgos profesionales e invalidez, vejez y muerte), finalmente, el Instituto debió aplazar ese pcropósito resignándose a cumplir solo con los seguros de reparto (enfermedad-maternidad), que eran los más onerosos pero que garantizaban un funcionamiento sin traumatismos y daban posibilidades de expansión a diversas regiones del país. (Arenas, El derecho colombiano de la Seguridad Social, 2011, pág. 70).

Legislativo 2350 de 1994, que luego se convirtió en la Ley 6 de 1945, la más próvida en el campo laboral colombiano".
[10]   Ley 90 de 1946, artículos 1 y 8.

Con los Decretos 1824 de 1965 y 3041 de 1966 se estableció el monto de los aportes y los requisitos pensionales. Para la pensión de vejez se estableció una edad de cincuenta y cinco (55) años para las mujeres y sesenta (60) años para los hombres, y acreditar quinientas (500) semanas de cotización durante los últimos veinte años o mil (1000) semanas en cualquier tiempo. Por su parte, para pensión de invalidez y de sobrevivientes se exigía la invalidez o el fallecimiento del asegurado, respectivamente, y contar con ciento cincuenta (150) semanas de cotización dentro de los seis años anteriores al hecho.

1.3. *La Constitución Política de 1991*

Los cambios sociales, políticos y económicos producidos durante la primera mitad del siglo XX, la necesidad de una apertura económica planteada con la participación de los privados, desembocó en la Asamblea Nacional Constituyente. Sobre estos antecedentes Arenas Monsalve señala:

> Fueron factores determinantes de ese momento político, entre otros, la tradición reformista colombiana; la necesidad de una religitimación del Estado; el propósito de concebir una sociedad política más pluralista; la necesidad de un nuevo modelo institucional acorde con los cambios políticos y económicos del mundo; la aspiración política y jurídica de fortalecimiento de los derechos humanos y, finalmente, diversos factores de coyuntura política. (Arenas, El derecho colombiano de la Seguridad Social, 2011, pág. 95).

Bajo este contexto y frente a la Seguridad Social, existieron discusiones sobre el modelo a implantar, pues si bien a lo largo de la nueva Carta se preveía la participación de los particulares en distintos escenarios de la actividad nacional, no se dejaba de lado la obligación estatal de asistencia social ya planteada en la reforma de 1936. De esta manera, Manuel Libardo Barreto, en su obra *"Constitución Política de Colombia. Título II: De los derechos, las garantías y los deberes"*, señala la forma conciliatoria utilizada:

> En la Asamblea Nacional Constituyente el gobierno de Gaviria propuso un sistema a la chilena —administrado básicamente por el sector privado— para reformar la seguridad social. La asamblea no lo aceptó al insistir en que la seguridad social, si bien se debería preocupar por la eficiencia, también debería considerar la solidaridad y la universalidad. No obstante, se dejó una puerta abierta al acordar que los servicios de seguridad social podrían ser prestados por entidades públicas y privadas. (Barreto, 1997, pág. 209).

De esta forma, la nueva Carta Política con el artículo 48 consagra la seguridad social como un derecho irrenunciable y un servicio público a cargo del Estado.

Sobre las características del modelo implementado con la Constitución de 1991, Juan Carlos Cortés refiere:

– Especialización de funciones y de prestaciones. Se individualizaron las coberturas y se propendió por la operación individualizada de las mismas.

– Adopción de criterios de mercado para la provisión de los diferentes servicios e incorporación de la dinámica de competencia desde los principios de la libre concurrencia y de la eliminación del monopolio estatal, con la expectativa de beneficiar a los afiliados-usuarios.

– Participación de particulares en la provisión de servicios del sistema.

– Incorporación de mecanismo para asegurar la vigencia del postulado de solidaridad, entre otros, la incorporación progresiva de poblaciones a los esquemas de aseguramiento. (Cortés, Estructura de la Protección Social en Colombia., 2012, pág. 41).

Dicho lo anterior, observamos cómo los resultados desfavorables del ISS y su déficit financiero abrieron paso a un nuevo modelo pensional mixto, en donde concurrió la entidad estatal de aseguramiento con las empresas particulares.

1.4. La Ley 100 de 1993

Dentro de este panorama, durante el gobierno del presidente Cesar Gaviria, en el país entró a regir una nueva carta política y estaba viviendo una apertura económica que lo insertaba en la corriente comercial mundial. Estos dos hechos, comenzaron a posibilitar una reforma institucional necesaria para la reconciliación de la sociedad civil, el fortalecimiento de los derechos humanos y que estuviese acorde con los cambios políticos y económicos del mundo.

La constitución de 1991 da luz verde a la reestructuración del sistema pensional, pero es la ley 100 de 1993 la que cumple con tal cometido. (Arenas, El derecho colombiano de la Seguridad Social, 2011, pág. 95).

Vemos entonces de qué manera las reformas jurídicas de nuestro país, son el resultado de situaciones económicas y sociales, pero a su vez generan impactos en estos campos. Sin el ánimo de ahondar en esta conclusión, vale resaltar que, si bien una reforma jurídica depende de un contexto, su sentido no puede agotarse en las condiciones particulares que le dieron lugar.

1.5. *La Ley 797 de 2003*

La reforma que se dio en el 2003 en materia pensional con la ley 797 eliminó, entre otros mecanismos, los privilegios de los que gozaban algunos sectores por estar exceptuados de la ley 100 de 1993 como los trabajadores de empresas del estado como Ecopetrol.

La ley 797 de 2003 igualmente modificó los requisitos para obtener la Pensión de Vejez, estableciendo que la edad mínima para acceder a una pensión de vejez se incrementaría a partir del 1° de enero del año 2014, como el número de semanas exigido a partir del 1° de enero de 2005.

En el artículo 11, modificó los requisitos de la pensión de invalidez pero fue declarado inexequible mediante la sentencia de constitucionalidad C-1056 de 2003 (M.P. Alfredo Beltrán Sierra, 2003) por vicios de forma, ya que no fue incluido en la ponencia para Segundo Debate en el Senado (Gaceta del Congreso No 616), ni fue aprobado por el Senado de la República, según el texto definitivo del proyecto publicado en la Gaceta del Congreso No 161 de 14 de abril de 2003 en su página 5.

De igual manera, frente a la pensión de sobrevivientes introduce modificaciones de cara a las condiciones que debe acreditar el causante y las que debe acreditar su grupo de beneficiarios. En torno al afiliado exige ya no veintiséis (26) semanas cotizadas dentro del año inmediatamente anterior al fallecimiento, sino cincuenta (50) dentro de los tres (3) años anteriores. Esta norma igualmente introdujo dos requisitos adicionales que no obstante fueron declarados inexequibles por la Corte Constitucional:

- Si el causante es mayor de veinte (20) años de edad y fallece por enfermedad debía haber cotizado el veinticinco por ciento (25%) del tiempo transcurrido entre el momento en que cumplió veinte años y la fecha de fallecimiento.
- Si fallece por accidente debía haber cotizado no el veinticinco (25%) sino el veinte por ciento (20%).

Ambos requisitos fueron declarados inexequibles por la Corte Constitucional mediante sentencia de Constitucionalidad C 556 del año 2009 (M.P. Nilson Pinilla Pinilla, 2009).

De cara a los beneficiarios establece un reconocimiento temporal de la pensión de sobrevivientes para la pareja del causante menor a treinta años, incrementa el requisito de convivencia a cinco años y presenta soluciones a escenarios de convivencia simultánea.

Finalmente señaló que, en caso de fallecimiento, habiendo el causante cumplido el número de semanas mínimo requerido en el régimen de prima media para optar por una pensión de vejez, sin haberla reclamado o haber tramitado o recibido una indemnización sustitutiva de vejez, se causaría una pensión de sobrevivientes de al menos el ochenta por ciento (80%), del monto que le hubiese correspondido por una pensión de vejez.

1.6. *La Ley 860 de 2003*

La reforma pensional que se llevó a cabo con la ley 860 de 2003 modificó sustancialmente los requisitos que se venían exigiendo para el otorgamiento de la pensión de invalidez.

La modificación introducida por la ley 860 de 2003 consistió en elevar de veintiséis (26) a cincuenta (50) el número de semanas que debía haber cotizado el afiliado, ya no durante el año anterior a la fecha en que se produjo la invalidez, sino dentro de los tres años anteriores al momento de la estructuración de la invalidez. Y además le adicionó otro requisito: que su fidelidad de cotización para con el sistema hubiese sido al menos del veinte por ciento (20%) del tiempo transcurrido entre el momento en que el afiliado cumplió veinte (20) años de edad y la fecha de la primera calificación del estado de invalidez. O sea, entre la fecha en que la persona cumplió los veinte (20) años de edad y aquella en que se dio la primera calificación del estado de invalidez, esa persona debió haber cotizado, como mínimo, durante una quinta parte de dicho lapso de tiempo. Sin embargo, consagro dos excepciones: a) que los menores de veinte (20) años sólo debían acreditar el haber cotizado veintiséis (26) semanas en el año inmediatamente anterior al hecho causante de su invalidez o su declaratoria, y b) que, si el afiliado había cotizado al menos el setenta y cinco por ciento (75%) de las semanas mínimas requeridas para la pensión de vejez, solo se requeriría que hubiese cotizado al menos veinticinco (25) semanas en los últimos tres años.

La Corte Constitucional en Sentencia C-428 de 2009 (M.P. Mauricio González Cuervo, 2009) declaró inexequible el requisito de fidelidad de cotización para con el sistema de al menos el veinte por ciento (20%) del tiempo transcurrido entre el momento en que el afiliado cumplió veinte (20) años de edad y la fecha de la primera calificación del estado de invalidez, quedando vigente solamente la exigencia de las cincuenta (50) semanas cotizadas en los últimos tres años.

1.7. El Acto Legislativo 01 de 2005

En el 2005 con el acto legislativo 01 el país vive una importante reforma pensional.

El proyecto de reforma constitucional incluyó dentro del tema pensional los siguientes puntos:

1. Estableció un límite máximo del monto pensional.

2. Eliminó los regímenes especiales y exceptuados.

3. Excluyó las condiciones pensionales en la negociación laboral colectiva.

4. Previó la posibilidad de revisar los derechos pensionales otorgados.

Así, a partir del 25 de julio de 2005 fecha en que cobró vigencia el Acto Legislativo 01, no es posible consagrar condiciones pensionales diferentes a las establecidas en las leyes del sistema general de pensiones, por el camino de los pactos o convenciones colectivos de trabajo, de los laudos de árbitros o, en general, por cualquier acto jurídico. En adelante, sólo el legislador y dado el caso, el propio constituyente estarán legitimados para regular las condiciones pensionales. Consciente el constituyente, igualmente, de la existencia, al momento de comenzar a regir el Acto Legislativo 01 de 2005, de convenciones colectivas, pactos colectivos, laudos arbitrales o acuerdos válidamente celebrados, dispuso de una especie de régimen de transición, en los siguientes términos:

> Las reglas de carácter pensional que rigen a la fecha de vigencia de este acto legislativo contenidas en pactos, convenciones colectivas de trabajo, laudos o acuerdos válidamente celebrados, se mantendrán por el término inicialmente estipulado. En los pactos, convenciones o laudos que se suscriban entre la vigencia de este acto legislativo y el 31 de julio de 2010, no podrán estipularse condiciones pensionales más favorables que se encuentren actualmente vigentes. En todo caso perderán vigencia el 31 de julio de 2010. (Acto Legislativo 01 de 2005).

En materia de seguridad social pensional entonces se percibe una tendencia unificadora que guía al Acto Legislativo 01 de 2005, al prescribir que los requisitos para adquirir el derecho pensional son los establecidos en el Sistema General de Pensiones, y al eliminar los regímenes especiales y exceptuados (con contadas excepciones), así como el de transición establecido en la Ley 100 de 1993 (incisos 1°, 7° y parágrafo transitorio 2°, Acto Legislativo 01 de 2005). (Corte suprema de Justicia, 2008).

2. LA CONDICIÓN MÁS BENEFICIOSA Y LOS PRINCIPIO DE FAVORABILIDAD, SOSTENIBILIDAD FINANCIERA Y PROGRESIVIDAD

A la luz de Jaramillo Jassir, los principios jurídicos son una parte del ordenamiento jurídico, encargados de concretar valores jurídicos, actuando como normas orientadoras que fundamentan la estructura normativa. (Jaramillo, pág. X) A partir de la Constitución de 1991, sirven como parámetro de interpretación de la ley y como criterio de integración ante vacíos legales, dado su rol para mantener la plenitud y coherencia del ordenamiento jurídico. (Jaramillo, 2010, pág. XI) Arenas Monsalve por su parte, señala que cuando están plasmados en la legislación, constituyen una guía interpretativa y cuando lo están en la Constitución Política, además de servir como guía interpretativa, constituyen mandatos para el legislador y el ejecutivo en ejercicio de sus funciones legislativas. (Arenas, El derecho colombiano de la Seguridad Social, 2011, pág. 137).

Estos principios informan igualmente al derecho del trabajo y de la seguridad social de una manera determinada, ajustada a las particularidades de estas disciplinas jurídicas. Así las cosas, permiten que se perfilen como unas disciplinas diferentes y autónomas. (Jaramillo, 2010, pág. XVIII).

Sin embargo, vale señalar que sigue siendo difícil hablar de una disciplina del derecho a la seguridad social independiente al derecho del trabajo. Y esto entre otras razones, debido a su alianza con las relaciones laborales: se ha configurado mundial y nacionalmente, para proteger primordialmente a los trabajadores; y los conflictos que suceden en materia laboral y en seguridad social, son conocidos por la misma autoridad. (Jaramillo, 2010, pág. XXV). Si bien han habido diversas manifestaciones jurídicas de una seguridad social que trasciende las relaciones laborales, como la consagración expresa del derecho irrenunciable a la seguridad social en el artículo 48 de la Constitución Política, no resulta fácil hablar de una disciplina autónoma, más aún cuando la interrelación es defendida. Al respecto Jaramillo ha señalado:

> (...) no son pocas las circunstancias en las cuales los principios del derecho del trabajo permiten hallar la solución en determinadas situaciones, por ejemplo, en el supuesto de la aplicación de la condición más beneficiosa a pensiones de invalidez y sobrevivientes para resolver la problemática de la ausencia de un régimen de transición pensional en materia de estas dos coberturas. (Jaramillo, 2010, pág. XVIII).

Dicho esto, y conociendo el estado actual del sistema general de pensiones en Colombia, que ha estado inmerso en un proceso de reformas estructurales, haremos una exposición de los principios de condición más beneficiosa, favorabilidad, progresividad y sostenibilidad financiera, usando fuentes doctrinales, normativas y jurisprudenciales, analizando entre otras, su relación con el derecho laboral.

2.1. *Condición más beneficiosa*

La condición más beneficiosa aplica en casos de sucesión normativa, para mantener la situación jurídica modificada y que aún no se ha consolidado, buscando reducir el impacto de un tránsito normativo.

Si bien este principio no se encuentra expresamente señalado en el ordenamiento jurídico colombiano, ni se ha concluido del artículo 48 de la Constitución Política que consagra expresamente el derecho irrenunciable a la seguridad social, se ha inferido, por la Corte Constitucional en sentencia de tutela 228 de 2014 y Suprema de Justicia, del inciso final del artículo 53 de la Constitución Política Colombiana, que señala que: *"La ley, los contratos, los acuerdos y convenios de trabajo, no pueden menoscabar la libertad, la dignidad humana ni los derechos de los trabajadores"*. (M.P. Nilson Pinilla Pinilla, 2014).

Así las cosas, es un principio de construcción jurisprudencial que surgió del derecho laboral.

La Corte Constitucional ha desarrollado este principio igualmente en estrecha relación con el principio de favorabilidad, toda vez que determina, en cada caso, cuál norma resulta más ventajosa para el trabajador. (M.P. Nilson Pinilla Pinilla, 2014). En esta misma línea, Jaramillo Jassir ha señalado que la condición más beneficiosa supone el reconocimiento de una situación jurídica anterior que resulta más favorable para el trabajador y que se ve modificada por una nueva norma. (Jaramillo, 2010, pág. 171).

Es un principio que además ha replicado en materia pensional, al salvaguardar la situación de los afiliados que, si bien no han alcanzado a cumplir los requisitos para consolidar una situación jurídica, tienen la expectativa de ser protegidos.

En esta línea, la Corte Constitucional ha indicado que el régimen de transición previsto en el artículo 36 de la Ley 100 de 1993 para las pensiones de vejez, está basado en el principio de la condición más beneficiosa y estrechamente vinculado con la confianza legítima y seguridad jurídica.

Ha señalado:

> Un Estado Social de derecho (...) debe proteger la seguridad jurídica de los trabajadores y de los futuros pensionados, quienes, en función de los principios de confianza legítima (...) tienen derecho a que las reglas para acceder a la pensión no sean variadas abruptamente en forma desfavorable. (Corte Constitucional, 2004).

La ley 100 de 1993, sin embargo, sólo previó un régimen de transición para la pensión de vejez, no siendo el caso de las pensiones de sobrevivientes e invalidez, por lo que la norma en principio aplicable, sería exclusivamente la vigente al momento de estructurarse la situación de hecho. No obstante, desarrollos jurisprudenciales han permitido la aplicación de normas anteriores, con fundamento en el principio de la condición más beneficiosa.

El Acuerdo 049 de 1990, aprobado por el Decreto 758 del mismo año establecía que, para causar una pensión de invalidez, se debía estructurar un estado invalidante al tiempo de haber cotizado ciento cincuenta (150) semanas en los últimos seis (6) años anteriores a la invalidez o trescientas (300) en cualquier tiempo, con anterioridad a la misma. El artículo 39 de la Ley, modificó el segundo requisito en cuanto a la densidad de cotizaciones exigidas, señalando que, en caso de estar cotizando al momento de sobrevenir la invalidez, debía haber cotizado por lo menos veintiséis (26) semanas; y que, en caso de no estarlo, debía haber cotizado por lo menos veintiséis (26) semanas en el año inmediatamente anterior al momento en que se produjo el estado invalidante. Y posteriormente, la Ley 860 de 2003 reformó el requisito sobre densidad de cotizaciones, exigiendo la cotización de al menos cincuenta (50) semanas en los tres (3) años anteriores a la estructuración de la invalidez.

Como se observa, en ninguna de estas modificaciones legales se previó un régimen de transición; así las cosas, a pesar de haber existido serias dudas sobre la aplicación del principio de la condición más beneficiosa en la pensión de invalidez, con fundamento en el tratamiento dado a este principio en la pensión de sobrevivientes, a partir de 2005 se comenzó a consolidar una línea jurisprudencial que brindaba protección a los afiliados que se invalidaran cumpliendo los requisitos de un régimen anterior, pero no los del vigente al momento de estructurarse la invalidez. (Jaramillo, 2010, págs. 116-167). En tales casos, la Corte Suprema de Justicia, previó la aplicación exclusivamente del régimen inmediatamente anterior, en caso de haber causado los requisitos previstos en el mismo, siempre y cuando resultara más favorable, proscribiendo la posibilidad de retrotraerse en el tiempo, buscando la aplicación de cualquier régimen más favorable. (M.P. Eduardo López Villegas, 2009).

Sin embargo, con la sentencia de unificación SU-442 del año 2016, la Corte Constitucional abrió la posibilidad de retrotraerse indefinidamente en el tiempo para aplicar la norma que resultase más favorable, al respecto señaló:

> El principio de la condición más beneficiosa no se restringe exclusivamente a admitir u ordenar la aplicación de la norma inmediatamente anterior a la vigente, sino que se extiende a todo esquema normativo anterior bajo cuyo amparo el afiliado o beneficiario haya contraído una expectativa legítima, concebida conforme a la jurisprudencia. Por lo demás, una vez la jurisprudencia ha interpretado que la condición más beneficiosa admite sujetar la pensión de invalidez a reglas bajo cuya vigencia se contrajo una expectativa legítima, no puede apartarse de esa orientación en un sentido restrictivo. (M.P. María Victoria Calle, 2016).

En el caso de la pensión de sobrevivientes, el acuerdo 049 de 1990 señalaba que para causarla se debían acreditar la misma densidad de semanas necesarias para causar la pensión de invalidez; o haber causado o estar disfrutando, el causante, una pensión de invalidez o vejez; con la Ley 100 de 1993 (artículo 46), se exigieron las mismas semanas que en la pensión de invalidez, al momento de la muerte o durante el año inmediatamente anterior a su ocurrencia; y finalmente, con la reforma introducida con la Ley 797 de 2003, se exigió una densidad de cincuenta (50) semanas durante los últimos tres (3) años anteriores al deceso.

A juicio de la Corte Suprema de Justicia el principio de la condición más beneficiosa sólo actuaba en: i) el tránsito del acuerdo 049 a la ley 100 de 1993, siempre y cuando el causante alcance la densidad de cotizaciones exigidas en tal acuerdo, no en el tiempo inmediatamente anterior al deceso, sino antes de la entrada en vigencia de la ley 100 de 1993. (Corte Suprema de Justicia Sala Laboral, 2007). Y en el tránsito de la Ley 100 de 1993 a la Ley 797 de 2003, sin que se pudiese retrotraer en el tiempo. (M.P Fernando Castillo Cadena y Gerado Botero Zuluaga, 2017).

No obstante, la Corte Constitucional en sentencia de unificación SU-005 del año 2018, permitió la aplicación del acuerdo 049 de 1990, aun cuando la persona fallece en vigencia de la Ley 797 de 2003. (M.P. Carlos Bernal Pulido, 2018).

En suma, el principio de la condición más beneficiosa es un principio de construcción jurisprudencial que nació del derecho laboral y que ha replicado en el desarrollo jurisprudencial dado a las pensiones de vejez, invalidez y sobrevivientes. En el caso de la pensión de vejez, desarrollos jurisprudenciales lo han empleado para fundamentar el régimen de transición previsto en el artículo 36 de la Ley 100 de 1993, vinculándolo, además, con los principios de confianza legítima y seguridad jurídica; en el caso de la pensión de invalidez y sobrevivientes a juicio de la Corte Constitucional ha permitido la aplicación de regímenes anteriores y no sólo el inmediatamente anterior.

2.2. Principio de favorabilidad

Los inicios del principio de favorabilidad, emergen en el derecho laboral colombiano para la protección de los trabajadores en todas aquellas relaciones que se deriven de un contrato de trabajo. Rastreamos, en un primer momento, a la ley 6ª de 1945 que en su sección segunda expone una serie prestaciones patronales que se les deben garantizar a los empleados.

Su desarrollo continuó con la expedición del código sustantivo del trabajo, que lo elevó a principio general en su artículo 21. Según Goyes e Hidalgo esto implica que no se tendrá como un simple enunciado, sino como una norma con plena efectividad. (Goyes Moreno & Hidalgo Oviedo, 2012).

Posteriormente, la Constitución de 1991 en su artículo 53, lo consagró en el capítulo de los derechos sociales, económicos y culturales, lo que significa que constituirá un referente informativo para el legislativo y ejecutivo, en sus funciones legislativas, como lo decíamos siguiendo a Arenas Monsalve; interpretativo y un compromiso Estatal. (Antioquia, 2015).

Siguiendo la definición del libro de Iván Daniel Jaramillo Jassir, *"el principio de favorabilidad supone que en caso de concurrencia en la aplicación entre dos o más normas que gobiernen un mismo caso, debe escogerse aquella que favorezca al trabajador"*. (Jaramillo, 2010, pág. 150).

El principio de favorabilidad, a parte de nacer en el derecho laboral ha tenido un amplio desarrollo jurisprudencial en esa disciplina. Al respecto la Corte Constitucional en su sentencia de tutela 090 de 2009 con ponencia del magistrado Humberto Antonio Sierra Porto, señaló

> El principio de favorabilidad en materia laboral consiste en el imperativo que tiene el operador jurídico de optar por la situación más favorable al trabajador en caso de duda en la aplicación e interpretación de las fuentes formales de derecho. (M.P. Humberto Antonio Sierra Porto, 2009).

Según ha señalado la Corte, cuando hay un problema de interpretación ante la existencia de dos normas aplicables o de una norma que admite dos interpretaciones posibles, por mandato constitucional, se debe preferir aquella que resulte más favorable al trabajador.

Así las cosas, podemos inferir que el principio de favorabilidad tiene dos elementos: i) la duda ante la necesidad de elegir entre dos o más interpretaciones y ii) interpretaciones concurrentes ante una misma situación.

Sobre el primer elemento, la Corte en la sentencia ya mencionada ha indicado que *"la duda debe revestir un carácter de seriedad y objetividad"* y que éstas características *"dependen a su vez de la razonabilidad de las interpretaciones"* y de su *"fundamentación y solidez jurídica"*. (M.P. Humberto Antonio Sierra Porto, 2009).

Respecto del segundo elemento, la Corte ha advertido que las interpretaciones que generan duda deben, además, *"ser efectivamente concurrentes al caso bajo estudio, esto es, deben ser aplicables a los supuestos de hecho de las disposiciones normativas en juego y a las situaciones fácticas concretas"*. (M.P. Humberto Antonio Sierra Porto, 2009).

A pesar de haberse generado en la disciplina laboral, ha sido empleado en materia de seguridad social, para proteger a los afiliados cuya situación puede ser analizada a la luz de dos diferentes normas o interpretaciones.

Dentro de este tipo de conflictos la Corte Constitucional desarrolla el principio de favorabilidad en relación con la imposibilidad de fragmentar cuerpos normativos. Así, señaló la Corte en sentencia de tutela Sentencia T-832A de 2013:

> el texto legal debe emplearse respetando el principio de inescindibilidad, es decir, aplicarse de manera íntegra en su relación con la totalidad del cuerpo normativo al que pertenece, sin que sea admisible escisiones o fragmentaciones tomando lo más favorable de las disposiciones en conflicto, o utilizando disposiciones jurídicas contenidas en un régimen normativo distinto al elegido. (M.P. Luis Ernesto Vargas Silva, 2013).

2.3. *Principio de progresividad y sostenibilidad financiera*

El Pacto Internacional de Derechos Económicos Sociales y Culturales —PIDESC—, establece en el numeral 1° del artículo 2° que los Estados Partes se comprometen, especialmente, a tomar medidas económicas y técnicas *"hasta el máximo de los recursos de que disponga, para lograr progresivamente, por todos los medios apropiados, inclusive en particular la adopción de medidas legislativas, la plena efectividad de los derechos aquí reconocidos"*.

La progresividad debe entenderse como el mandato y principio constitucional por medio del cual las medidas tendientes a la materialización y efectividad del derecho deben ir evolucionando de manera creciente, así bajo una definición negativa, Eduardo López Villegas señala: *"El principio de progresividad en su versión negativa, el de la prohibición de la regresividad, es una atenuación, en materia de seguridad social, a la regla general según la cual no existe el derecho a la estabilidad legislativa"*. (López Villegas, 2011, pág. 207).

Por su parte, el principio de sostenibilidad financiera, establece que los sistemas deben estar estructurados de tal forma que no impliquen un gasto por encima de los recursos disponibles, pues si se establecen prestaciones más allá de las posibilidades económicas se generará una situación de impago que pondrá en aprietos la estructura y funcionamiento del sistema de aseguramiento. Así, el principio se basa en la realización de cálculos actuariales y económicos que se ajusten a las posibilidades financieras y que garanticen la cobertura de las necesidades.

El planteamiento de la sostenibilidad financiera como columna principal del Sistema de Pensiones, fue la respuesta a una preocupación del momento, en donde se advierte la necesidad de introducir reformas a los sistemas pensionales para asegurar que éstos siguieran funcionando en orden a garantizar el derecho a la seguridad social y la estabilidad financiera de las naciones. Así, en *"Estudios Sobre Seguridad Social"*, Martín Mendizábal señala como reto para el sistema español:

> La sostenibilidad financiera del sistema, de modo que no solo los actuales pensionistas vayan percibiendo sus pensiones en importes actualizados, a fin de mantener el nivel de vida, sino también que los actuales cotizantes tengan asegurado su pensión en el momento de llegar a la jubilación. Se hace pues preciso mantener en todo momento el pacto generacional en que se basa nuestro sistema, que requiere la adecuación del mismo a la realidad presente en cada momento. (Mendiazabal, 2014, pág. 99).

Bajo este contexto, al Sistema de Pensiones Colombiano, que descansaba bajo el principio de progresividad como presupuesto de la cobertura en seguridad social (de acuerdo con el texto original del artículo 48 de la Carta Política de 1991), por medio de reformas paramétricas[11], se le introdujeron restricciones en orden a aumentar los requisitos pensionales y terminar con la dispersión de regímenes especiales, respondiendo así a los múltiples problemas de financiamiento económico y fiscal que se presentaba al interior del Régimen de Prima Media.

---

[11]   Ley 797 de 2003, Ley 860 de 2003 y Acto Legislativo 01 de 2005.

Dicho lo anterior, se plantea, bajo una primera mirada, que los alcances de cada principio colisionan entre sí, pues mientras el primero busca el avance creciente en la efectividad del derecho, el segundo, podría señalarse, que se constituye como un límite económico a aquél. Sobre el particular, Fernando Castillo señala: *"El problema de convertir principios en derechos reales es que ello cuesta. La eficiencia de los derechos sociales, como los de la seguridad social, es claro, está sujeta a la restricción presupuestaria del Estado"*. (Castillo Cadena, 2006).

Como consecuencia de los nuevos requisitos introducidos por la ley 797 de 2003 se desataron distintas acciones constitucionales en donde se analizó si la norma traída en cita vulneraba el principio de progresividad. Así en la sentencia C-556 de 2009 (M.P. Nelson Pinilla Pinilla, 2009) —que declara inexequible el requisito de fidelidad para la pensión de sobrevivientes— se hace un recuento jurisprudencial para señalar que, cuando una medida regresiva afecta derechos sociales se presume regresiva, cambiando la carga de la prueba y aumentando el rigor del juicio constitucional en orden a determinar su proporcionalidad y concordancia con la Carta Política[12], pues:

> El legislador puede realizar cambios normativos, siempre y cuando exista una clara justificación superior para la excepcional disminución, en la general protección de los derechos sociales y de acuerdo con el principio de proporcionalidad (M.P. Nelson Pinilla Pinilla, 2009).

De esta manera se observa que si bien la sostenibilidad financiera también ostenta la característica de ser un principio de rango constitucional desde la expedición del Acto Legislativo 01 de 2005, ello no es patente de corso para que se legisle a favor de restricciones presupuestarias que salvaguarden el equilibrio financiero limitando los derechos en seguridad social, pues constituiría una medida regresiva en contra del principio de progresividad.

Dicho lo anterior, la manera de lidiar con estas tensiones es a través de la realización de juicios generales y no individuales, como lo ha reconocido la Sala Laboral de la Corte Suprema de Justicia. Así en sentencia del 2 de septiembre de 2008. Rad. 32765 (M.P. Eduardo López Villegas, 2008) se señala:

---

[12]   El examen de constitucionalidad será aprobado siempre que se demuestre que: (i) la finalidad constitucional que se busca satisfacer es imperativa, (ii) la medida es conducente y necesaria para lograr la finalidad acometida, (iii) no afecta el núcleo esencial del derecho comprometido y, finalmente (iv) el costo es menor al beneficio que se alcanza con la medida.

> Para dar respuesta a la oposición, se ha de anotar que no desconoce la Sala la obligación de progresividad con que el Estado debe ofrecer la cobertura en la seguridad social, la cual como ya lo ha dilucidado la jurisprudencia constitucional, no es un principio absoluto sino que debe estar sujeto a las posibilidades que el sistema tenga de seguir ofreciendo unas prestaciones sin que se afecte la sostenibilidad financiera del sistema.
>
> El juicio de progresividad comparando lo que ofrece la legislación nueva respecto a la anterior, no puede responder a una mera racionalidad del interés individual que se examina, sino que en correspondencia con la naturaleza de la seguridad social, debe atender la dimensión colectiva de los derechos tanto de los que se reclaman hoy como de los que se deben ofrecer mañana (...).

La deliberada voluntad del legislador en las reformas introducidas al sistema pensional con las leyes 797 y 860 de 2003, propenden por asegurar un equilibrio financiero, de manera que los niveles de protección que hoy se ofrezcan, se puedan mantener a largo plazo. (M.P. Eduardo López Villegas, 2008).

Expresado desde una posición económica Fernando Castillo indica que, debido a los recursos limitados, la progresividad en la cobertura debe realizarse de forma gradual, atendiendo a la disponibilidad presupuestal y, garantizando así la sostenibilidad financiera del sistema a largo plazo.

> Cuando la justicia otorga un grado de cobertura en el servicio, no contemplado en la ley, además de devastar recursos del sistema, atenta contra la equidad del mismo. La justicia a favor de un individuo o grupo se torna en injusticia para el grupo no cubierto por la seguridad social pese a ser un "derecho irrenunciable (Castillo Cadena, 2006, pág. 137).

Sintetizando, los principios de sostenibilidad financiera y progresividad son principios que surgieron con independencia del derecho laboral y han tenido un importante impacto en materia pensional. Igualmente, son principios cuyo desarrollo jurisprudencial ha estado unido, entendiéndose como principios contrarios. En su construcción jurisprudencial, finalmente, se puede observar que han impactado en la pensión de sobrevivientes y que, dentro de su tensión, se ha propuesto que se atienda la dimensión colectiva del derecho a la seguridad social.

3. OBJETO Y REGÍMENES DEL SISTEMA GENERAL DE PENSIONES

Este Sistema tiene por objeto proteger a la población (todos los habitantes del territorio nacional) ante la ocurrencia de contingencias derivadas de la vejez, invalidez y muerte a través del reconocimiento de prestaciones económicas periódicas, propendiendo siempre por ampliar su cobertura frente a segmentos de la población no cubiertos.

Este Sistema está compuesto por dos regímenes solidarios que coexisten, pero son excluyentes:

- Régimen de Prima Media con Prestación Definida (RPM).
- Régimen de Ahorro Individual con Solidaridad (RAIS).

Para aclarar las diferencias entre ambos regímenes se presenta el siguiente cuadro comparativo:

Tema	RPM	RAIS
Requisitos de causación	Pensión de Vejez: semanas y edad. Pensión de Invalidez: semanas e invalidez Pensión de Sobrevivientes: muerte, semanas por parte del causante y ser beneficiario.	Pensión de Vejez: cotización que alcance a financiar una pensión de al menos 110% el salario mínimo legal mensual vigente. Pensión de Invalidez: semanas e invalidez Pensión de Sobrevivientes: muerte, semanas por parte del causante y ser beneficiario[*].
Criterios de liquidación de la pensión	Para liquidar la pensión en este régimen se tienen en cuenta las semanas cotizadas, así como el ingreso base sobre el que se han hecho las cotizaciones.	El monto pensional depende del capital ahorrado; en este sentido a mayor capital, mayor monto pensional. No obstante depender del capital ahorrado el mismo se debe expresar en semanas de cotización.
Naturaleza del fondo al que se aporta	Fondo común. Las cotizaciones que ingresan dejan de pertenecer al cotizante para alimentar un fondo común con cargo al cual se financian las pensiones de aquellos que acceden a esta prestación.	El dinero es depositado en una cuenta de ahorro individual con cargo a la cual se reconocerá la pensión cuando se causen los requisitos.

[*]   Si bien el Régimen de Ahorro individual con Solidaridad las pensiones se reconocen con cargo a unas cuentas de ahorro individual personales, de tal manera que el requisito de acceso a la pensión debería ser la suficiencia del capital, de cara a las pensiones de invalidez y sobrevivientes, se exigen los mismos requisitos que en el régimen de prima media.

Tema	RPM	RAIS
Entidad que administra el régimen	Administradora Colombiana de Pensiones Colpensiones es una entidad de derecho público.	Administradoras de fondos de pensiones que pueden ser entidades de naturaleza pública o privada.
Sistema en el que se funda	Se funda en un sistema de reparto en donde los trabajadores activos financian a los que se retiran de la vida laboral.	Se funda en un sistema de capitalización que se apoya en un mecanismo de ahorro individual en cuentas personales de retiro.

4. CARACTERÍSTICAS DEL SISTEMA

Son características del sistema pensional las siguientes:

De cara a la afiliación:

– La selección del régimen es libre y voluntaria por parte del afiliado.

– La afiliación implica la obligación de realizar aportes de acuerdo a lo establecido en la Ley.

– Es posible cambiarse de régimen cada cinco años. No obstante, a partir del momento que le falten diez años para cambiarse de régimen no podrá hacerlo.

– Podrá cambiarse de fondo dentro del régimen de ahorro individual cada seis meses.

De cara a las prestaciones que se reconocen:

– Para acceder a las prestaciones del sistema de pensiones, se deberán tener en cuenta las semanas cotizadas en cada uno de los regímenes. Esto toda vez que, en virtud del traslado, es posible que se hagan cotizaciones en ambos regímenes. Esta situación justifica que en el RAIS el capital se reporte también en semanas cotizadas.

– Cuando se acreditan los requisitos para acceder a la pensión, ambos regímenes reconocen una pensión mínima que no puede ser inferior a un salario mínimo legal mensual vigente en el RPM ni al ciento diez por ciento (110%) el salario mínimo legal mensual vigente en el RAIS.

– Las pensiones de invalidez y vejez son incompatibles si ambas las reconoce este mismo subsistema.

- Para que las pensiones superiores a un salario mínimo legal mensual vigente de cualquiera de los dos regímenes mantengan su poder adquisitivo constante, se reajustarán anualmente el primero de enero de cada año según la variación del Índice de Precios al Consumidor certificado por el DANE el año inmediatamente anterior. Por su parte, las pensiones cuyo monto sea igual a un salario mínimo legal mensual vigente se reajustarán de acuerdo a los incrementos de dicho salario. Frente a la pensión mínima del RAIS como su monto está establecido en salarios mínimos, su variación también atenderá las variaciones de este salario.

Sobre el papel de las administradoras y el Estado:

- Las administradoras de ambos regímenes están sujetas al control y vigilancia de la Superintendencia Financiera.

- Las administradoras podrán recibir una comisión razonable por los costos derivados de la administración del sistema.

- El Estado ejerce las funciones de dirección, coordinación y control del Sistema General de Pensiones. Así entre otras funciones, controlará la destinación exclusiva de los recursos de la seguridad social, su custodia y administración.

- El Estado es garante de los recursos pensionales aportados por los afiliados. Esto significa que el Estado deberá en últimas reconocer los derechos a que haya lugar en caso de imposibilidad de reconocimiento por parte de las administradoras de ambos regímenes.

Sobre las cotizaciones y la naturaleza de los recursos:

- No se pueden sustituir las semanas o abonar semanas acreditando requisitos a las cotizaciones efectivas que se deben realizar.

- Los recursos del sistema general de pensiones están destinados al mismo sistema y no pertenecen a la nación ni a las entidades que los administran.

5. AFILIADOS

Son afiliados obligatorios:

- Todas aquellas personas vinculadas mediante contrato de trabajo o como servidores públicos.

– Así mismo, las personas naturales que presten directamente servicios al Estado o a las entidades o empresas del sector privado, bajo la modalidad de contratos de prestación de servicios, o cualquier otra modalidad de servicios que adopten, los trabajadores independientes.

– Los grupos de población que por sus características o condiciones socioeconómicas sean elegidos para ser beneficiarios de subsidios a través del Fondo de Solidaridad Pensional, de acuerdo con las disponibilidades presupuestales.

Son afiliados voluntarios:

– Todas las personas naturales residentes en el país y los colombianos domiciliados en el exterior, que no tengan la calidad de afiliados obligatorios y que no se encuentren expresamente excluidos por la presente ley.

– Los extranjeros que en virtud de un contrato de trabajo permanezcan en el país y no estén cubiertos por algún régimen de su país de origen o de cualquier otro.

Sobre la afiliación de los extranjeros cabe indicar que en el evento que la persona extranjera residente en nuestro país cuente con una vinculación laboral que se rija por las normas colombianas, se entiende que son afiliados obligatorios al Sistema, mientras que será afiliado voluntario el extranjero que permanece en el país en virtud de un contrato de trabajo que no se rige por la ley colombiana y no está cubierto por algún régimen de su país de origen o de cualquier otro.

Sin embargo, valdría preguntarse cuándo un contrato se rige o no por las normas laborales colombianas. Dando respuesta, en Colombia, las normas del derecho laboral se aplican a aquellos contratos de trabajo que se ejecutan en el territorio nacional colombiano.

Sin embargo, la Corte Suprema de Justicia ha considerado que si bien la ley aplicable debe ser la ley del lugar donde se ejecutan los servicios, podría aplicarse la ley de la jurisdicción en la que se ejerce la subordinación, aun cuando él trabajador sea trasladado a un país diferente.

En este sentido, se puede concluir que la afiliación voluntaria exige los siguientes requisitos:

– Que el trabajador que presta sus servicios en el territorio nacional se rige por leyes de otro país porque la subordinación se ejerce desde allí.

– Que el trabajador no esté cubierto por un régimen pensional de otro país.

Por el contrario, será obligatorio cuando el vínculo laboral se rige por las normas laborales colombianas.

6. COTIZACIONES

6.1. Obligatoriedad de Cotizaciones

Durante la vigencia del contrato de trabajo y el de prestación de servicios se deberán realizar cotizaciones al sistema general de pensiones.

Esta obligación cesa cuando se reúnen los requisitos para acceder a una pensión de vejez o invalidez y por lógica cuando muere.

Sobre la cesación de la obligación establecida en el artículo 17 de la Ley 100 del año 1993 cabe indicar que no señala la terminación del vínculo laboral o del contrato de prestación de servicios. Así se podría concluir que durante estos periodos la obligación se suspende, reanudándose ante un nuevo contrato de trabajo o de prestación de servicios.

Finalmente, aun cuando la obligación cesa al reunirse los requisitos para acceder a una pensión en cualquiera de los regímenes, los afiliados pueden seguir cotizando voluntariamente para mejorar su monto pensional.

6.2. Base de cotizaciones

Trabajadores particulares y empleados públicos

La Base de cotización de los trabajadores particulares y oficiales será su salario y de los servidores públicos el señalado por el gobierno de acuerdo a lo dispuesto en la Ley 4ta de 1992.

Sobre la existencia de un tope mínimo y máximo del Ingreso Base de Cotización, cabe indicar que:

– *Tope mínimo:*

Es posible que exista un salario inferior al mínimo legal mensual vigente cuando la persona trabaja menos de la jornada ordinaria legal; sin embargo, ¿el que devengue menos de un salario mínimo supone que puede cotizar por menos de este salario?

A partir del Decreto 2616 del año 2013 se permite la vinculación de los trabajadores dependientes que laboren por periodos inferiores a un mes, a los Sistemas de Pensiones, Riesgos Laborales y Subsidio Familiar.

Se consideran trabajadores a tiempo parcial quienes acrediten las siguientes condiciones: a. Que se encuentren vinculados laboralmente. b. Que el contrato sea a tiempo parcial, es decir, que, en un mismo mes, sea contratado por periodos inferiores a treinta (30) días. c. Que el valor que resulte como remuneración en el mes, sea inferior a un (1) salario mínimo mensual legal vigente.

El ingreso base mínimo para calcular la cotización será el correspondiente a una cuarta parte (1/4) del salario mínimo mensual legal vigente, el cual se denominará cotización mínima semanal. Y se cotizará como sigue:

Días Trabajados	Monto de la cotización
Entre 1 y 7 días	Una (1) cotización mínima semanal
Entre 8 y 14 días	Dos (2) cotizaciones mínimas semanales
Entre 15 y 21 días	Tres (3) cotizaciones mínimas semanales
Más de 21 días	Un salario mínimo mensual).

Como el Decreto no menciona cómo se realizará la cotización al subsistema de salud, se ha interpretado que el mismo exige que el afiliado pertenezca al régimen subsidiado de salud. Así las cosas, si no pertenece al régimen subsidiado se ve en la obligación de cotizar sobre un salario mínimo legal mensual vigente, toda vez que es necesario que las cotizaciones a los sistemas de salud y pensiones se hagan sobre la misma base.

– *Tope máximo:*

Ahora bien, sobre el tope máximo el Ingreso no puede ser superior a veinticinco salarios mínimos legales mensuales vigentes.

Cuando el afiliado perciba salario de dos o más empleadores, o ingresos como trabajador independiente, en un mismo periodo de tiempo, las cotizaciones correspondientes se acumularán sin exceder el tope legal.

Finalmente, las cotizaciones de los trabajadores cuya remuneración se pacte bajo la modalidad de salario integral, se calcularán sobre el setenta por ciento (70%) de dicho salario. Vale señalar que el salario integral debe como mínimo ascender a diez (10) salarios mínimos legales mensuales vigentes más un factor prestacional que asciende al menos al treinta por ciento (30%) de tal monto.

Trabajadores independientes

Los trabajadores independientes que devengan un salario mínimo legal mensual vigente o más, están obligados a cotizar sobre el cuarenta por ciento (40%) del valor mensualizado de sus ingresos sin que en ningún caso el Ingreso Base de cotización pueda ser inferior a un salario mínimo legal mensual vigente ni superior a veinticinco (25) salarios mínimos legales mensuales vigentes.

En este sentido, en el caso de los trabajadores independientes cuyos ingresos mensualizados son iguales a un salario mínimo legal mensual vigente, su ingreso base de cotización no será el cuarenta por ciento sino al mismo salario mínimo, considerando el tope mínimo de este ingreso base.

Cabe indicar que los trabajadores independientes cuyos ingresos mensuales sean inferiores o iguales a un (1) salario mínimo legal mensual, que registren dicho ingreso conforme al procedimiento que para el efecto determine el Gobierno Nacional, no estarán obligadas a cotizar para el Sistema General de Pensiones.

Con el Decreto 1273 del año 2018, en aquellos casos en que el contratista cotice por varios ingresos, la retención y pago de aportes se efectuará sobre el valor resultante en cada uno de los contratos, independientemente de que el resultado de la aplicación del cuarenta por ciento (40%) al valor mensualizado del contrato o contratos sujetos a retención sea inferior a un (1) salario mínimo legal mensual vigente.

Si atendemos la literalidad de la norma, siempre que haya una pluralidad de contratos (que no sean de trabajo), independiente de los ingresos derivados de los mismos, se debe cotizar a salud, asumiendo el contratista la diferencia proporcional frente a cada contrato hasta alcanzar un IBC del salario mínimo. Sin embargo, como el parágrafo del artículo 19 de la Ley 100 de 1993 señala que no están obligados a cotizar quienes devenguen menos de un salario mínimo legal mensual vigente, haciendo una interpretación conjunta de ambas normas, cuando los ingresos provenientes de los mismos alcancen al menos a un salario mínimo legal mensual vigente, así individualmente no lo alcancen, el contratista tiene la obligación de completar proporcionalmente de godos los contratos la diferencia entre las sumatoria del cuarenta por ciento (40%) y el IBC igual a un salario mínimo legal mensual vigente.

6.3. Monto de cotizaciones

La tasa inicial de cotización al subsistema de salud estaba en trece punto cinco por ciento (13,5%). A partir del 1° de enero del año 2004 la cotización comenzó a incrementarse en un uno por ciento (1%) y a partir del 1° de enero del año 2005 en un cero punto cinco por ciento (0,5%), llegando al porcentaje actual de un dieciséis por ciento (16%). La Ley 100 de 1993 en su artículo 20, previó además la posibilidad de un incremento adicional igual al uno por ciento (1%) a partir del 1° de enero del año 2008, por parte del Gobierno siempre y cuando el crecimiento del producto interno bruto sea igual o superior al cuatro por ciento (4%) en promedio durante los dos (2) años anteriores. Este incremento no ha tenido lugar.

Este porcentaje en el RPM, se distribuye así: el trece por ciento (13%) del ingreso base de cotización se destinará a financiar la pensión de vejez y la constitución de reservas para tal efecto. El tres por ciento (3%) restante sobre el ingreso base de cotización se destinará a financiar los gastos de administración y las pensiones de invalidez y sobrevivientes. Cabe recordar que las cotizaciones en este régimen hacen parte de un fondo común con cargo al cual se pagan todas las pensiones de los afiliados.

En ningún caso en el régimen de prima media se podrán utilizar recursos de las reservas de pensión de vejez, para gastos administrativos u otros fines distintos.

En el RAIS el diez por ciento (10%) del ingreso base de cotización se destinará a las cuentas individuales de ahorro pensional. Un cero punto cinco por ciento (0.5%) del ingreso base de cotización se destinará al Fondo de Garantía de Pensión Mínima del Régimen de Ahorro Individual con Solidaridad y el tres por ciento (3%) restante se destinará a financiar los gastos de administración, la prima de reaseguros y las primas de los seguros de invalidez y sobrevivientes.

En este régimen, el incremento que se realizó en el año 2004 se destinará al Fondo de Garantía de Pensión Mínima del régimen de ahorro individual. Los incrementos que se realicen a partir de 2005 se destinarán a las cuentas individuales de ahorro pensional.

Según esto: el once punto cinco por ciento (11,5%) se destina a las cuentas de ahorro individual, uno punto cinco por ciento (1,5%) al Fondo de Garantía de Pensión Mínima y el tres por ciento (3%) restante a financiar los gastos de administración, la prima de reaseguros y las primas de los seguros de invalidez y sobrevivientes.

Cada cinco años y con base en los estudios financieros y actuariales que se realicen para tal fin, el gobierno redistribuirá los incrementos de cotización previstos en este régimen entre el Fondo de Garantía de la Pensión Mínima del Régimen de Ahorro Individual y las cuentas de ahorro pensional.

Este porcentaje frente a los trabajadores dependientes se distribuye así: los empleadores pagarán el setenta y cinco por ciento (75%) de la cotización total y los trabajadores el veinticinco por ciento (25%) restante. Y será el empleador el encargado de realizar los aportes.

Frente a los trabajadores independientes el cien por ciento (100%) de la cotización es asumida por el contratista, pero con el Decreto 1273 del año 2018 quien asume la obligación de cotizar, no de asumir el monto de la cotización, es el contratante.

Ahora bien, los afiliados (trabajadores dependientes e independientes) que tengan ingresos mensuales superiores a cuatro (4) salarios mínimos mensuales legales vigentes, tendrán a su cargo un aporte adicional de un uno por ciento (1%) sobre el ingreso base de cotización, destinado al fondo de solidaridad pensional. Y los afiliados con ingreso igual o superior a dieciséis (16) salarios mínimos mensuales legales vigentes, tendrán un aporte adicional sobre su ingreso base de cotización, así: de dieciséis (16) a diecisiete (17) smlmv de un cero punto dos por ciento (0.2%), de diecisiete (17) a dieciocho (18) smlmv de un cero punto cuatro por ciento (0.4%), de dieciocho (18) a diecinueve (19) smlmv, de un cero punto seis por ciento (0.6%), de diecinueve (19) a veinte (20) smlmv, de un cero punto ocho por ciento (0.8%) y superiores a veinte (20) smlmv de un uno por ciento (1%) destinado al Fondo de Solidaridad Pensional.

En este sentido, aquellos que coticen más de cuatro (4) y más de dieciséis (16) salarios mínimos la tasa de cotización será la siguiente:

Monto Ingreso	Tasa de cotización
Ingresos superiores a 4 smlmv	17%. En el caso del trabajador dependiente, este asume un 5%. Y el independiente asume todo.
Ingresos iguales a 16 smlmv o superiores e inferiores a 17 smlmv	17,2%. En el caso del trabajador dependiente, este asume un 5,2%. Y el independiente asume todo.
Ingresos iguales a 17 smlmv o superiores e inferiores a 18 smlmv	17,4%. En el caso del trabajador dependiente, este asume un 5,4%. Y el independiente asume todo.

Monto Ingreso	Tasa de cotización
Ingresos iguales a 18 smlmv o superiores e inferiores a 19 smlmv	17,6%. En el caso del trabajador dependiente, este asume un 5,6%. Y el independiente asume todo.
Ingresos iguales a 19 smlmv o superiores e inferiores a 20 smlmv	17,8%. En el caso del trabajador dependiente, este asume un 5,8%. Y el independiente asume todo.
Ingresos iguales a 20 smlmv o superiores	18%. En el caso del trabajador dependiente, este asume un 6%. Y el independiente asume todo.

Vale finalmente señalar que, para obtener el monto de la cotización este porcentaje se aplica al ingreso base de cotización que dependerá de unos topes mínimos y máximos y de la condición de cotizante que se tenga.

6.4. Mora en el pago

Los fondos pensionales asumen la obligación de cumplir sus obligaciones con suma diligencia, prudencia y pericia. Una de estas obligaciones es el deber de cobro a los empleadores de las cotizaciones que no han realizado de manera oportuna.

Si bien la obligación de pago radica en cabeza del empleador, antes de trasladar las consecuencias del no pago al afiliado o sus beneficiarios se debe examinar previamente si la administradora ha cumplido con el deber de cobro. Pues son estas y no los afiliados las que tienen la capacidad de promover acción judicial para el cobro de las cotizaciones.

En este sentido, si el fondo no acreditó haber adelantado el proceso de gestión de cobro, tendrá como consecuencia la imposición del pago de la prestación (M.P. Jorge Mauricio Burgos Ruíz, 2017) sin que sea dable trasladarle al afiliado o beneficiario la carga de adelantar el cobro al empleador para el posterior reconocimiento de la pensión.

7. PENSIÓN DE VEJEZ

La pensión de vejez está llamada a responder a la contingencia de la ancianidad.

No obstante, vale indicar que al hacer depender la prestación del trabajo o quien presta un servicio de manera independiente (no subordinada): a partir de unas cotizaciones derivadas de una relación laboral o una prestación de servicios, no resulta tan clara la respuesta a la contingencia de vejez que la sufren tanto trabajadores dependientes e independientes que pueden no alcanzar las cotizaciones mínimas ni el tiempo de servicios mínimo, como personas que nunca han mantenido una relación laboral ni han prestado un servicio.

Aunado a lo anterior, la pensión de vejez en el RAIS no necesariamente atiende a la contingencia de vejez, como quiera que basta reunir un capital mínimo sin cumplir una edad mínima para alcanzar la pensión de vejez.

Así las cosas, si bien la pensión de vejez busca atender a la contingencia de la ancianidad, no es claro que la pensión de vejez en ambos regímenes lo hagan.

Con todo, a continuación, ahondaremos en las diferencias que existen entre la pensión de vejez en el RAIS y el RPM desde los requisitos de su causación.

7.1. *Pensión de vejez en el Régimen de Prima Media con Prestación Definida*

Conforme al original artículo 33 de la ley 100 de 1993 se requiere acreditar 1000 semanas cotizadas y cincuenta y cinco (55) años de edad en caso de mujeres y sesenta (60) en caso de hombres. En este sentido, estos serán los requisitos desde la entrada en vigencia del sistema general de pensiones hasta el 31 de diciembre del año 2004.

Por su parte, el sistema general de pensiones para los servidores públicos departamentales, municipales y distritales, y de sus entidades descentralizadas, entrará a regir a más tardar el 30 de junio de 1995. Para el resto, esto es, para los servidores públicos del orden nacional y los trabajadores particulares, entró a regir el 1° de abril del año 1994.

Con la reforma introducida con la ley 797 de 2003 los requisitos se vieron modificados a partir de 2005, así:

Fecha en la que se causan requisitos	Edad	Semanas de cotización
2005	55 mujeres 60 hombres	1050
2006	55 mujeres 60 hombres	1075
2007	55 mujeres 60 hombres	1100

Fecha en la que se causan requisitos	Edad	Semanas de cotización
2008	55 mujeres 60 hombres	1125
2009	55 mujeres 60 hombres	1150
2010	55 mujeres 60 hombres	1175
2011	55 mujeres 60 hombres	1200
2012	55 mujeres 60 hombres	1225
2013	55 mujeres 60 hombres	1250
2014	57 mujeres y 62 hombres	1275
2015	57 mujeres y 62 hombres	1300

Estos requisitos por su parte son concurrentes. Así, dependiendo del año así serán los requisitos de edad y semanas mínimas que deben acreditarse para acceder al derecho a una pensión de vejez.

Ahora bien, la pensión de vejez dentro de este régimen se liquida de la siguiente manera:

Para liquidar la pensión se debe considerar el Ingreso Base de Liquidación IBL, y un porcentaje que se aplica a este IBL.

1. El IBL de acuerdo al artículo 21 de la Ley 100 del año 1993 corresponde al promedio del ingreso base de cotización sobre el que se cotizó durante los diez (10) años anteriores al reconocimiento de la pensión (que no es la fecha de causación), o en todo el tiempo si este fuere inferior para el caso de las pensiones de invalidez o sobrevivencia.

   Cuando el promedio del ingreso base, ajustado por inflación, calculado sobre los ingresos de toda la vida laboral del trabajador, resulte superior al previsto en el inciso anterior, el trabajador podrá optar por este sistema, siempre y cuando haya cotizado mil doscientas cincuenta (1250) semanas como mínimo.

   Así las cosas, por regla general corresponderá al promedio de los ingresos bases de cotización sobre los que se cotizó durante los diez (10) años anteriores al reconocimiento de la pensión (que puede coincidir o no necesariamente con la fecha de causación). Sin embargo, si el afiliado tiene como mínimo mil doscientas cincuenta (1250) semanas el IBL será el que le resulte más favorable entre: el promedio de los ingresos base sobre los que cotizó toda su vida o el promedio de los

ingresos base sobre los que cotizó los últimos diez (10) años de cotización.

Se aclara que la fecha de causación no necesariamente corresponde
con la de reconocimiento. En efecto, la pensión será reconocida desde
el momento en que opere la desvinculación del sistema[13].

2. Ahora bien, para determinar el porcentaje que se ha de aplicar al IBL
se ha de tener en cuenta los dos momentos siguientes:

a. Desde la entrada en vigencia del sistema General de Pensiones hasta el 31 de diciembre del año 2003:

El monto mensual de la pensión de vejez, correspondiente a las
primeras mil (1.000) semanas de cotización, será equivalente al sesenta y cinco por ciento (65%) del ingreso base de liquidación. Por
cada cincuenta (50) semanas adicionales a las mil (1.000) hasta las
mil doscientas (1.200) semanas, este porcentaje se incrementará en
un dos por ciento (2%), llegando al setenta y tres por ciento (73%)
del ingreso base de liquidación. Por cada cincuenta (50) semanas
adicionales a las mil doscientas (1.200) hasta las mil cuatrocientas
(1.400), este porcentaje se incrementará en tres por ciento (3%) en
lugar del dos por ciento (2%), hasta completar un monto máximo
del ochenta y cinco por ciento (85%) del ingreso base de liquidación.

Lo anterior se sintetiza en el siguiente cuadro:

Semanas	Porcentaje
1000	65%
1050	67%
1100	69%
1150	71%
1200	73%

---

[13] Si bien la regla general es el reconocimiento desde la desafiliación que puede ser posterior a la causación, hay situaciones especiales en las que habiéndose desafiliado después
de la causación, la pensión se reconoce desde que se causa porque el afiliado se vio en la
obligación de seguir cotizando ante la conducta renuente de la entidad de reconocerle
la pensión (CSJ SL, 1° sep. 2009, rad. 34514; CSJ SL, 22 feb. 2011, rad. 39391; CSJ SL,
22 feb. 2011, rad. 39391; CSJ SL, 6 jul. 2011, rad. 38558; CSJ SL, 15 may. 2012, rad.
37798).

Semanas	Porcentaje
1250	76%
1300	79%
1350	82%
1400	85%

El valor total de la pensión no podrá ser superior al ochenta y cinco por ciento (85%) del ingreso base de liquidación, ni inferior a un salario mínimo legal mensual vigente.

b. A partir del 1o. de enero del año 2004 se aplicarán las siguientes reglas:

El porcentaje se calculará de acuerdo con la fórmula siguiente:

r = 65.50 - 0.50 s, donde:

r = porcentaje del ingreso de liquidación.

s = número de salarios mínimos legales mensuales vigentes. Es decir, para calcularlo se divide el IBL sobre el valor del salario mínimo legal mensual vigente a la fecha del reconocimiento de la pensión.

Esta fórmula incluye el IBL a efectos de determinar el porcentaje, de tal manera que a mayores ingresos base menor sea el porcentaje y a menores ingresos mayor el porcentaje.

Con todo, por cada cincuenta (50) semanas adicionales a las mínimas requeridas (estas mínimas son las mínimas que se requieren para causar la pensión, dependiendo de la fecha de causación), el porcentaje se incrementará en un uno punto cinco por ciento (1.5%) del ingreso base de liquidación, llegando a un monto máximo de pensión del ochenta por ciento (80%). El valor total de la pensión no podrá ser superior al ochenta (80%) del ingreso base de liquidación, ni inferior al cincuenta y cinco por ciento (55%) del ingreso base de liquidación y jamás podrá ser inferior al salario mínimo legal mensual vigente.

7.2. *La pensión de vejez en el Régimen de Ahorro Individual*

Este régimen se caracteriza porque la cuantía de la pensión depende de los aportes de los afiliados y empleadores, sus rendimientos financieros, los subsidios del Estado y el bono pensional, cuando a éstos hubiere lugar. De igual manera, cada afiliado tiene una cuenta de ahorro individual con cargo a la cual se financia su pensión y constituye un patrimonio autónomo, el cual, en conjunto con las cuentas de otros afiliados, conforman un fondo de pensiones.

Siguiendo el artículo 64 de la Ley 100 de 1993, los afiliados a este régimen tendrán derecho a su pensión de vejez a la edad que escojan siempre y cuando el capital acumulado en su cuenta de ahorro individual les permita obtener una pensión mensual superior al ciento diez por ciento (110%) del salario mínimo legal mensual vigente, al momento de entrada en vigencia de la Ley 100 de 1993, debidamente actualizado con el Índice de Precios al Consumidor (IPC).

Vale considerar si en este régimen existe la posibilidad de acceder a un retroactivo pensional. Sin embargo, hay tres razones para concluir que no hay lugar a retroactivo: 1) hay una relación directa entre la mesada pensional y el capital dispuesto en la cuenta de ahorro individual. De esta manera, el capital incluirá los rendimientos financieros causados hasta el momento mismo de la inclusión, definiéndose en consecuencia el monto de la mesada, hasta el momento de la inclusión en nómina de pensionados; 2).

> (...) dada la posible volatilidad de los mercados financieros, tampoco sería posible en el límite, establecer un momento a partir del cual la mesada pensional pueda ser financiada a largo plazo por la cuenta de ahorro individual. (Castillo, 2011, pág. 47).

Y 3) Siguiendo el artículo 12 del Decreto 1889 de 2004 que indica que se entiende que el afiliado cumple los requisitos para pensionarse por vejez en el régimen de ahorro individual cuando *efectivamente se pensione*.

Ahora bien, dentro de este régimen existen diversas modalidades de reconocimiento de la pensión. Vale señalar que tres de estas modalidades están previstas en la Ley (renta vitalicia inmediata, retiro programado y retiro programado con renta vitalicia diferida) y que las demás han sido autorizadas por la Superintendencia Financiera. Pasamos a exponer algunas de estas modalidades:

Renta vitalicia inmediata

Bajo esta modalidad, el afiliado o beneficiario contrata directa e irrevocablemente con la aseguradora de su elección, el pago de una pensión hasta su fallecimiento y el pago de pensiones de sobrevivientes en favor de sus beneficiarios por el tiempo a que ellos tengan derecho, en un monto uniforme en términos de poder adquisitivo constante sin que pueda ser inferior a la pensión mínima vigente del momento.

Esto significa que quien hace la contratación directamente es el afiliado o el beneficiario. No obstante, la administradora a la que hubiere estado cotizando el afiliado al momento de cumplir con las condiciones para la obtención de una pensión, será la encargada de efectuar, a nombre del pensionado, los trámites que se requieran, ante la respectiva aseguradora.

A diferencia de lo que sucede con el retiro programado, el dinero trasladado a la aseguradora, opera como el pago de una póliza asumiendo esta la obligación de pagar una pensión constante al afiliado y sus beneficiarios. En este sentido, si el afiliado muere sin dejar beneficiarios, el dinero no acrecerá la masa sucesoral porque es propiedad de la aseguradora.

Retiro Programado

Bajo esta modalidad, el afiliado o los beneficiarios obtienen su pensión de la sociedad administradora, con cargo a su cuenta individual de ahorro pensional.

Para ello, su fondo pensional divide el saldo de su cuenta de ahorro, por el capital necesario para financiar una unidad de renta vitalicia (mesada pensional constante) para el afiliado y sus beneficiarios. La pensión mensual corresponderá a la doceava parte de dicha anualidad. Este cálculo anual hace que la pensión reconocida bajo esta modalidad sea esencialmente variable.

Como se debe garantizar al menos el monto de la pensión mínima (ciento diez por ciento (110%) el salario mínimo legal mensual vigente) es posible que se contrate la renta vitalicia cuando el monto pensional corra el riesgo de ser inferior al monto mínimo exigido se debe trasladar a la modalidad de renta vitalicia. Por este motivo, el saldo de la cuenta de ahorro pensional, mientras el afiliado disfruta de una pensión por retiro programado, no podrá ser inferior al capital requerido para financiar al afiliado y sus beneficiarios una renta vitalicia de un salario mínimo legal mensual vigente.

Esta posibilidad hace que esta modalidad, a diferencia de la renta vitalicia, sea revocable. Será revocable incluso cuando el trabajador lo desee.

Cuando no hubiere beneficiarios de una eventual pensión de sobrevivientes, los saldos que queden en la cuenta de ahorro al fallecer un afiliado que esté disfrutando una pensión por retiro programado, acrecentarán la masa sucesoral y si no hubiere, dichas sumas se destinarán al financiamiento de la garantía estatal de pensión mínima.

Retiro programado con Renta Vitalicia Diferida

Esta modalidad es una mezcla de las dos anteriores. El afiliado contrata con la aseguradora de su elección, una renta vitalicia con el fin de recibir pagos mensuales a partir de una fecha determinada, reteniendo en su cuenta individual de ahorro pensional, los fondos suficientes para obtener de la administradora un retiro programado, durante el periodo que medie entre la fecha en que ejerce la opción por esta modalidad y la fecha en que la renta vitalicia diferida comience a ser pagada por la aseguradora.

Durante el tiempo que la pensión sea pagada bajo la modalidad de retiro programado aplican las características de esta modalidad; y cuando lo sea bajo la modalidad de renta vitalicia aplicarán las de esta modalidad.

Así, por ejemplo, durante el pago de la pensión bajo la modalidad de retiro programado la mesada pensional es esencialmente variable y puede revocarse para trasladarse a la renta vitalicia.

Renta temporal cierta con renta vitalicia de diferimiento cierto

Bajo esta modalidad el afiliado, contrata simultáneamente con una aseguradora de su elección el pago de una renta temporal cierta y el pago de una renta vitalicia de diferimiento cierto, que inicia una vez expire el periodo de diferimiento cierto y dura hasta el fallecimiento del pensionado o del último beneficiario de ley.

La duración de la renta temporal cierta no puede ser inferior a un (1) año ni superior a diez (10) años. Una vez contratada esta modalidad de pensión la misma es irrevocable. En ningún caso la pensión a pagar durante la renta temporal cierta o en vigencia de la renta vitalicia de diferimiento cierto puede ser inferior a un salario mínimo legal mensual vigente.

Se diferencia de la modalidad de retiro programado con renta vitalicia diferida, porque hay certeza sobre los montos que se cancelarán en cada etapa (no siendo el caso del momento en que se paga en la etapa de retiro programado en la modalidad de retiro programado con renta vitalicia diferida); porque en esta modalidad participan una aseguradora tanto en la renta temporal cierta como en la renta vitalicia de diferimiento cierto y porque esta modalidad es irrevocable en su integridad.

Ahora bien, en caso de fallecimiento de todos los asegurados durante el periodo que se está pagando la renta temporal cierta y siempre que no existan más beneficiarios con derecho a la pensión, la suma del valor presente de los pagos pendientes de la renta temporal cierta y el valor del pago único de la obligación pendiente de la renta vitalicia con diferimiento cierto, deben ser destinados a acrecentar la masa sucesoral del causante de la pensión. Sin embargo, si fallece durante la etapa en que la pensión se paga a través de una renta vitalicia con diferimiento cierto, no tendrá lugar la devolución de dinero alguno.

En esta modalidad de pensión, el afiliado traslada a la aseguradora de su elección los riesgos de extra longevidad y de mercado, por lo que el monto de la pensión no está sujeto a variaciones derivadas de una mayor o menor longevidad de los asegurados o de las fluctuaciones de los instrumentos en los que se encuentren invertidas las reservas constituidas por la aseguradora. (Superintendencia Financiera, 2017).

Renta temporal variable con renta vitalicia diferida

La renta temporal variable con renta vitalicia diferida, es la modalidad de pensión en la cual un afiliado contrata con la aseguradora de su elección, una renta vitalicia que se paga a partir de una fecha posterior al momento en que se pensiona, reteniendo en su cuenta individual de ahorro pensional los recursos suficientes para que la sociedad administradora de fondo de pensiones le pague, con cargo a dicha cuenta, una renta temporal durante el periodo comprendido entre el momento en que se pensiona y la fecha en que la renta vitalicia comience a ser pagada por la aseguradora.

Una vez contratada la renta vitalicia diferida, la decisión es irrevocable. La mesada de la renta temporal se recalcula cada año con base en el saldo de la cuenta individual. Sin embargo, en ningún caso la pensión a pagar durante la renta temporal variable o en vigencia de la renta vitalicia diferida puede ser inferior a un salario mínimo legal mensual vigente.

La renta temporal debe constituirse por un lapso mínimo de un (1) año y máximo de diez (10) años.

Cuando no hubiere beneficiarios, los saldos que queden en la cuenta individual al fallecer un pensionado que esté disfrutando de la renta temporal, debe acrecentar la masa sucesoral, no siendo el caso cuando fallece y no tiene beneficiarios cuando está disfrutando de una renta vitalicia.

En esta modalidad de pensión, durante el tiempo que se encuentre disfrutando de una renta temporal variable, el pensionado o sus beneficiarios de ley asumen el riesgo de mercado frente al capital que se ha retenido en su cuenta individual de ahorro pensional para el pago de la renta temporal, esto es, el riesgo derivado de las variaciones en los precios de los títulos, valores o participaciones en que se encuentren invertidos tales recursos. Dado que la renta temporal se contrata por un tiempo determinado el afiliado no asume el riesgo de extra longevidad.

En cuanto a la renta vitalicia diferida, el afiliado traslada a la aseguradora de su elección los riesgos de extra longevidad y de mercado, por lo que el monto de la pensión no está sujeto a variaciones derivadas de una mayor o menor longevidad de los asegurados o de las fluctuaciones de los instrumentos en que se encuentren invertidas las reservas constituidas por la aseguradora.

Muy similar al retiro programado con renta vitalicia diferida pero se diferencia porque no hay una fecha determinada en la que comienza el reconocimiento de la renta vitalicia diferida. Es diferente igualmente a la renta temporal cierta con renta vitalicia de diferimiento cierto porque sólo contrata con la aseguradora al momento en que la pensión es reconocida bajo la modalidad de renta vitalicia diferida y porque sólo es irrevocable en este momento. Por el contrario, la renta temporal cierta con renta vitalicia de diferimiento cierto, la aseguradora interviene desde que se paga bajo la modalidad de renta temporal cierta y desde este momento ya es irrevocable. (Superintendencia Financiera, 2017).

Renta temporal variable con renta vitalicia inmediata

La renta temporal con renta vitalicia inmediata es la modalidad de pensión en la cual un afiliado contrata con la aseguradora que elija el pago de una renta vitalicia inmediata a partir de la fecha en que se pensiona, manteniendo en su cuenta individual de ahorro los recursos suficientes para que su administradora de fondos de pensiones le pague, con cargo a dicha cuenta y de manera simultánea a la renta vitalicia inmediata, una renta temporal durante el periodo acordado con la sociedad administradora.

En ningún caso la parte de la pensión a pagar mediante la renta vitalicia puede ser inferior a un salario mínimo legal mensual vigente. Sin embargo, se entendería que el monto que se pague bajo la modalidad de renta temporal es variable y que con todo varía puede llegar a ser inferior al mínimo.

Será variable porque la mesada de la renta temporal se recalcula cada año con base en el saldo de la cuenta individual. Y el último pago bajo la renta temporal debe corresponder al saldo total existente en la cuenta de ahorro individual de ahorro pensional.

La renta temporal debe constituirse por un lapso mínimo de un (1) año y máximo de diez (10) años.

Una vez contratada esta modalidad de pensión, la porción correspondiente a la renta vitalicia inmediata es irrevocable. Pero como la renta temporal sí es revocable, en caso de que el pensionado opte por revocar la renta temporal, los recursos deben destinarse a incrementar el valor de la mesada de la renta vitalicia.

Cuando no hubiere beneficiarios, los saldos que queden en la cuenta individual de ahorro pensional al fallecer un pensionado o beneficiarios que estén disfrutando de la renta temporal, debe acrecentar la masa sucesoral. Sin embargo, la aseguradora que garantice el pago de la renta vitalicia inmediata no está en la obligación e devolver saldo alguno para acrecentar la masa sucesoral.

En esta modalidad de pensión, durante el tiempo que se encuentre disfrutando de una renta temporal, el pensionado o sus beneficiarios asumen el riesgo de mercado frente al capital que se ha retenido en su cuenta individual de ahorro pensional para el pago de la renta temporal, esto es, el riesgo derivado de las variaciones en los precios de los títulos, valores o participaciones en que se encuentren invertidos tales recursos. Dado que la renta temporal se contrata por un tiempo determinado y de manera simultánea a la renta vitalicia inmediata, el pensionado no asume el riesgo de extra longevidad.

En cuanto a la renta vitalicia inmediata, el pensionado o sus beneficiarios trasladan a la aseguradora de su elección los riesgos de extra longevidad y de mercado, por lo que el monto de la pensión no está sujeto a variaciones derivadas de una mayor o menor longevidad de los asegurados o de las fluctuaciones de los instrumentos en los que se encuentren invertidas las reservas constituidas por la aseguradora. (Superintendencia Financiera, 2017).

7.3. Garantía de pensión mínima

Como se ha reiterado, la regla general en RAIS, es que el reconocimiento depende del capital acumulado en la cuenta pensional, siempre y cuando permita financiar como mínimo la pensión mínima exigida. Sin embargo, cuando no se alcanza a reunir el capital correspondiente, se debe examinar si hay acceso por parte del cotizante a la garantía legal de pensión mínima y en último término a la devolución de saldos. (Arenas, El derecho colombiano de la Seguridad Social, 2011, pág. 325).

La ley 100 de 1993, consagra en su artículo 65 los requisitos para acceder a la garantía de pensión mínima en el RAIS: tener mil ciento cincuenta (1150) semanas cotizadas y un requisito de edad de cincuenta y siete (57) años para las mujeres y sesenta y dos (62) años para los hombres. En estos casos, tendrán derecho a que el Gobierno Nacional en desarrollo del principio de solidaridad, les complete la parte que haga falta para obtener dicha pensión. Es claro que esto constituye una excepción a las reglas generales del RAIS, donde en principio las pensiones se causan sin requisitos de edad o tiempo de cotizaciones, acercándola al modelo que guía el reconocimiento en el RPM.

El Decreto 832 de 1996 que reglamentó la garantía de pensión mínima, estableció que, esta pensión se financia con cargo a la cuenta de ahorro individual, los aportes voluntarios, los bonos o títulos pensionales y aportes del Estado, una vez se agoten los otros recursos. Dicho reconocimiento compete a la oficina de obligaciones pensionales del Ministerio de Hacienda y Crédito Público y el trámite debe ser adelantado por las aseguradoras o las administradoras de fondos de pensiones. (Narváez, 2008, pág. 274).

Vale precisar que si bien desde los requisitos, la garantía de pensión mínima del RAIS se acerca a la pensión de vejez del RPM, no sucede lo mismo desde su financiación, como quiera que la garantía busca completar el capital de la cuenta de ahorro del afiliado para financiar la pensión, sin que la misma sea financiada con cargo a una especie de fondo común.

El artículo 14 de la ley 797 de 2003 por su parte, creó el Fondo de Garantía de Pensión Mínima de Vejez para el RAIS y de esta manera, modificó el artículo 65 de la Ley 100 que hacía responsable de la garantía de pensión mínima de vejez, al Gobierno Nacional.

Es relevante mencionar que en el parágrafo 2° del artículo 20 de la Ley 100, modificado por el artículo 7° de la ley 797 de 2003, se estableció un mecanismo de revisión de la suficiencia de las reservas acumuladas en dicho fondo. Esta revisión la hace una comisión de actuarios con el fin de verificar la suficiencia técnica del fondo. (Narváez, 2008, pág. 275).

Sin embargo, como consecuencia de la sentencia de la Corte Constitucional C-797 de 2004 (M.P. Jaime Córdoba Triviño, 2004) por vicios de forma se declaró la inexequibilidad del Fondo Garantía de Pensión Mínima del RAIS, cabe preguntarse si con esta declaratoria también desapareció la obligación de aportar a dicho fondo. La Sala de Consulta y Servicio Civil en concepto con radicación 1670 del 31 de agosto de 2005 indicó que la Nación será la propietaria, en consecuencia, de los recursos asignados olvidando no obstante que en el artículo 2° de la Ley 797 de 2003 *"(...) se estableció expresamente en el literal m que los recursos del Sistema General de Pensiones no pertenecen a la Nación; por tanto, aparece obvio que el Gobierno Nacional no pueda disponer de ellos"*. (Castillo, 2011, p. 114).

Así, aunque la Sala de Consulta y Servicio Civil indicó que la Nación será la propietaria de los aportes del fondo, olvida que la misma Ley se lo prohíbe. Con todo, no es claro que el aporte siga existiendo al no resultar clara la competencia del Gobierno para recibirlos.

De otra parte, hay que señalar que el artículo 84 de la Ley 100 de 1993 estableció que, por el hecho de recibir el afiliado o sus beneficiarios, alguna clase de pensión, renta o remuneraciones superiores al salario mínimo, se frustra la posibilidad de acceder a esta garantía de pensión mínima. Se podría sostener entonces que: i) la garantía de pensión mínima es una excepción a la manera cómo se causa las pensiones en el RAIS, ii) busca dar protección a sus afiliados ante la ancianidad, al hablar de un sector protegible mayor a una determinada edad y iii) considera que sólo estructuran el riesgo de la ancianidad, los que llegados a la edad prevista, no tienen medios alternos que le procuren ingresos al menos de un salario mínimo legal vigente. Así las cosas, es la única figura que nos permitiría hablar, dentro de la pensión de vejez en el RAIS, de una respuesta al riesgo de ancianidad, pues al no establecer un requisito de edad sino sólo un monto de capital suficiente para financiar una pensión como requisito, no resultaba claro cómo se estructuraba para atender este riesgo.

7.4. *Devolución de Saldos*

Las personas que cumplida la edad de sesenta y dos (62) años de edad si son hombres y cincuenta y siete (57) si son mujeres, no hayan podido cotizar el número mínimo de semanas exigidas para acceder a una garantía de pensión mínima o no hayan acreditado el lleno de requisitos para acceder a ella (como el no recibir ingreso diferente igual o superior al salario mínimo), o no tengan el capital acumulado necesario para financiar una pensión mínima en el RAIS, tendrán derecho a la devolución de saldos existentes en la cuenta de ahorro individual, incluidos los rendimientos, el valor del bono pensional o a continuar cotizando hasta alcanzar el derecho, según el artículo 66 de la Ley 100 de 1993.

Según la Corte Constitucional esta figura es un remplazo de la pensión de vejez. Así, en sentencia de tutela T-640 de 2013, ha señalado que:

> El objetivo es reemplazar la pensión de vejez, para que las personas que no tengan la capacidad laboral para seguir cotizando, se beneficien de un porcentaje de los aportes cotizados al sistema y así se resguarde el derecho a la seguridad social. De esta forma, se trata de un derecho prestacional, que se rige igualmente por los principios de universalidad, eficacia y solidaridad y asimismo es de carácter imprescriptible e irrenunciable. (M.P. Mauricio González Cuervo, 2013).

Ahora bien, ante el incumplimiento en los requisitos al afiliado se le otorgará el beneficio antes mencionado y dará lugar a un único pago a fin de evitar la afectación de sus derechos fundamentales y el mínimo vital en condiciones dignas. (M.P. Mauricio González Cuervo, 2013).

No obstante, en modo alguno una devolución puede operar como re-emplazo de la pensión de vejez, al no responder al riesgo de la ancianidad. A este riesgo, la pensión de vejez responde, en efecto, con el pago de prestaciones periódicas, para que la persona que está en un momento en el que ha mermado sustancialmente su capacidad de trabajo, no tenga que preocuparse por procurarse unos ingresos dignos. ¿Cómo podría entonces un único pago, garantizar por sí mismo, el sustento de una persona que no tiene las mismas facilidades de acceso al mercado laboral, hasta el final de sus días?

Con todo el que opere como remplazo, llevaría a concluir enseguida que, habiéndose generado su reconocimiento, no habría lugar a optar posteriormente por una pensión de vejez.

Finalmente, vale indicar que contrario a lo establecido en el artículo 37 de la Ley 100 de 1993 para la indemnización sustitutiva de vejez, para que opere la devolución de saldos no se exige que el afiliado declare su imposibilidad de seguir cotizando. (Castillo, 2011, p. 139).

7.5. *Indemnización sustitutiva*

El artículo 37 de la ley 100 de 1993 consagró la posibilidad de obtener una indemnización sustitutiva, para aquellas personas que se encuentren en el RPM y que, al cumplir la edad pensional, no han cotizado el mínimo de semanas exigidas para tener derecho a la pensión.

El artículo 37 de la Ley 100, nos indica los tres requisitos para que se pueda causar la indemnización sustitutiva: haber cumplido la edad pensional; no haber cotizado el mínimo de semanas exigidas y declarar la imposibilidad de continuar cotizando.

Sobre el particular la Corte Constitucional en la sentencia de tutela T-566 de 2009 manifestó que:

> De acuerdo con las normas legales sobre indemnización sustitutiva, ésta es una prestación reconocida por el Sistema General de Pensiones para aquellas personas que habiendo llegado a la edad prevista para que se reconozca el derecho a la pensión, no cumplen con el número de semanas cotizadas para adquirir la pensión de vejez; requiriéndose la voluntad del afiliado para reclamarla y la

declaración del mismo, sobre su incapacidad de seguir cotizando al Sistema. (M.P. Eduardo Mendoza Martelo, 2009).

Vale señalar que para la Corte Constitucional abstenerse de tener en cuenta el tiempo laborado o cotizado con anterioridad a la entrada en vigencia de la Ley 100 de 1993 genera un enriquecimiento sin causa. En sentencia T-681 del año 2013 señaló, por ejemplo:

> todas las semanas han de servir para reconocer y pagar la indemnización sustitutiva, así la persona haya dejado de laborar con anterioridad a la entrada en vigor de la Ley 100 de 1993, este Tribunal ha señalado que el citado artículo 37 de la ley 100 (i) no fijó límite temporal alguno en relación con las semanas laboradas o cotizadas, (ii) ni tampoco condicionó el reconocimiento del citado derecho a que dichas cotizaciones o tiempo laborado lo hubiese sido tras la entrada en vigencia de la mencionada ley. Para la Corte, lo anterior implica que el régimen normativo vigente, (iii) se abstuvo de imponer la carga de seguir trabajando hasta completar un mínimo de semanas cotizadas o (iv) de tener que renunciar a la expectativa de tener en cuenta un tiempo cotizado, por el hecho de haber entrado en vigencia la Ley 100 de 1993. Por esta razón, en criterio de esta Corporación, es posible que una persona continúe trabajando y aportando al sistema o que haya dejado de hacerlo antes de tal momento, sin que las semanas que fueron trabajadas o cotizadas se pierdan" (M.P. Luis Guillermo Guerrero Pérez, 2013).

En conclusión, esta indemnización también se causa respecto a situaciones anteriores a la Ley 100.

De otra parte, la Corte Suprema de Justicia indicó que el haber reconocido la equivocadamente indemnización sustitutiva, no frustra el derecho a la pensión de vejez:

> No sobra destacar que el hecho de que el Instituto demandado le hubiera reconocido y pagado equivocadamente a la demandante la indemnización sustitutiva de la pensión de vejez no tiene incidencia alguna en frente de la constitución del derecho pensional con anterioridad a ese momento, dado que la pérdida de eficacia de las cotizaciones por vía del reconocimiento de esta clase de prerrogativas se produce siempre y cuando no se tenga el de la pensión, que es un derecho principal, pues, aparte de que éste ipso facto al cumplimiento de sus exigencias tendrá la connotación de derecho adquirido, lo cierto es que el error del administrador del sistema de riesgos no puede ser fuente de derecho alguno a su favor como para sustraerse al reconocimiento de la prestación y, obviamente, en modo alguno en desmedro del derecho pensional del cotizante o trabajador. (M.P. Clara Cecilia Dueñas Quevedo, 2014).

En esta línea cabría preguntarse si sólo opera en el evento en que ha habido un reconocimiento equivocado de la indemnización sustitutiva. Para darle respuesta ha manifestado la misma Corte Suprema de Justicia que

> En ese orden, la decisión del Tribunal tampoco pudo haber transgredido las garantías superiores invocadas, pues ello, vale decirlo, se ajusta a lo que de tiempo atrás ha señalado la Corte, en punto a que la indemnización sustitutiva se ha contemplado como una prestación provisional, que si bien no excluye el reconocimiento pensional cuando con posterioridad se constata que lo que realmente procedía era la pensión de vejez, lo cierto es que para la contabilización de las semanas cotizadas debe tenerse en cuenta lo aportado con anterioridad a la manifestación expresa de acceder a la suma indemnizatoria. (M.P. Luis Gabriel Miranda Buelvas, 2015).

Por otro lado, en el artículo 3° del Decreto 1730 de 2001, por medio del cual se reglamentaron los artículos 37, 45 y 49 de la Ley 100 de 1993 referentes a la indemnización sustitutiva, se indica que para determinar el valor de la indemnización se aplicará la siguiente fórmula:

$$I = SBC \times SC \times PPC$$

Donde:

SBC: Es el salario base de la liquidación de la cotización semanal promediado de acuerdo con los factores señalados en el Decreto 1158 de 1994, sobre los cuales cotizó el afiliado, actualizado anualmente con base en la variación del IPC según certificación del DANE.

SC: Es la suma de las semanas cotizadas a la administradora que va a efectuar el reconocimiento.

PPC: Es el promedio ponderado de los porcentajes sobre los cuales ha cotizado el afiliado para el riesgo de vejez, invalidez o muerte por riesgo común.

7.6. *Pensión Familiar*

Dentro de los regímenes pensionales encontramos la pensión familiar creada por la Ley 1580 de 2012 y reglamentada por decreto 288 del 12 de febrero de 2014, la cual busca proteger a los cónyuges o compañeros permanentes que no lograron causar una pensión de vejez, pero que podrían hacerlo sumando sus cotizaciones, estableciendo requisitos de convivencia mínima, previendo situaciones de fraude, y brindando protección a los hijos de la pareja, ante la eventual muerte de ambos o alguno de ellos.

Pensión Familiar RPM

Los requisitos para causarla dependen del régimen en el que se esté: Si se está en el régimen de prima media:

- Se debe haber causado los requisitos para acceder a una indemnización sustitutiva de vejez;

- es incompatible con cualquier otra pensión de la que gozare uno o ambos de los cónyuges o compañeros permanentes, provenientes del sistema pensional, de los sistemas excluidos o las reconocidas por empleadores, incluyendo las pensiones convencionales. Esto significa que, si cualquiera de los cónyuges o compañeros llegase a recibir una pensión después de estar disfrutando de la pensión familiar, la misma se extinguiría para ambos cónyuges.

- También excluye el acceso a los Beneficios Económicos Periódicos BEPS y a cualquier otra clase de ayudas y/o subsidios otorgados por el Estado, que tengan como propósito ofrecer beneficios en dinero para la subsistencia de los adultos mayores que se encuentran en condiciones de pobreza. Así, el recibir la pensión familiar frustra cualquier posibilidad de recibir un beneficio futuro.

- Los miembros de la pareja deben estar en el régimen de prima media y haber cotizado antes del cumplimiento de los cuarenta y cinco (45) años el veinticinco por ciento (25%) de las semanas requeridas para acceder a una pensión de vejez;

- deben sumar entre ambos, las semanas mínimas para causar una pensión de vejez;

- deben acreditar más de cinco (5) años de convivencia[14];

- deben estar clasificados en los niveles rango I y II del SISBEN;

- su monto no podrá superar un salario mínimo legal vigente;

- en el evento que uno de los cónyuges o compañeros permanentes se encuentre cobijado por el régimen de transición, consagrado en el artículo 36 de la ley 100 de 1993, la pensión familiar no se determinará conforme a los criterios fijados en ese mismo artículo;

- en caso de muerte de uno de los cónyuges o compañeros, el cincuenta por ciento (50%) de la pensión se dividirá entre los hijos con derecho a disfrutar de una pensión de sobrevivientes o acrecerá el monto del otro cónyuge, en caso de no haber hijos con derecho;

---

[14] Antes se exigía que esta convivencia hubiese sucedido antes de los 55 años; no obstante, conforme a la sentencia de constitucionalidad C-504 de 2014 con ponencia del magistrado Jorge Ignacio Pretelt, ya no se exige.

- habrá igualmente pensión de sobrevivientes en favor de los hijos con derecho (es decir que tengan derecho a una pensión de sobrevivientes) en caso de muerte de ambos cónyuges o compañeros y si no hay hijos con derecho, la pensión se agota sin que exista posibilidad de que saldo alguno acreciente la masa sucesoral;

- en caso de divorcio, separación legal o de hecho, esta pensión especial se extinguirá, quedando, cada compañero o cónyuge, con el derecho de recibir un beneficio pensional igual al cincuenta por ciento (50%) de lo que recibía junto a su pareja.

- Ahora bien, para gozarla debe haber un titular del derecho que es el que la recibirá y el que obrará como cotizante frente al subsistema de salud, siendo el otro su beneficiario en salud.

- La pensión familiar solo se podrá reconocer una sola vez por cada cónyuge o compañero. Lo que supone que no podrá recibirla de nuevo en caso de extinguirse.

Pensión Familiar en el RAIS

Si está en el régimen de ahorro individual, por su parte:

- Los cónyuges o compañeros deben estar en el RAIS y además en la misma administradora de fondos de pensiones. En caso de que estén en Administradoras diferentes, deberán trasladar los recursos a la Administradora donde se encuentre afiliado el (la) cónyuge o compañero (a) permanente titular.

- Al igual que en el RPM, La pensión familiar es incompatible con cualquier otra pensión de la que gozare uno o ambos de los cónyuges o compañeros permanentes, proveniente del sistema pensional, de los sistemas excluidos o la reconocida por empleadores, incluyendo las pensiones convencionales.

- Y también excluye el acceso a los beneficios Económicos Periódicos BEPS y a cualquier otra clase de ayudas y/o subsidios otorgados por el Estado, que tengan como propósito ofrecer beneficios en dinero para la subsistencia de los adultos mayores que se encuentran en condiciones de pobreza.

- Al igual que en el RPM hay un titular de la pensión que obrará como tal en el subsistema de salud, siendo el otro su beneficiario en salud;

- deben causar individualmente los requisitos para que haya una devolución de saldos;

- deben reunir, conjuntamente, el capital para financiar una pensión de vejez,

- o en su defecto para acceder a la garantía de pensión mínima. Es decir, si no reúnen el capital para alcanzar a una pensión, pueden reunir las semanas a efectos de causar la garantía de pensión mínima;

- deben contar con cinco (5) años de convivencia;

- el cincuenta por ciento (50%) de la pensión se dividirá entre los hijos con derecho a disfrutar de una pensión de sobrevivientes o acrecerá el monto del otro cónyuge, en caso de no haber hijos con derecho;

- habrá igualmente pensión de sobrevivientes en favor de los hijos con derecho (es decir que tengan derecho a una pensión de sobrevivientes) en caso de muerte de ambos cónyuges o compañeros y si no hay hijos con derecho, la pensión se agotará. Sin embargo, en caso de quedar un saldo sin beneficiarios de la pensión de sobrevivientes (cuando no se está reconociendo bajo la modalidad de renta vitalicia), las sumas acumuladas en la cuenta individual de ahorro pensional, harán parte de la masa sucesoral de bienes del causante. En este caso, cuando no haya causahabientes hasta el quinto orden hereditario, la suma acumulada en la cuenta individual de ahorro pensional se destinará al Fondo de Solidaridad Pensional.

- En caso de divorcio, separación legal o de hecho, esta figura se extinguirá, por regla general, y el saldo que quede en la cuenta hará parte de la sociedad conyugal para su reparto. Sin embargo, si la pensión se está pagando bajo la modalidad de renta vitalicia, cada cónyuge seguirá recibiendo un beneficio pensional igual al cincuenta por ciento (50%) del monto pensional que recibían junto a su pareja; y en todo caso cualquiera sea la modalidad bajo la que se pague, si recibían una pensión igual o inferior a dos salarios mínimos, cada cónyuge seguirá recibiendo un beneficio igual al cincuenta por ciento (50%) de la pensión que recibían conjuntamente.

- La pensión familiar solo se podrá reconocer una sola vez por cada cónyuge o compañero. Lo que supone que no podrá recibirla de nuevo en caso de extinguirse.

Cabe llamar finalmente la atención a que a diferencia del RPM en el RAIS no se exige estar clasificado en un nivel determinado en la encuesta SISBEN.

8. PENSIONES ESPECIALES DE VEJEZ

Vale indicar que los pronunciamientos de las altas Cortes no permiten diferenciar lo que se entiende por régimen especial y exceptuado, pues los equiparan. Al respecto ha señalado la Corte Constitucional lo siguiente:

> (...) de hecho, si el legislador hubiera en ese contexto querido atribuirles la connotación de un régimen especial o exceptuado, las previsiones habrían estado, mejor, ubicadas en el artículo 279 de la Ley 100 de 1993, donde se enunciaron los regímenes especiales, exceptuados de las prescripciones del nuevo sistema general de pensiones. En efecto, en dicho artículo el legislador contempló diversas excepciones (...) (M.P. María Victoria Calle Correa, 2015).

Tal criterio ha sido reiterado, entre otras, en la sentencia de constitucionalidad 258 de 2013 (M.P. Jorge Ignacio Pretelt, 2013); por su parte, la Corte Suprema de Justicia en su Sala Laboral también ha equiparado ambos conceptos como se puede desprender, entre otras, de la sentencia de casación con radicado 43136 (M.P. Jorge Mauricio Burgos Ruíz, 2012). El Consejo de Estado, en igual sentido, ha definido el régimen especial como el que otorga mayores beneficios pensionales a los establecidos en el régimen general, siendo estos beneficios adicionales los que lo califican como un régimen exceptuado. En palabras de este tribunal:

> (...) En efecto, los radioperadores, técnicos de radio y electricidad y oficiales de meteorología de la Empresa Colombiana de Aeródromos, de conformidad con lo preceptuado por el artículo 1 de la Ley 33 de 1985, están exceptuados del régimen pensional general de que trata dicha ley por gozar de un régimen especial consagrado en la Ley 7 de 1961 y su Decreto Reglamentario 1372 de 1966. (C.P. Jesús María Lemos Bustamanete, 2006).

Igual postura la ha reiterado, entre otras, la sala de consulta y servicio civil en la sentencia con radicado 220627 2011217 11001-03-06-000-2012-00075-00 2121 y con ponencia del Consejero Ponente Luis Fernando Álvarez Jaramillo.

Como se puede observar, estos máximos tribunales no han construido ni permiten inferir conceptos diferentes de regímenes especiales y regímenes exceptuados.

La doctrina sin embargo ha diferenciado ambos conceptos indicando que los regímenes exceptuados son aquellos que por disposición legal o constitucional no se les puede aplicar el Sistema General de Pensiones; mientras que los regímenes especiales, surgen en aquellos casos en los que el mismo Sistema General de Pensiones otorga prerrogativas especiales a determinados grupos cobijados por el mismo sistema. Mientras el primero los excluye, el segundo los incluye otorgándoles prerrogativas. (Dueñas Ruiz, 2007).

Ahora bien, estos regímenes especiales se justifican como quiera que: *"El legislador puede diseñar regímenes especiales para determinado grupo de pensionados, siempre que tales regímenes se dirijan a la protección de bienes o derechos constitucionalmente protegidos y no resulten discriminatorios"*. (Carlos Gaviria Díaz, 1996).

Dicho esto, pasamos a estudiar los regímenes que crean beneficios pensionales para determinado grupo de personas protegidas por el mismo sistema general de pensiones. Así las cosas, nos concentraremos en los regímenes creados en la ley 100 de 1993 que creó el sistema general de pensiones, y aquellos que han sido generados con posterioridad a su entrada en vigencia, concediendo beneficios adicionales a determinados grupos.

8.1. *Pensión Especial de Vejez para madre o padre con hijo inválido*

El artículo 9° de la ley 797 de 2003, dispuso que la madre o padre cuyo hijo padezca invalidez, sin importar el régimen al que se encuentre afiliado, prima media o ahorro individual, tendrá derecho a recibir la pensión especial de vejez a cualquier edad siempre y cuando haya alcanzado el número de semanas mínimas previsto en el régimen de prima media para acceder a una pensión de vejez y siempre y cuando no se reintroduzca a la vida laboral. Así las cosas, esta prerrogativa busca proteger al hijo inválido, para que su padre o madre puedan brindarle una atención debida dada su invalidez, que no podría ser brindada, en caso de seguir trabajando. De ahí que uno de los requisitos sea el desvincularse de la vida laboral.

8.2. *Pensión Especial de Vejez para quien tenga una deficiencia del cincuenta por ciento (50%)*

Este artículo 9° igualmente crea una pensión especial de vejez para quienes padezcan una deficiencia síquica o sensorial del cincuenta por ciento (50%) o más, tengan cumplidos más de cincuenta y cinco (55) años y mil (1000) semanas cotizada. En este, la norma está bridándole la prerrogativa de pensionarse en especiales condiciones, a quiénes sin estructurar una invalidez, tienen una deficiencia del cincuenta por ciento (50%). Sobre el requisito de la deficiencia ha señalado la Corte Constitucional lo siguiente:

> Como se puede observar, el Decreto señala que la deficiencia es uno de los criterios para la calificación integral de la invalidez, junto con la discapacidad

y la minusvalía. Y que cada uno de estos criterios tiene un puntaje máximo, y la sumatoria de todos ellos determina la pérdida de la capacidad laboral de la persona. (...) A simple vista, entonces, puede apreciarse que, de los tres criterios necesarios para calificar la invalidez, la pensión especial exige la concurrencia de uno solo de ellos, y en un porcentaje igual o superior al 50%. En ese sentido, la deficiencia se convierte en una condición clave para diferenciar esta prestación de la pensión de invalidez, ya que esta última exige la pérdida de la capacidad laboral en un porcentaje igual o superior al 50%, pérdida que se determina, se reitera, con la sumatoria de los tres criterios señalados en el Manual Único. (...) Esto se logra si se postula que, cuando una deficiencia reciba el porcentaje máximo establecido en el Decreto, debe entenderse, para efectos de establecer si una persona tiene derecho a la pensión anticipada de vejez, que fue calificada con el 100%. En consecuencia, si en el contexto de la calificación de la invalidez, a la deficiencia de una persona se le asigna un porcentaje de 25 o más, quiere decirse con ello que reúne la condición exigida por el artículo 33, parágrafo 4° de la Ley 100 de 1993, de contar con una deficiencia igual o superior al 50%. (M.P. Manuel José Cepeda, 2009).

En este sentido, la norma busca proteger a quien ha alcanzado el cincuenta por ciento (50%) de pérdida de deficiencia, que fue uno de los criterios para calificar la pérdida de capacidad laboral de una persona, sin ser inválido.

Vale señalar existen dos manuales que prevén la calificación de la pérdida de capacidad labora: el Decreto 917 del año 1999, en virtud del cual la invalidez se calificaba a partir de tres criterios: Deficiencia [que podía otorgar un cincuenta por ciento (50%)], Discapacidad [que podía otorgar un veinte por ciento (20%)] y minusvalía [que podía otorgar un treinta por ciento (30%) sobre un cien por ciento (100%)] del total de la pérdida de capacidad laboral.

Sin embargo, con el Decreto 1507 del 12 de agosto de 2014, se expide un nuevo manual único para la calificación de la pérdida de la capacidad laboral y ocupacional en donde el dictamen de pérdida de capacidad laboral no depende del estudio de los criterios descritos ni la sumatoria de los porcentajes que se obtengan en cada uno. En efecto, para efectos de calificación, el Manual Único para la Calificación de la Pérdida de Capacidad Laboral y Ocupacional, establece que: El rango de calificación oscila entre un mínimo de cero por ciento (0%) y un máximo de cien por ciento (100%), correspondiendo, cincuenta por ciento (50%) al Título Primero (Valoración de las deficiencias) y cincuenta por ciento (50%) al Título Segundo (Valoración del rol laboral, rol ocupacional y otras áreas ocupacionales) del Anexo Técnico del mentado Decreto.

Dicho esto, esta figura aplicará cuando sin ser inválido se obtenga como mínimo un veinticinco por ciento (25%) de deficiencia, toda vez que se exige una deficiencia del cincuenta por ciento (50%). Lo anterior en el entendido que el cien por ciento (100%) de la deficiencia o el máximo puntaje que se puede obtener (a la luz de ambos decretos) por deficiencia es un cincuenta por ciento (50%) del cien por ciento (100%) al que puede ascender la pérdida de capacidad laboral.

8.3. *Pensión Especial de Vejez por Actividad de Alto Riesgo*

Finalmente, y como último régimen pensional especial tenemos la pensión especial de vejez por actividad de alto riesgo. Bajo este régimen se brinda protección a quienes han dedicado buena parte de su vida laboral a actividades calificadas como de alto riesgo, pues según la Corte Constitucional se les debe brindar especial protección:

> Por la peligrosidad que le es inherente, e independientemente de las condiciones en las que se ejecute, les ocasiona un desgaste orgánico prematuro, reduciendo su expectativa de vida saludable, u obligándolos a retirarse de las funciones laborales que desempeñan. (M.P. María Victoria Calle Correa, 2015).

En esta misma sentencia ha indicado la Corte que el incumplimiento del requisito de cotización de setecientas (700) semanas previsto para la causación de este tipo de pensiones, no debe llevar por sí mismo a la frustración del derecho. Al respecto ha señalado:

> Por consiguiente, si el empleador no cancela a tiempo la cotización especial, la entidad administradora de pensiones a la que se encuentra afiliado el solicitante debe asumir la obligación pensional, no pudiendo excusarse en la omisión del empleador porque la legislación nacional le ha otorgado diversos mecanismos para cobrar y sancionar la cancelación extemporánea de dichos aportes. (M.P. María Victoria Calle Correa, 2015).

Vale finalmente indicar que el acto legislativo 01 de 2005 ha señalado que a partir del 31 de julio de 2010 no habrán regímenes especiales ni exceptuados. Esto llevaría a poner en duda la vigencia de los regímenes especiales expuestos. Sin embargo, el mismo señala que: *"Los requisitos y beneficios pensionales para todas las personas, incluidos los de pensión de vejez por actividades de alto riesgo, serán los establecidos en las leyes del Sistema General de Pensiones"*. (Acto Legislativo 01 de 2005).

Así las cosas, se podrá concluir que el acto legislativo puso fin a los regímenes exceptuados, pero no a los especiales, toda vez que las leyes del Sistema General de Pensiones establecen los regímenes especiales.

9. RÉGIMEN DE TRANSICIÓN

Antes de la entrada en vigencia del Sistema General de Pensiones, existían diversos regímenes pensionales regulados bajo multiplicidad de normas, con requisitos especiales y particulares para cada uno de ellos y distintas entidades administradoras de pensiones. Bajo este panorama, y con la entrada en vigencia la Ley 100 de 1993, que traería consigo cambios significativos en cuanto a las condiciones existentes para los trabajadores, fue necesaria la creación de una figura que protegiera a aquellos trabajadores que encontrándose cerca de cumplir los requisitos del régimen anterior a la Ley 100 de 1993, aún no alcanzaban a consolidar un derecho adquirido bajo aquel régimen. Así, por medio del artículo 36 de la Ley 100 de 1993 se crea el Régimen de Transición como un mecanismo excepcional a la retrospectividad de la Ley en aras de inaplicar la nueva disposición legal y conservar con ello, los beneficios existentes al momento de operar el tránsito legislativo.

Este régimen así concebido suscitó debates respecto del ámbito de protección generado como consecuencia de un tránsito legislativo, pues el legislador abrió la puerta para estimar que el amparo no se predicaba únicamente respecto de los derechos adquiridos sino también para las expectativas legítimas. Así, en sentencia C-754 de 2004 (M.P. Alvaro Tafur Galvis) la Corte Constitucional señaló:

> La ley nueva sí puede regular ciertas situaciones o hechos jurídicos que aun cuando han acaecido o se originaron bajo la vigencia de una ley no tuvieron la virtud de obtener su consolidación de manera definitiva". Así mismo, aclaró que las "expectativas legitimas pueden ser objeto de alguna consideración protectora por el legislador, con el fin de evitar que los cambios de legislación generen situaciones desiguales e inequitativas o de promover o de asegurar beneficios sociales para ciertos sectores de la población o, en fin, para perseguir cualquier otro objetivo de interés público o social. (M.P. Álvaro Tafur Galvis, 2004).

Dicho lo anterior, podemos señalar que el régimen de transición, bajo ciertos requisitos determinados por el legislador, proporcionó un trato especial a ciertas personas que, si bien no contaban con un derecho adquirido para el momento de la entrada en vigencia de la Ley 100 de 1993, tenían una expectativa legítima de pensionarse con las disposiciones normativas anteriores pues se encontraban cerca de alcanzar su derecho pensional.

9.1. *Requisitos del Régimen de Transición*

Con la consagración del Régimen de Transición en el artículo 36 de la Ley 100 de 1993, se estableció por parte del legislador los requisitos iniciales para su acceso, los cuales, como veremos más adelante, fueron adicionados por el Acto Legislativo 01 del año 2005.

Los requisitos iniciales establecieron que, quien deseaba beneficiarse del Régimen de Transición, para el momento de entrar en vigencia el Sistema General de Pensiones[15] debía cumplir uno de dos requisitos, a saber: 1) Tener cuarenta (40) años de edad o más si se trataba de un hombre o treinta y cinco (35) años de edad o más en caso de ser mujer; o, 2) Contar con quince (15) o más años de servicios cotizados.

Desde la promulgación de la Ley 100 de 1993 se dieron varias interpretaciones y discusiones en cuanto al cumplimiento de mayores requisitos.

En primer lugar, podemos traer a colación la jurisprudencia de la Corte Constitucional que se centró en establecer la necesidad de encontrarse afiliado al momento de la entrada en vigencia del sistema general de pensiones. Así, a se encuentra la sentencia C-596 de 1997 (M.P. Vladimiro Naranjo Mesa, 1997) y la sentencia C-258 de 2013 (M.P. Jorge Ignacio Pretelt Chaljub, 2013), en donde señala que si bien es un requisito encontrarse afiliado, no es necesario que ello sea concomitante a la entrada en vigencia del sistema general de pensiones, ya que si se solicita que se apliquen algunas condiciones de un requisito anterior, se debió haber estado dentro del mismo independientemente de no encontraste trabajando al momento de entrada en vigencia del referido sistema.

De otro lado, por medio del Decreto 1160 de 1994 se pretendió interponer requisitos adicionales a los establecidos en el artículo 36 de la Ley 100 de 1993, señalando que para el trabajador del sector privado era necesario —si no se encontraba vinculado laboralmente para el 31 de marzo de 1994— que la última entidad a la que hubiese estado vinculado hubiere cotizado al ISS; mientras que, para los trabajadores del sector público:

> Excluyó del régimen de transición a los servidores públicos que no alcanzaban a cumplir el tiempo de servicios necesario para tener derecho a la pensión de jubilación conforme al régimen que se les venía aplicando por desvincularse definitivamente de la entidad o cargo a los cuales se aplicaba el régimen respectivo y no completaran el tiempo de servicios requerido en otra entidad o cargo público que a 31 de marzo de 1994 tuviera idéntico régimen de pensiones. (Rodríguez, 2015).

---

[15]   El sistema general de pensiones para los servidores públicos departamentales, municipales y distritales, y de sus entidades descentralizadas, entrará a regir a más tardar el 30 de junio de 1995. Para el resto, esto es, para los servidores públicos del orden nacional y los trabajadores particulares, entró a regir el 1° de abril del año 1994.

El Decreto señalado fue objeto de revisión por parte de la Sección Segunda del Consejo de Estado, la cual mediante sentencia del 10 de abril de 1997 (C.P. Dolly Pedraza de Arenas., 1997) y sentencia del 10 de febrero de 2000 (C.P. Ana Margarita Olaya, 2000) anularon las disposiciones mencionadas en la medida que la administración había excedido la potestad reglamentaria al establecer términos y requisitos no determinados previamente por el legislador en la Ley 100 de 1993.

Posteriormente, el artículo 18 de la Ley 797 de 2003 establecía que a partir de su vigencia lo único que se conservaría del régimen anterior era la edad para acceder a la pensión, no el monto, ni las semanas requeridas. Sin embargo, dicha norma fue declarada inexequible a través de la sentencia C-056 de 2003 (M.P. Alfredo Beltran Sierra, 2003) por vicios de trámite, manteniéndose así el régimen de transición como lo previó originalmente la Ley 100 de 1993.

Posteriormente con la Ley 860 del año 2003 se trató nuevamente de limitar el régimen de transición estableciendo que se extendería hasta diciembre del año 2007; a partir del año 2008 el régimen de transición quedaba sólo reducido a la edad, lo que significa que se le aplicarían las condiciones de monto y semanas previstas en el régimen general de pensiones. Esta norma por su parte fue declarada inexequible por la sentencia de constitucionalidad 754 del año 2004 (M.P. Álvaro Tafur Galvis, 2004).

Tras los anteriores intentos fallidos para modificar tanto los requisitos como los beneficios del Régimen de Transición, se realizaron las respectivas modificaciones por medio del Acto Legislativo 01 de 2005, el cual en su parágrafo transitorio dispuso que dicho régimen se extendería hasta el 31 de julio de 2010, o hasta el 2014 siempre y cuando para el momento de la entrada en vigencia del mismo quien había cumplido con los requisitos del artículo 36 de la ley 100 de 1993 para acceder a transición, además hubiera cotizado al menos setecientas cincuenta (750) semanas o su equivalente en tiempo de servicios, creando así un requisito adicional. Esto es, quien a la entrada en vigencia del Acto Legislativo no hubiese cotizado al menos setecientas cincuenta (750) semanas no se le extendería hasta el 2014.

Ante la falta de estipulación de un día exacto en el año 2014, se entiende se extienden hasta el 31 de diciembre del mismo año.

Sobre la entrada en vigencia del Acto Legislativo 01 del año 2005 vale señalar que el mismo fue publicado en el Diario Oficial No. 45.980 el 25 de julio de 2005 con el título de "Proyecto de Acto Legislativo" y una aparte que decía "Segunda vuelta". Ante ello, mediante Decreto 2576 del año 2005 publicado en el Diario Oficial No. 45984 de 29 de julio de 2005 se corrige eliminando las palabras "Proyecto de" y "Segunda vuelta". Si bien operó tal corrección, el Acto Legislativo entró en vigencia el día 25 de julio.

De lo anterior podemos concluir que la promulgación del acto legislativo afectó las expectativas legítimas de muchos trabajadores que esperaban beneficiarse del régimen de transición pero que, como consecuencia de las modificaciones introducidas por el Acto Legislativo no lograron hacerlo. Sin embargo, no puede obviarse la necesidad imperante de terminar con el régimen de transición, pues como su nombre lo indica éste es temporal y en nuestro sistema ya se había extendido por más de veinte años.

9.2. *Los beneficios o elementos que implica el Régimen de Transición*

Conforme al artículo 36 de la Ley 100 de 1993, quienes acrediten los requisitos para ser beneficiarios del régimen de transición, tendrán derecho a:

Que la edad, tiempo de servicios y semanas cotizadas como requisitos de causación, sean los establecidos en la norma anterior.

Que el monto de la pensión sea el establecido en el régimen anterior.

Ahora bien, el inciso 3° del mismo artículo señala las siguientes subreglas para determinar el Ingreso Base de Liquidación (IBL) y en últimas el monto pensional de los beneficiarios de este régimen, así:

— El IBL de las personas que les faltara menos de diez (10) años para adquirir el derecho, será el promedio de lo devengado en el tiempo que les hiciese falta para ello.

— El IBL corresponderá al promedio de lo devengado o cotizado durante todo el tiempo para las personas que al momento de entrada en vigencia de la Ley 100 de 1993, le faltasen más de diez (10) años.

Esta serie de subreglas suscitan las siguientes inquietudes ¿Qué se entiende por monto de la pensión a efectos de aplicar el régimen de transición del artículo 36? Y, haciendo una lectura del mismo artículo ¿habría alguna posibilidad de tomar como IBL lo devengado o cotizado durante los diez (10) últimos años de vida laboral para quienes les aplique el régimen de transición?

Sobre la segunda pregunta vale indicar que el artículo que nos plantea la posibilidad de tomar como IBL el promedio de lo cotizado o devengado en los últimos diez (10) años, es el artículo 21 de la misma Ley 100 de 1993 que expresamente señala que el IBL será el promedio de los diez (10) años anteriores al reconocimiento de la pensión o el de toda la vida laboral si fuese superior, siempre y cuando tenga cotizadas al menos mil doscientas cincuenta (1250) semanas.

De esto surgen dos interpretaciones para los beneficiarios del régimen de transición, a quienes les faltasen más de diez (10) años al momento de entrada en vigencia de la Ley 100 de 1993:

– Habría que hacer una lectura integradora de los artículos 36 y 21, y en este sentido, se les promediarían los diez (10) últimos años anteriores a la causación, o toda la vida laboral siempre y cuando tuviese mil doscientas cincuenta (1250) semanas, a efectos de determinar el IBL.

– O, considerando exclusivamente el artículo 36, se les tomaría toda su vida laboral sin necesidad de que acreditasen mil doscientas cincuenta (1250) semanas (ya que el mismo artículo no lo exige) y sin que, en tal caso, se les pueda promediar los últimos diez (10) años de vida laboral.

Sobre el particular la Sala Laboral de la Corte Suprema de Justicia en sentencia con radicado Radicación No. 39830 del año 2011 ha optado por la primera interpretación, así:

> Dependiendo del tiempo que les hiciere falta para adquirir el derecho a la pensión cuando entró en vigencia el Sistema Integral de Seguridad Social en Pensiones, respecto de los beneficiarios de la transición pensional se presentan dos situaciones:
> (...).
> 2. La de quienes les faltaban más de 10 años para adquirir el derecho, caso en el cual el ingreso base de liquidación será el previsto en el artículo 21 de la Ley 100 de 1993, esto es, el promedio de los salarios o rentas sobre los cuales ha cotizado el afiliado durante los 10 años anteriores al reconocimiento de la pensión, o el promedio del ingreso base, ajustado por inflación, calculado sobre los ingresos de toda la vida laboral del trabajador, si resulta superior al anterior, siempre y cuando el afiliado haya cotizado 1250 semanas como mínimo. (M.P. Gustavo José Gnecco Mendoza, 2011).

Además, señaló que cuando por favorabilidad se optase por el IBL de diez (10) años, se identificaría la última cotización del afiliado y a partir de ella se efectuaría un conteo retrocediendo en su historia laboral o salarial, hasta alcanzar un lapso de diez (10) años que equivalen a tres mil seiscientos (3.600) días.

Esta postura fue reiterada por la Corte Constitucional en la sentencia de Constitucionalidad C-258 de 2013 (M.P. Jorge Ignacio Pretelt Chaljub).

Ahora bien, sobre qué debe entender por monto, han sido diferentes las posturas que han asumido las tres altas cortes.

Así, durante largo tiempo el Consejo de Estado, en reiterada jurisprudencia, señaló que el monto al que se refiere el artículo 36 incluye tanto el IBL y la tasa de reemplazo prevista en el régimen anterior, en desarrollo de la inescindibilidad de las normas. Al respecto indicaba que:

> Como lo ha expresado esta Corporación en reiterada jurisprudencia, la aplicación del régimen anterior incluye el atinente a la edad, tiempo de servicio y monto de la pensión, pues son de su esencia. Si se altera alguno de esos presupuestos se desconoce dicho beneficio, por lo que al establecer la cuantía de la pensión con base en otras disposiciones, se afecta el monto de la pensión y de paso se desnaturaliza el régimen.
>
> Consolidado, entonces, el derecho pensional bajo el régimen especial previsto en el Decreto 546 de 1971, no resulta procedente acudir al texto general, no sólo por respeto al principio de inescindibilidad de la norma, sino porque ninguna disposición prevé tal posibilidad. (C.P. Luis Rafael Vergara Quintero, 2010).

Sin embargo, mediante pronunciamiento de la Sala Plena con ponencia de César Palomino Cortés, del 28 de agosto del año 2018, radicado 2012-143, el Consejo de Estado adoptó una posición contraria en virtud de la cual en el régimen de transición el IBL que se debe tener en cuenta no es el de la normativa anterior a la Ley 100 de 1993, sino el mismo previsto en el inciso 3° del artículo 36 de la misma Ley 100. (C.P. César Palomino Cortés, 2018).

Por su parte, la Sala Laboral de la Corte Suprema de Justicia en reiterada jurisprudencia ha señalado que:

> (...) el Tribunal interpretó perfectamente el artículo 36 de la Ley 100 de 1993, en tanto derivó que el porcentaje o tasa de reemplazo que debe utilizarse en la liquidación de las pensiones reconocidas bajo el amparo del régimen de transición, debe ser el previsto en la norma anterior. (...) fue correcta en la medida en que el concepto de monto de la pensión a que hace referencia la norma, debe ser identificado justamente con el porcentaje. (...) No hay lugar a entender que cuando el referido artículo 36 habla de monto de la pensión está refiriéndose a los salarios del último año de servicios. (M.P. Gustavo José Gnecco, 2003).

Finalmente, la Corte Constitucional en sentencia de constitucionalidad C-258 de 2013 (M.P. Jorge Ignacio Pretelt Chaljub), adhiriéndose al criterio de la Corte Suprema de Justicia, señaló que el beneficio derivado del régimen de transición consiste en *"una autorización de aplicación ultractiva de las reglas de los regímenes a los que se encontraban afiliados, relacionadas con los requisitos de edad, tiempo de servicios o cotizaciones y tasa de reemplazo (...) el Ingreso Base de Liquidación no fue un aspecto sometido a transición"*. (Corte Constitucional, 2013).

Dicha posición fue reiterada por el alto Tribunal Constitucional en sentencia de tutela T-078 de 2014 (M.P. Mauricio González Cuervo), en los siguientes términos:

> En la sentencia C-258 de 2013, respecto de la interpretación del artículo 36 de la Ley 100/93, la Corte determinó que el cálculo del ingreso base de liquidación bajo las reglas previstas en las normas especiales que anteceden al régimen de transición, constituye la concesión de una ventaja que no previó el legislador al expedir la Ley 100, en la medida que el beneficio otorgado, como se señaló en un principio, consiste en la aplicación ultractiva de los regímenes a los que se encontraba afiliado el peticionario, pero solo en lo relacionado con los requisitos de edad, tiempo de servicios o cotizaciones y tasa de reemplazo. Situación distinta se presenta respecto del ingreso base de liquidación, puesto que este no fue un aspecto sometido a transición, como se deriva del tenor literal del artículo 36 de la ley mencionada. (...) En ese orden de ideas, estima esta Sala de Revisión que no se estructuró el defecto sustantivo alegado, por cuanto, (...) el ingreso base de liquidación será el determinado en el inciso 3 del artículo 36 de la Ley 100/93. (M.P. Mauricio González Cuervo, 2014).

Conforme a lo expuesto, vale indicar que en algunos casos el beneficio derivado de la aplicación del régimen anterior se concreta no sólo en la edad y tiempo, sino en el cálculo del IBL del régimen anterior, como por ejemplo la Ley 71 de 1988 que crea la pensión de jubilación por aportes, pues en virtud de su Decreto reglamentario 2709 de 1994, el salario base para la liquidación de esta pensión, era el salario promedio que sirvió de base para los aportes durante el último año de servicios al que se le aplicaba una tasa de reemplazo igual al setenta y cinco por ciento (75%) (inferior a la norma general), o la Ley 33 de 1985 que establecía como IBL el promedio de lo devengado en los últimos dos años de servicios y una tasa de reemplazo igual al setenta y cinco por ciento (75%) (inferior a la de la norma general), entre otros. Así, la legítima expectativa se concretaría no sólo en la posibilidad de pensionarse conforme al régimen anterior sino en recibir una pensión que se liquide con base a un determinado IBL; concluyéndose que la tesis que por largo tiempo mantuvo el Consejo de Estado brindaba una protección mayor a la legítima expectativa que a su nueva tesis y a la que siempre mantuvieron las Cortes Suprema y Constitucional.

9.3. *El traslado de régimen y el régimen de transición*

El artículo 36 de la Ley 100 de 1993 consagró de manera expresa la pérdida del régimen de transición para aquel que, siendo beneficiario de este régimen por edad, voluntariamente se trasladara al Régimen de Ahorro Individual con Solidaridad.

Consecuencia que resulta obvia ya que, si la persona decide que su pensión no se rija por requisitos legales de edad y tiempo, sino por el monto de capital en su de ahorro individual, carece de lógica discutir si se le aplican los requisitos de pensión de la Ley 100 de 1993 o del régimen anterior.

Con todo, el artículo 36 de la Ley 100 de 1993 no se refiere a los beneficiarios de transición por los años de servicios cotizados, es decir, estas personas no quedan expresamente excluidas del régimen de transición si llegan a trasladarse al Régimen de Ahorro Individual con Solidaridad y regresan al de Prima Media.

Sobre este grupo de beneficiarios, la Corte Constitucional se pronunció en sentencia de constitucionalidad C-789 de 2002 (M.P. Rodrigo Escobar Gil, 2002), al analizar los incisos 4° y 5° del artículo 36 de la Ley 100 de 1993, señalando:

> El intérprete podría llegar a concluir, que como las personas con más de quince años cotizados se encuentran dentro del régimen de transición, a ellos también se les aplican las mismas reglas que a los demás, y su renuncia al régimen de prima media daría lugar a la pérdida automática de todos los beneficios que otorga el régimen de transición, así después regresen a dicho régimen. Sin embargo, esta interpretación resulta contraria al principio de proporcionalidad.
> Conforme al principio de proporcionalidad, el legislador no puede transformar de manera arbitraria las expectativas legítimas que tienen los trabajadores respecto de las condiciones en las cuales aspiran a recibir su pensión, como resultado de su trabajo. Se estaría desconociendo la protección que recibe el trabajo, como valor fundamental del Estado (C.N. preámbulo, art. 1°), y como derecho-deber (C.N. art. 25). Por lo tanto, resultaría contrario a este principio de proporcionalidad, y violatorio del reconocimiento constitucional del trabajo, que quienes han cumplido con el 75% o más del tiempo de trabajo necesario para acceder a la pensión a la entrada en vigencia del sistema de pensiones, conforme al artículo 151 de la Ley 100 de 1993 (abril 1° de 1994) terminen perdiendo las condiciones en las que aspiraban a recibir su pensión (M.P. Rodrigo Escobar Gil, 2002).

En consecuencia, el alto tribunal constitucional declaró exequibles condicionalmente los incisos 4° y 5° del artículo 36 de la Ley 100 de 1993, bajo el entendido que los mismos no se aplican a las personas que tenían quince (15) años o más de servicios cotizados a la entrada en vigor del sistema general de pensiones previsto en la Ley 100 de 1993.

Así mismo, la referida providencia judicial señaló que los beneficiarios de transición por tiempo de cotización que se habían cambiado al régimen de Ahorro Individual con Solidaridad tenían derecho a los beneficios de transición siempre que:

a) Al cambiarse nuevamente al régimen de prima media, traslade a él todo el ahorro que habían efectuado al régimen de ahorro individual con solidaridad, y

b) Dicho ahorro no sea inferior al monto total del aporte legal correspondiente en caso que hubieren permanecido en el régimen de prima media.

En tal evento, el tiempo trabajado en el régimen de ahorro individual les será computado al del régimen de prima media con prestación definida. (M.P. Rodrigo Escobar Gil, 2002),

Esta consideración jurisprudencial fue incorporada al texto del artículo 36 de la Ley 100 de 1993, mediante el artículo 18 de la Ley 797 de 2003, sin embargo, dicha norma fue declarada inexequible a través de la sentencia C-1056 de 2003 (M.P. Alfredo Beltran Sierra, 2003) por vicios de trámite, manteniéndose así el régimen de transición como lo previó originalmente la Ley 100 de 1993.

Posteriormente, en la sentencia T-818 de 2007 (M.P. Jaime Araújo Rentería, 2007), la Corte Constitucional abordó las consecuencias de la aplicación de la sentencia C-789 de 2002 (M.P. Rodrigo Escobar Gil), pues como ella exigía que el monto de la capitalización fuera igual al que se hubiera generado en Prima Media se generó una problemática, toda vez que como consecuencia del aporte al Fondo de Garantía de Pensión Mínima en el régimen de ahorro individual, nunca se iba a lograr dicha equivalencia. Así las cosas determinó que, quien hubiese sido beneficiario del régimen de transición por tiempo de cotización, se hubiese cambiado al RAIS y regresado al RPM, lo conservaría con la única condición de que al cambiarse de régimen nuevamente traslade a él todo el ahorro que habían efectuado al régimen de ahorro individual con solidaridad.

Finalmente, el alto tribunal constitucional, bajo sentencia de unificación SU-062 de 2010 (M.P. Humberto Sierra Porto, 2010) ajustó y reiteró lo ya indicado en la sentencias C-789 de 2002 al señalar:

Algunas de las personas amparadas por el régimen de transición pueden regresar, en cualquier tiempo, al régimen de prima media cuando previamente hayan elegido el régimen de ahorro individual o se hayan trasladado a él, con el fin de pensionarse de acuerdo a las normas anteriores a la ley 100 de 1993. Estas personas son las que cumplan los siguientes requisitos:

Tener, a 1 de abril de 1994, 15 años de servicios cotizados.

Trasladar al régimen de prima media todo el ahorro que hayan efectuado en el régimen de ahorro individual.

Que el ahorro hecho en el régimen de ahorro individual no sea inferior al monto total del aporte legal correspondiente en caso que hubieren permanecido en el régimen de prima media.

Es factible que la imposibilidad de satisfacer la exigencia de la equivalencia del ahorro no provenga, hoy en día, de las reglas sobre la distribución del aporte contenidas en la ley 797 de 2003, sino que se derive de la diferencia en la rentabilidad que producen los dos regímenes pensionales sobre los dineros aportados, factor que está asociado a circunstancias aleatorias propias del mercado y al hecho de que en el régimen de prima media existe un fondo común y en el de ahorro individual uno personal.

No se puede negar el traspaso a los beneficiarios del régimen de transición del régimen de ahorro individual al régimen de prima media por el incumplimiento del requisito de la equivalencia del ahorro sin antes ofrecerles la posibilidad de que aporten, en un plazo razonable, el dinero correspondiente a la diferencia entre lo ahorrado en el régimen de ahorro individual y el monto total del aporte legal correspondiente en caso que hubieren permanecido en el régimen de prima media". (M.P. Humberto Sierra Porto, 2010).

De esta manera, se tiene entonces que una vez el beneficiario del régimen de transición se ha trasladado al régimen de Ahorro Individual con Solidaridad, puede recuperar aquél trasladándose nuevamente al régimen de Prima Medica y cumpliendo con los requisitos señalados por la jurisprudencia constitucional. Con todo, ésta recuperación del régimen de transición solo opera para aquellos que sean beneficiarios del mismo por tiempo de servicios cotizados, es decir, que para aquellas personas que harían parte del régimen de transición por edad y se trasladaron al régimen de Ahorro Individual con Solidaridad no es posible, bajo ninguna circunstancia, recuperar los beneficios del primero. Esta posición fue validada por la Corte Constitucional por medio de sentencia SU-130 de 2013 (M.P. Gabriel Eduardo Mendoza Martelo, 2013), en donde se señaló:

> Así las cosas, más allá de la tesis jurisprudencia adoptada en algunas de las decisiones de tutela, que consideran la posibilidad de traslado "en cualquier tiempo", del régimen de ahorro individual al régimen de prima media, con beneficio del régimen de transición para todos los beneficiarios del régimen, por edad y por tiempo de servicios, la Corte se aparta de dichos pronunciamientos y se reafirma en el alcance fijado en las sentencias de constitucionalidad, en el sentido de que solo puede trasladarse del régimen de ahorro individual al régimen de prima media, en cualquier tiempo, conservando los beneficios del régimen de transición, los afiliados con 15 años o más de servicios cotizados a 1 de abril de 1994 (M.P. Gabriel Eduardo Mendoza Martelo, 2013).

10. PENSIÓN DE INVALIDEZ

De acuerdo con la Ley 100 de 1993 se considera inválida la persona que, por cualquier causa de origen común o profesional, no provocada intencionalmente, hubiere perdido el cincuenta por ciento (50%) o más de su capacidad laboral, bien por un accidente o una enfermedad. Así que la pensión de invalidez, es una prestación económica que se le reconoce al que ha sido declarado inválido por haber estructurado una pérdida de capacidad laboral igual o superior al cincuenta por ciento (50%), cumpliendo además con el número de semanas mínimas exigidas, sin que en caso alguno se pueda reconocer a quien se provocó intencionalmente la invalidez.

Esta invalidez dependiendo de su origen puede dar lugar a una pensión de invalidez a cargo del subsistema de riesgos laborales (que se explicará más adelante) cuando es de origen laboral, o común cuando no lo es, que concentrará este aparte.

Vale señalar que esta prestación está destinada a suplir los ingresos que la persona ya no puede procurarse a partir de su trabajo. En efecto, la Corte Constitucional en sentencia de tutela T-952 de 2008 (M.P. Rodrigo Escobar Gil, 2008) ha señalado que el hecho que la persona no pueda continuar laborando justifica el reconocimiento de una suma de dinero que garantice su subsistencia, siempre y cuando acredite el requisito de las semanas mínimas.

Ahora bien, el estado de invalidez

> se determina por medio de una calificación proferida por las entidades autorizadas por la ley, a partir de la cual se obtiene un dictamen de la condición de la persona que comprende el porcentaje de afectación producido por la enfermedad, en términos de deficiencia, discapacidad y minusvalía que establecen un valor y definen en conjunto un porcentaje global de pérdida de la capacidad laboral, el origen de esta situación y la fecha en la que se estructuró la invalidez. (M.P. Rodrigo Escobar Gil, 2008).

Vale señalar que si bien las calificaciones que resulten inferiores al cincuenta por ciento (50%) de pérdida de capacidad laboral no originan derechos económicos para el afiliado iguales a los que se presentan en el sistema de riesgos laborales, sí pueden dar lugar, a la luz del artículo 33 de la Ley 100 de 1993 modificado por la Ley 797 de 2003, a la pensión especial de vejez por deficiencia igual o superior al cincuenta por ciento (50%) ya explicada.

De igual manera, siguiendo al artículo 44 de la Ley 100 de 1993, cabe indicar que procederá la revisión del estado invalidante a petición de la entidad de seguridad social que reconoció la pensión, cada tres (3) años, caso en el cual el pensionado tendrá que someterse a la respectiva revisión en los tres (3) meses siguientes a la solicitud, salvo casos de fuerza mayor. En caso de no presentarse se suspenderá el pago de la prestación; y si transcurren doce (12) meses a partir de la fecha de solicitud sin revisión, la pensión prescribirá, esto es, proponiendo una interpretación, la pensión en un principio se extinguirá por carecer de calificación de invalidez, hasta que el afiliado vuelva a someterse a revisión a su costa, para obtener nuevo dictamen que siga habilitando el requisito de invalidez. Igualmente procederá la revisión a solicitud del pensionado en cualquier tiempo, a su costa.

Ahora bien, como producto de tal revisión puede verse incrementada, disminuida y disminuida incluso en menos del cincuenta por ciento (50%), la pérdida de capacidad laboral, viéndose en consecuencia incrementada, disminuida o extinta la pensión de invalidez, respectivamente.

En diversos pronunciamientos de tutela, la Corte Constitucional ha señalado que tal revisión en modo alguno vulnera los derechos fundamentales del pensionado, porque los mismos no demuestran más sino la recuperación de la capacidad productiva afectada. Al respecto se pueden consultar las sentencias de tutela: T-313 del 19 de julio de 1995 (M.P. Alejandro Martínez Caballero, 1995), T-290 del 31 de marzo de 2005 (M.P. Marco Gerardo Monroy Cabra, 2005), T-595 del 27 de julio de 2006 (M.P. Clara Inés Vargas Hernández, 2006) y T-168 del 9 de marzo de 2007 (M.P. Manuel José Cepeda Espinosa, 2007).

En la sentencia de tutela T-050 del 1 de febrero de 2007 (M.P. Clara Inés Vargas, 2007), la Corte Constitucional igualmente señaló que en caso de rehabilitación procede el reintegro al puesto de trabajo que venía desempeñando el pensionado antes de estructurar la invalidez, no pudiéndosele imputar la desvinculación laboral a su culpa, so pena de vulnerar los derechos a la seguridad social y al trabajo.

De lo indicado hasta ahora se puede concluir que el sistema de seguridad social asume no sólo la carga prestacional sino asistencial de procurar la rehabilitación del que ha estructurado un estado invalidante, toda vez que la pensión de invalidez, de acuerdo al citado artículo 44, tiene una naturaleza esencialmente transitoria.

Sobre este porcentaje del cincuenta por ciento (50%), la Corte Constitucional tuvo la oportunidad de pronunciarse en sentencia de Constitucionalidad C-589 del año 2012 (M.P. Nilson Pinilla Pinilla, 2012) señalado que el mismo no desconoce el principio y derecho a la igualdad, ni la obligación de proteger a quienes tienen algún tipo de limitación o discapacidad, toda vez que aquellos que no alcancen esta pérdida igual pueden seguir trabajando atendiendo no obstante sus condiciones de salud. En este sentido, tanto los que tienen una pérdida de capacidad laboral igual o superior al cincuenta por ciento (50%) como los que no la alcanzan, acceden a recursos (pensión o ingresos) considerando su especial estado de salud. El legislador garantiza en efecto, indica la Corte, que podrán continuar realizando actividades laborales, acordes con sus capacidades, sin lugar a discriminación alguna.

Finalmente, de acuerdo al literal j del artículo 13 de la Ley 100 del año de 1993, se prohíbe la concurrencia de las pensiones de invalidez y vejez toda vez que las fuentes de financiación son las mismas.

10.1. *Requisitos para acceder a la pensión de invalidez en el Sistema General de Pensiones*

A continuación, exponemos los requisitos no sólo dispuestos en la norma vigente sino previstos en cuerpos normativos anteriores: Decreto 758 de 1990, Ley 100 de 1993 y Leyes 797 y 860 de 2003, como quiera que tal y como lo veremos en el siguiente punto, la norma aplicable por regla general es la vigente al momento de estructurarse la invalidez, y excepcionalmente la norma anterior por condición más beneficiosa. Así, estos cuatro cuerpos normativos resultan aplicables actualmente.

Vale indicar igualmente que los requisitos de semanas cotizadas aplican tanto en el régimen de prima media como en el de ahorro individual.

Antes de adentrarnos al estudio de estas normas vale indicar que, en el RAIS, las Sociedades Administradoras de Fondos de Pensiones deben contratar un seguro de invalidez y sobrevivientes bajo la modalidad colectiva o de grupo, el cual cubre los aportes adicionales necesarios para financiar las pensiones de invalidez y sobrevivientes si los recursos disponibles en la cuenta llegasen a ser insuficientes (art. 108 de la Ley 100 de 1993, modificada por la Ley 1328 de 2009).

De acuerdo con el artículo 16 del Decreto 1161 de 1994, los seguros de invalidez y sobrevivientes que contraten las administradoras mediante los procesos de libertad de concurrencia de oferentes previstos en el Decreto 718 de 1994, tendrán una vigencia no inferior a un (1) año, ni superior a cuatro (4) años.

Acuerdo 049 de 1990 aprobado por el Decreto 758 de 1990

El artículo 6º del mismo indica que se debe acreditar trescientas (300) semanas en cualquier tiempo o ciento cincuenta (150) semanas en los seis (6) años inmediatamente anteriores a la fecha de estructuración de la invalidez.

Ley 100 de 1993

El artículo 39 de la Ley 100 de 1993 consagró como requisitos para acceder a la pensión de invalidez, que el afiliado estuviere cotizando al régimen, y hubiere cotizado por lo menos veintiséis (26) semanas al momento de producirse el estado de invalidez; o que, habiendo dejado de cotizar al sistema, hubiere efectuado aportes por lo menos durante veintiséis (26) semanas en el año inmediatamente anterior al momento de producirse el estado invalidante.

Con este cambio, se privilegia no la densidad de cotizaciones sino la cotización misma. Se podría inferir incluso que opera como un incentivo a la cotización.

Ley 797 de 2003

El artículo 11 de la Ley 797 de 2003 modificó este artículo, consagrando las siguientes condiciones: 1) Invalidez por causa de enfermedad: que haya cotizado cincuenta (50) semanas en los últimos tres (3) años inmediatamente anteriores a la fecha de estructuración, garantizando una fidelidad de cotización para con el sistema correspondiente al veinticinco por ciento (25%) del tiempo trascurrido entre el momento en que cumplió veinte (20) años de edad y la fecha de la primera calificación del estado invalidante; y 2) Invalidez por causa de accidente: que haya cotizado cincuenta (50) semanas dentro de los tres (3) años inmediatamente anteriores al hecho causante de la misma.

Este artículo también estipulaba que los menores de veinte (20) años de edad, sólo debían acreditar veintiséis (26) semanas cotizadas en el último año inmediatamente anterior al hecho causante de su invalidez o su declaratoria.

Ahora bien, este artículo fue declarado inexequible mediante la sentencia de constitucionalidad C-1056 de 2003 (M.P. Alfredo Beltrán Sierra, 2003), por vicios de forma, ya que no fue incluido en la ponencia para Segundo Debate en el Senado (Gaceta del Congreso No 616), ni fue aprobado por el Senado de la República, según el texto definitivo del proyecto publicado en la Gaceta del Congreso No 161 de 14 de abril de 2003 en su página 5.

Al respecto señaló la Corte:

> Este artículo fue introducido "artículo nuevo" durante el debate en la Sesión Plenaria de la Cámara de Representantes, por el representante Manuel Enríquez Rosero como Proposición Aditiva No 22 (Cuaderno No 4 - pruebas enviadas por la Cámara de Representantes).Es decir, el citado artículo 11 de la ley 797 de 2003, tan solo fue objeto de aprobación en la Sesión Plenaria de la Cámara de Representantes y sobre él no se decidió ni por las Comisiones Séptimas en las sesiones conjuntas, ni tampoco por Senado de la República, no obstante lo cual fue sometido a conciliación y así se dio por aprobado en el texto de la ley. (M.P. Alfredo Beltrán Sierra, 2003).

Se pensaría que este cuerpo normativo rigió en su integridad desde el momento de su entrada en vigencia: 29 de enero de 2003 hasta la fecha de su declaratoria de inexequibilidad. No obstante, hay que considerar los pronunciamientos de las Cortes Constitucional y Suprema de Justicia en su Sala Laboral, así:

Sobre el requisito de fidelidad hay que señalar que la Corte en la sentencia de constitucionalidad no moduló sus efectos, dándole no obstante aplicación retroactiva en sentencias de tutela: T-048 del 2 de enero de 2010 (M.P. Gabriel Eduardo Mendoza Martelo, 2010), T-823 del 19 de octubre de 2010 (M.P. Luis Ernesto Vargas Silva, 2010), T-491 del 16 de junio de 2010 (M.P. Jorge Pretelt Chaljub, 2010) y T-453 del 23 de mayo de 2011 (M.P. Nilson Pinilla Pinilla, 2011), entre otras.

La Corte Suprema de Justicia por su parte, no ha mantenido un criterio unificado: En un comienzo siguió aplicando la Ley 797 de 2003 a aquellos casos en los que la invalidez se estructuró en su vigencia al considerar que la sentencia de constitucionalidad no moduló sus efectos. Al respecto se puede consultar la sentencia con radicado 29063 (M.P. Isaura Vargas Díaz, 2007) y con radicado 35853 (M.P. Luis Javier Osorio López, 2009); para finalmente construir su criterio actual, inaplicándolo. Se puede consultar la sentencia radicado 35319. (M.P. Elsy del Pilar Cuello Calderón, 2012).

Ante la falta de un criterio unificado en todo caso hay que indicar que, desde la declaratoria de inexequibilidad hasta la entrada en vigencia de la Ley 860 de 2003, volvió a regir la Ley 100 de 1993.

Ley 860 de 2003

El 26 de diciembre de 2003, se expidió la Ley 860 de 2003, que entró a regir el 29 del mismo mes, estipulando en su artículo 1° los requisitos para acceder a la pensión de invalidez. Estos requisitos coinciden con los de la Ley 797 de 2003, es decir, se exigen cincuenta (50) semanas de cotización dentro de los últimos tres (3) años inmediatamente anteriores a la fecha de estructuración, cambiando no obstante la fidelidad de cotización para con el sistema disminuyéndola a por lo menos el veinte por ciento (20%) del tiempo transcurrido entre el momento en que cumplió veinte (20) años de edad y la fecha de la primera calificación del estado de invalidez y reiterando que los menores de veinte (20) años de edad sólo debían acreditar veintiséis (26) semanas de cotización, en el año inmediatamente anterior a la fecha de la declaratoria de invalidez. Finalmente, en su parágrafo 2° prevé que cuando el afiliado haya cotizado por lo menos el setenta y cinco por ciento (75%) de las semanas mínimas requeridas para acceder a la pensión de vejez, sólo se requerirá que haya cotizado veinticinco (25) semanas en los últimos tres (3) años.

Cabe indicar que mediante la sentencia de constitucionalidad C-428 de 2009 (M.P. Mauricio González Cuervo, 2009) la Corte Constitucional declaró inexequible el requisito de fidelidad al sistema, al considerarlo una medida regresiva.

Y que de acuerdo a la sentencia de constitucionalidad C-020 del año 2015 (M.P. María Victoria Calle Correa, 2015), se declaró la exequibilidad condicionada al parágrafo 1° que establece que los menores de veinte (20) años de edad sólo deberán acreditar que han cotizado veintiséis (26) semanas en el último año inmediatamente a la declaratoria de su invalidez. Al respecto la Corte indicó que se declararía la exequibilidad condicionada siempre y cuando se haga extensiva a la población joven que integra a todos aquellos que tengan hasta veintiséis (26) años de edad.

10.2. Hecho generador de la pensión de invalidez. Análisis de las implicaciones de la fecha de estructuración de invalidez

De acuerdo a lo señalado, la pensión de invalidez suple la falta de ingreso de una persona que, dado su estado de salud, ve disminuida su capacidad para desempeñar actividades laborales. Así, la persona que quiere optar por ella debe estar calificada con una pérdida de capacidad laboral igual o superior al cincuenta por ciento (50%), dentro de otros requisitos.

Vale señalar que el Decreto 917 de 1999, en su artículo 3° indica que la fecha de estructuración de invalidez corresponde a la fecha en que se da una pérdida en la capacidad laboral en forma permanente y definitiva. Esta fecha, continúa el artículo, debe documentarse con la historia y los exámenes clínicos y de ayuda diagnóstica, los cuales pueden ser anteriores o corresponder a la fecha de calificación.

El Decreto 1507 de 2014 (Manual Único para la Calificación de la Pérdida de Capacidad Laboral y Ocupacional) por su parte, en su artículo 3° la define como la fecha en la cual la persona pierde su capacidad laboral en un porcentaje igual o mayor al cincuenta (50%) y la cual se determina teniendo en cuenta la evolución de las secuelas que la enfermedad o el accidente haya dejado. Conforme a este artículo, la fecha igualmente debe soportarse en la historia clínica, los exámenes clínicos y de ayuda diagnóstica y puede ser anterior o corresponder a la fecha del accidente sufrido. De igual manera, señala que cuando no exista historia clínica, se debe apoyar en la historia natural de la enfermedad y que, en todo caso, esta fecha debe estar argumentada por el calificador y consignada en la calificación. Finalmente señala que la fecha no puede estar sujeta a que el solicitante haya estado laborando y cotizando al Sistema de Seguridad Social Integral.

Vale señalar que La Corte Constitucional en las sentencias de tutela T-859 del 2 de septiembre de 2004 (M.P. Clara Inés Vargas Hernández, 2004) y T-701 del 10 de julio de 2008 (M.P. Clara Inés Vargas, 2008) indicó que sólo a partir de todo el material probatorio que se relacione con las deficiencias diagnosticadas y los dictámenes emitidos, y el cual incluirá la historia clínica y demás exámenes practicados, se podrá definir legítimamente el origen, la calificación porcentual de pérdida de la capacidad laboral y la fecha de estructuración.

Ahora bien, esta calificación, se determina por entidades autorizadas por ley, resultando de especial importancia

> por cuanto es el indicativo temporal, que señala cuándo la persona ve disminuidas sus capacidades laborales y, por tanto ubica el momento a partir del cual, al no ser le posible continuar generando ingresos, la faculta para exigir el pago de una prestación monetaria como sustituto de éstos. (M.P. Rodrigo Escobar Gil, 2008).

Así, al ser el indicativo temporal determinará la norma aplicable, esto es, la norma que aplica, por regla general, es la vigente al momento de estructurarse la invalidez. No obstante, y por condición más beneficiosa es posible aplicar la norma inmediatamente anterior.

De la mano de Jaramillo Jassir, la condición más beneficiosa busca reducir el impacto de tránsitos legislativos manteniendo la situación jurídica modificada y que aún no se ha consolidado, cuando el legislador no ha previsto regímenes de transición. (Jaramillo, 2010, pág. 151). De esto podemos inferir que se debe haber estructurado una situación jurídica, esto es, más allá de los reparos que merezca la expresión "situción jurídica", se debe determinar las situaciones que merecen ser protegidas por verse afectadas ante un cambio legislativo, pues son estas las que revisten el carácter de "situaciones jurídicas" merecedoras de protección, sin que el legislador haya previsto un régimen de transición que las proteja.

Ahora bien, para determinar la situación jurídica que merece protección, se ha construido jurisprudencialmente el concepto de legítima expectativa.

En eventos de tránsitos legislativos, cuando no se ha consolidado un derecho, el legislador debe reconocer las expectativas de los destinatarios procurando evitar situaciones inequitativas, desiguales o discriminatorias. En palabras de la Corte Constitucional: *"cualquier tránsito legislativo debe consultar parámetros de justicia y equidad y que, como toda actividad del Estado, está sujeta a los principios de razonabilidad y proporcionalidad"* (M.P. Carlos Gaviria Díaz, 2000).

Procurando en todo caso

> que los cambios producidos por un tránsito legislativo no afecten desmesuradamente a quienes, si bien no han adquirido el derecho a la pensión, por no haber cumplido los requisitos para ello, tienen una expectativa legítima de adquirir ese derecho, por estar próximos a cumplir los requisitos para pensionares en el momento del tránsito legislativo. (M.P. Rodrigo Escobar Gil, 2002).

Así, las personas que están más próximas a cumplir el derecho a la luz de una normativa vigente, gozan de una expectativa legítima que configura una situación jurídica merecedora de protección, so pena de generarse situaciones desporporcionadas e inequitativas.

Como la Ley 100 de 1993 sólo previó un régimen de transición para la pensión de vejez protegiendo exclusivamente la legítima expectativa de los destinatarios frente a la causación de esta prestación, no previéndolo para las pensiones de sobrevivientes e invalidez, por vía jurisprudencial, se ha determinado las situaciones jurídicas que merecen especial protección, a través de la denominada condición más beneficiosa.

Ahora bien, hay que considerar que cuando se brinda protección por condición más beneficiosa, se habilita la aplicación ultractividad de la Ley modificada, esto es, se habilita la aplicación de normas anteriores a situaciones consolidadas a la luz de legislación posterior. En tales casos y considerando el caso particular de la pensión de invalidez, si la persona en principio cotizó las semanas exigidas para causar esta pensión en vigencia de una norma que se ha visto modificada, estructurando la invalidez en vigencia de la nueva y no cumpliendo los requisitos exigidos por esta, se le aplicará ultractivamente la norma anterior. Sin embargo, la aplicación ultractiva no ha sido una figura clara como veremos.

Durante un periodo de tiempo la Corte Suprema de Justicia en su Sala de Casación Laboral indicó que la condición más beneficiosa sólo aplica en el tránsito legislativo del Decreto 758 de 1990 a la Ley 100 de 1993, no aplicando en consecuencia, cuando la invalidez se estructura en vigencia de la Ley 797 de 2003 ni de la Ley 860 del mismo año. En estos casos, si la persona estructuró la invalidez en vigencia de la Ley 797 de 2003, habiendo cumplido los requisitos exigidos en norma anterior (Ley 100 de 1993 o Decreto 758 de 1990) pero no los de la 797 de 2003, no se habilitará la ultractividad de la Ley 100 ni del Decreto 758 de 1990; y tampoco, al que estructuró los requisitos en vigencia de la Ley 860 de

2003, para que se le apliquen ultractivamente las Leyes 797 o 100 o el Decreto 758 de 1990[16].

A la fecha la Sala Laboral de la Corte Suprema de Justicia permite la aplicación ultractiva de norma anterior cuando la invalidez se estructura en vigencia de las Leyes 797 y 860 de 2003, atendiendo no obstante las siguientes reglas: i) Cuando se estructura en vigencia de La 797 aplica ultractivamente la Ley 100; ii) Cuando se estructura en vigencia de la 860 aplica ultractivamente la Ley 100; y iii) Si la invalidez se estructura en vigencia de las Leyes 797 o 860, en modo alguno se aplicará ultractivamente el Decreto 758 de 1990[17].

Vale señalar que conforme a las sentencias de la Sala Laboral de la Corte Suprema de Justicia y con radicados 35229 del 23 de septiembre de 2008 (M.P. Eduardo López Villegas, 2008) y 53438 del 5 de agosto de 2015 (M.P. Luis Gabriel Miranda Buelvas, 2015), cuando se admite la aplicación ultractiva del Decreto 758 de 1990 (Acuerdo 049 de 1990) en vigencia de la Ley 100 de 1993, el destinatario debe acreditar trescientas (300) semanas cotizadas en cualquier tiempo o ciento cincuenta (150) semanas en los seis (6) años anteriores a la entrada en vigencia del sistema general de pensiones contemplado en la Ley 100 de 1993. Cuando acredita trescientas (300) semanas se habilita la aplicación ultractiva del requisito de trescientas (300) semanas en cualquier tiempo; y cuando acredita ciento cincuenta (150) semanas en los seis (6) años anteriores debe considerarse lo siguiente: i) Si la fecha de estructuración sucede antes del 31 de marzo de 2000 debe además haber cotizado ciento cincuenta (150) semanas en los seis (6) años anteriores a la misma, pudiendo contabilizar para reunirlos, las semanas cotizadas antes de la entrada en vigencia de la Ley 100; y ii) Si estructura la invalidez después del 31 de marzo de 2000, debe además haber cotizado ciento cincuenta (150) semanas entre la vigencia de la Ley 100 y esta fecha, para que se habilite el requisito de las ciento cincuenta (150) semanas anteriores a la fecha de estructuración de la invalidez.

Debe considerarse que aun cuando las sentencias señaladas resuelven la aplicación de la condición más beneficiosa en pensiones de sobrevivencia, se

---

[16]   Sentencias con radicado 35373 del 16 de septiembre de 2008 (M.P. Eduardo López Villegas); con radicado 32765 del 2 de septiembre de 2008 (M.P. Eduardo López villegas), con radicado 34175 del 9 de junio de 2009 (M.P. Camilo Tarquino Gallego) y con radicado 35658 de 10 de febrero de 2009 (M.P. Eduardo López Villegas).

[17]   Sentencias con radicado 35319 8 de mayo de 2012 (M.P. Elsy Pilar Cuello Calderón); con radicado 38674 del 25 de julio de 2012 (M.P. Carlos Ernesto Molina Monsalve); y con radicado 42491 del 13 de febrero de 2013 (M.P. Rigoberto Echeverri Bueno).

pueden hacer extensivas a la pensión de invalidez, teniendo en cuenta otros tantos casos en donde la Corte Suprema ha unificado los requisitos de aplicación de la condición más beneficiosa en las pensiones de sobrevivientes e invalidez.

En sentencia con radicado 38674 de 25 de julio de 2012 (M.P. Carlos Ernesto Molina Monsalve, 2012), la Corte Suprema de Justicia en su Sala Laboral indicó que cuando se habilita la aplicación ultractiva de la Ley 100 de 1993 habiéndose estructurado la invalidez en vigencia de la 860, el destinatario debe haber cotizado veintiséis (26) semanas en el año inmediatamente anterior a la entrada en vigencia de la Ley 860 si no estaba cotizando a su entrada en vigencia o veintiséis (26) en cualquier tiempo si lo estaba haciendo, y veintiséis (26) además en el año inmediatamente anterior a la fecha de estructuración de invalidez si no estaba cotizando para el momento en que estructuró su invalidez o en cualquier tiempo si lo estaba haciendo.

Vale igualmente llamar la atención a la sentencia de tutela T-108 del 13 de febrero 2003 (M.P. Álvaro Tafur Galvis, 2003) donde la Corte Constitucional, a partir la proximidad entre la fecha de estructuración de la invalidez y la fecha de cambio normativo, inaplicó la Ley 860 de 2003, dándole aplicación a la Ley 100 de 1993 en su versión original, al considerar la aplicación de aquella desproporcionada al caso concreto.

Sobre la posibilidad de aplicar el acuerdo 049 habiéndose estructurado la invalidez en vigencia de la 860, la posición de las altas Cortes no coincide: mientras la Corte Suprema proscribe tal posibilidad la Constitucional en sentencia de unificación SU-442 del año 2016, indicó que:

> Existe entonces una diferencia objetiva entre la solución ofrecida a un caso como este en la jurisprudencia nacional, por cuanto a la luz de la posición de la Corte Suprema de Justicia la condición más beneficiosa solo ampara la pretensión de aplicar la norma inmediatamente anterior a la vigente al estructurarse la situación de invalidez, mientras según la Corte Constitucional la Constitución no prevé ese límite. Ahora bien, la Corte Suprema de Justicia y la Corte Constitucional coinciden en que la condición más beneficiosa es un principio constitucional, y por tanto esta Corporación en su calidad de órgano de cierre en materia constitucional tiene competencia para unificar la interpretación correspondiente (CP art 241). Este caso fue seleccionado y sometido a la Sala Plena de la Corte para esos efectos, lo cual procede a hacerse. (M.P. María Victoria Calle, 2016).

Permitiendo en consecuencia la aplicación del acuerdo 049, aun cuando la invalidez se estructura en vigencia de la Ley 860.

Y finalmente vale llamar la atención a la sentencia de la Sala Laboral de la Corte Suprema de Justicia y con radicado 40456 de 24 de enero de

2012 (M.P. Jorge Mauricio Burgos Ruíz, 2012) en donde señala que debe considerarse las características especiales de cada caso para determinar la normativa aplicable, toda vez que en los eventos en donde la invalidez tiene origen en un accidente, la causación de la pensión de invalidez puede analizarse a luz de las normas vigentes a la fecha del accidente y no a la luz de las norma vigentes a la fecha de la estructuración de la invalidez.

Sintetizando, por largo tiempo la Corte Suprema de Justicia sólo permitió la aplicación del Decreto 758 de 1990, cuando la invalidez se estructurará en vigencia de la Ley 100 de 1993, impidiendo la aplicación de esta cuando se estructurará en vigencia de las Leyes 797 o 860. Sin embargo, actualmente lo permite. La Corte Constitucional por su parte permite la aplicación de cualquier norma anterior, así no sea la inmediatamente anterior, en una concepción amplia de la condición más beneficiosa, no siendo el caso de la Corte Suprema de Justicia.

Vale reiterar, no obstante, que para que esto suceda debe acreditar las condiciones ya expuestas a la entrada en vigencia de la nueva norma, para pensionarse a la luz de los requisitos de la anterior. Así, una cosa es gozar de la condición más beneficiosa y otra es pensionarse a la luz de la norma anterior. Pues puede suceder que, aun beneficiándose de la condición más beneficiosa, no acredite los requisitos de la norma anterior. Y que hay situaciones en las que se ha permito la aplicación de la norma anterior aun estructurándose en la actual, dada la proximidad de la fecha de estructuración de invalidez a la del cambio normativo; y en las que se ha permitido la aplicación de la norma vigente al momento de ocurrencia del accidente (cuando la invalidez ha tenido origen en un accidente) y no la vigente a la fecha de estructuración (porque no necesariamente van a coincidir fecha de estructuración de invalidez y la fecha del accidente).

10.3. *La pensión de invalidez generada como consecuencia de enfermedades crónicas, congénitas o degenerativas*

Siguiendo lo establecido en el artículo 8 de la Resolución 5592 de 2015, por medio de la cual se actualiza y se define el Plan Obligatorio de Salud, la enfermedad crónica o degenerativa: *"Es aquella que es de larga duración, ocasiona grave pérdida de la calidad de vida, demuestra un carácter progresivo e irreversible que impide esperar su resolución definitiva o curación y es diagnosticada por un médico experto"*.

Mientras que, por su parte, el Diccionario de la Real Academia Española, define congénito como aquello que es connatural, nacido con uno mismo. Pudiendo señalar así, que la enfermedad congénita es aquella que se presenta desde el momento mismo del nacimiento.

Pues bien, siguiendo lo establecido en las normas ya expuestas, se deben haber cotizado al menos un determinado número semanas durante tiempo inmediatamente anterior a la fecha de estructuración de la invalidez, resultando ésta fecha de gran relevancia para aquellas personas cuya invalidez se genera como consecuencia de las enfermedades referidas.

Lo anterior, pues en algunas oportunidades las entidades encargadas de la calificación de pérdida de capacidad laboral al emitir el correspondiente dictamen, equiparan la fecha de estructuración de la invalidez con la fecha en la cual se diagnostica la enfermedad o incluso la fecha del nacimiento en casos de enfermedades congénitas.

Situación que en muchas oportunidades imposibilita el cumplimiento de la densidad de semanas exigidas, al desconocer que, si bien este tipo de enfermedades son la génesis de la invalidez, también son progresivas en su severidad, motivo por el cual, durante su evolución existe un periodo de tiempo en el cual la persona diagnosticada se encuentra capacitada para ejercer una actividad económica, de acuerdo con sus capacidades.

Atendiendo ésta situación, la Corte Constitucional por medio de sentencias de tutela ha construido una línea jurisprudencial en donde ha señalado claramente que, tratándose de personas que padezcan enfermedades crónicas, degenerativas o congénitas y cuya fecha de estructuración de invalidez se haya definido de manera retroactiva, atendiendo el deterioro progresivo y las cotizaciones realizadas durante ésta etapa, la fecha de estructuración de la invalidez debe tenerse como aquella en la cual el afiliado pierde la capacidad laboral de forma permanente y definitiva, tal y como lo señala el artículo 3 del Decreto 917 de 1999[18].

El primer pronunciamiento de la Alta Corporación Constitucional fue la sentencia de tutela T-699A de 2007 (M.P. Rodrigo Escobar Gil, 2007) en donde se estudió el caso de un afiliado que padecía VIH, a quien la entidad calificadora le determinó la fecha de estructuración de la invalidez desde el momento del contagio de la enfermedad. Una vez señalado que se trataba de un sujeto de especial protección constitucional y que en tal virtud podía pronunciarse acerca del derecho a obtener la pensión de invalidez, determinó que no podía desconocerse que a pesar de habérsele diagnosticado la enfermedad, la persona conservó sus capacidades funcionales cotizando así al

---

[18]   Antiguo Manual Único para la Calificación de Invalidez.

Sistema Integral de Seguridad Social hasta el momento en que se le realizó el examen para dictaminar su pérdida de capacidad laboral, motivo por el cual ordenó el reconocimiento de la pensión de invalidez teniendo en cuenta las semanas cotizadas hasta el momento en que se le realizó el dictamen de pérdida de capacidad laboral.

> En consecuencia, se presenta una dificultad en la contabilización de las semanas de cotización necesarias para acceder a la pensión, toda vez que, si bien la ley señala que tal requisito debe verificarse a la fecha de estructuración, en atención a las condiciones especiales de esta enfermedad, puede ocurrir que, no obstante que haya algunas manifestaciones clínicas, el portador esté en la capacidad de continuar trabajando, y de hecho siga realizando los aportes al sistema por un largo periodo, y, solo tiempo después, ante el progreso de la enfermedad y la gravedad del estado de salud, se vea en la necesidad de solicitar la pensión de invalidez, por lo que al someterse a la calificación de la junta se certifica el estado de invalidez y se fija una fecha de estructuración hacia atrás. Así las cosas, no resulta consecuente que el sistema se beneficie de los aportes hechos con posterioridad a la estructuración para, luego, no tener en cuenta este periodo al momento de verificar el cumplimiento de los requisitos exigidos para el reconocimiento de la pensión. (M.P. Rodrigo Escobar Gil, 2007).

Esta misma posición, fue reiterada por la Corte Constitucional en la sentencia de tutela T-561 de 2010 (M.P. Nilson Pinilla Pinilla, 2010) y en la sentencia de tutela T-885 de 2011 (M.P. María Victoria Calle Correa, 2011). Ésta última, en donde al analizar el caso de una persona diagnosticada a los diecisiete (17) años con VIH y asintomática, reiteró contundentemente:

> Así entonces, podemos concluir que, cuando una entidad estudia la solicitud de reconocimiento de una pensión de invalidez de una persona que padece una enfermedad crónica, degenerativa o congénita, a quien se le ha determinado una fecha de estructuración de invalidez en forma retroactiva, deberá tener en cuenta los aportes realizados al sistema, durante el tiempo comprendido entre dicha fecha, y el momento en que la persona pierde su capacidad laboral de forma permanente y definitiva (M.P. María Victoria Calle Correa, 2011).

Posteriormente, a través de la sentencia de tutela T-427 de 2012 (M.P. María Victoria Calle, 2012), la Corte Constitucional se pronunció sobre el caso de una persona en situación de discapacidad, quien nació con un retardo mental leve o moderado enfermedad que en todo caso, no le impidió en su edad adulta ejercer actividades laborales ajustadas a sus capacidades y con ello cotizar al Sistema Integral de Seguridad Social y a quien, posteriormente Junta Regional de Calificación de Invalidez le dictaminó como fecha de estructuración de la invalidez la fecha de su nacimiento.

El Alto Tribunal Constitucional señaló que para la situación de hecho se presentaba una laguna axiológica, pues la norma no establece una solución para el caso en concreto, que tenga en cuenta las circunstancias particulares como lo son: que se trata de un sujeto de especial protección constitucional y que, si bien eventualmente pudo ser inválido desde su nacimiento, desarrolló sus habilidades y trabajó, realizó aportes y fue solidario con el Sistema de Pensiones. Desconocer lo anterior, señala la Corte, vulnera los derechos fundamentales al mínimo vital y a la seguridad social, y constituye un acto de discriminación en contra de la persona discapacitada.

> Si se aceptara esta interpretación, se estaría admitiendo que a las personas que nacieron con discapacidad, por razón de su especial condición, no se les debe garantizar la posibilidad de procurarse por sus propios medios una calidad de vida acorde con la dignidad humana, ni la posibilidad de acceder a una pensión de invalidez, derechos que sí están reconocidos a las demás personas (M.P. María Victoria Calle, 2012).

Así las cosas, siguiendo la línea jurisprudencial establecida por la Corte Constitucional, puede señalarse que, para el caso de enfermedades crónicas, congénitas o degenerativas, cuando la fecha de estructuración de la invalidez —generada como consecuencia de dichas enfermedades— se determina de manera retroactiva, las administradoras de pensiones deben tener en cuenta, para la causación del derecho a la pensión de invalidez, las semanas cotizadas al Sistema de Pensiones con posterioridad a dicha fecha. Caso contrario, se estarían vulnerando los derechos fundamentales de sujetos de especial protección constitucional, así como desconociendo el esfuerzo de dichas personas en cotizar y ser solidario con el Sistema de Pensiones.

Finalmente, es importante tener en cuenta que el artículo 3° del Decreto 1507 de 2014[19] —por medio del cual se estableció el Manual Único para la Calificación de la Pérdida de la Capacidad Laboral y Ocupacional— ya citado, cambia la definición de la fecha de estructuración respecto del Manual anterior, al señalar que aquella se entiende como la fecha en la cual la persona pierde un porcentaje de pérdida de capacidad laboral igual o mayor al cincuenta por ciento (50%) y que se determina teniendo en cuenta la evolución de las secuelas que la enfermedad o el accidente allá dejado en ellas.

---

[19]   *"Artículo 3: Fecha de estructuración: Se entiende como la fecha en que una persona pierde un grado o porcentaje de su capacidad laboral u ocupacional, de cualquier origen, como consecuencia de una enfermedad o accidente, y que se determina con base en la evolución de las secuelas que han dejado éstos. Para el estado de invalidez, esta fecha debe ser determinada en el momento en el que la persona evaluada alcanza el cincuenta por ciento (50%) de pérdida de la capacidad laboral u ocupacional".*

De esta manera podría señalarse que, ésta nueva definición, contribuye a superar el inconveniente jurídico planteado en el presente acápite, pues las entidades facultadas para calificar la pérdida de capacidad laboral y con ello determinar la fecha de estructuración de la invalidez, deberán tener en cuenta la evolución de las secuelas, lo que permitiría evaluar la progresividad de la severidad de la enfermedad para así no desconocer el tiempo en el cual la persona trabajó y cotizó el sistema, a pesar del padecimiento de su enfermedad.

10.4. *Proceso de calificación de invalidez*

A continuación, expondremos el proceso que se lleva a cabo para calificar la pérdida de capacidad laboral:

Son interesados en el proceso de calificación

Cabe primero indicar que, de acuerdo con el Decreto 1352 del año 2013, se entenderá como personas interesadas en el dictamen y de obligatoria notificación o comunicación como mínimo las siguientes: 1. La persona objeto de dictamen o sus beneficiarios en caso de muerte. 2. La Entidad Promotora de Salud. 3. La Administradora de Riegos Laborales. 4. La Administradora del Fondo de Pensiones o Administradora de Régimen de Prima Media. 5. El Empleador. 6. La Compañía de Seguro que asuma el riesgo de invalidez, sobrevivencia y muerte.

Así las cosas, si no son notificados del proceso de calificación, el mismo estaría viciado de nulidad por violación al debido proceso de los interesados. En efecto, tal y como ha señalado la Corte Constitucional en sentencia de tutela T-093 del año 2016 lo siguiente:

> el debido proceso rige de manera general las actuaciones surgidas en torno a la forma en que las juntas de calificación de invalidez ejecutan el procedimiento señalado para establecer fecha, origen y porcentaje de calificación, entre otros ítems. Todo ello con la fundamentación suficiente que debe basarse principalmente en los elementos probatorios clínicos y valoraciones científicas a que haya lugar en cada caso particular. (M.P. Alejandro Linares Cantillo, 2016).

Calificación en primera oportunidad

Ahora bien, de acuerdo al artículo 142 del Decreto 019 del año 2012 en primera oportunidad califican cualquiera de las siguientes entidades: 1. La Administradoras del Sistema General de Pensiones tanto del RPM como del RAIS. 2. Compañías de Seguros que asuman el riesgo de invalidez y muerte.

3. La Administradora de Riesgos Laborales. 4. La Entidad Promotora de Salud.

Estas deben determinar tanto el grado de pérdida de capacidad laboral, como el origen de la misma que puede ser común o laboral y la fecha de estructuración de la invalidez como de la pérdida de capacidad laboral que dé origen a una indemnización por pérdida permanente parcial (prestación que se expondrá más adelante y que pertenece al subsistema de riesgos laborales).

El acto que declara la invalidez que expida cualquiera de las anteriores entidades, deberá contener expresamente los fundamentos de hecho y de derecho que dieron origen a esta decisión, así como la forma y oportunidad en que el interesado puede solicitar la calificación por parte de la Junta Regional y la facultad de recurrir esta calificación ante la Junta Nacional.

Manifestación de inconformidad contra el dictamen de primera oportunidad

En caso de que el interesado no esté de acuerdo con la calificación deberá manifestar su inconformidad dentro de los diez (10) días siguientes y la entidad deberá remitirlo a las Juntas Regionales de Calificación de Invalidez del orden regional dentro de los cinco (5) días siguientes.

A la luz del citado Decreto 1352 del año 2013, la solicitud ante la junta podrá ser presentada por las entidades que califican en primera oportunidad: 1. Administradoras del Sistema General de Pensiones. 2. Compañías de Seguros que asuman el riesgo de invalidez y muerte. 3. La Administradora de Riesgos Laborales. 4. La Entidad Promotora de Salud. 5. Las Compañías de Seguros en general. O directamente por: 6. El trabajador o su empleador. 7. El pensionado por invalidez o aspirante a beneficiario o la persona que demuestre que aquél está imposibilitado.

También se puede presentar: 8. Por intermedio de los inspectores de Trabajo del Ministerio del Trabajo, cuando se requiera un dictamen de las juntas sobre un trabajador no afiliado al sistema de seguridad social por su empleador. 9. Las autoridades judiciales o administrativas, cuando éstas designen a las juntas regionales como peritos. 10. Las entidades o personas autorizadas por las Secretarías de Educación y las autorizadas por la Empresa Colombiana de Petróleos. 11. Por intermedio de las administradoras del Fondo de Solidaridad Pensional, las personas que requieran la pensión por invalidez como consecuencia de eventos terroristas.

La solicitud se deberá presentar a la Junta Regional de Calificación de Invalidez que le corresponda según su jurisdicción teniendo en cuenta la ciudad de residencia de la persona objeto de dictamen.

El trabajador o su empleador, el pensionado por invalidez o aspirante a beneficiario podrán presentar la solicitud de calificación o recurrir directamente a la Junta de Calificación de Invalidez, sin esperar que lo remita la autoridad que lo profirió en primera oportunidad, en los siguientes casos: a) Si transcurridos treinta (30) días calendario después de terminado el proceso de rehabilitación integral aún no ha sido calificado en primera oportunidad, en todos los casos, la calificación no podría pasar de los quinientos cuarenta (540) días de ocurrido el accidente o diagnosticada la enfermedad, caso en el cual tendrá derecho a recurrir directamente a la Junta. Lo anterior sin perjuicio que dicho proceso de rehabilitación pueda continuar después de la calificación. b) Cuando dentro de los cinco (5) días siguientes a la manifestación de la inconformidad, conforme al artículo 142 del Decreto 19 de 2012, las entidades de seguridad social no remitan el caso ante la Junta Regional de Calificación de Invalidez.

De acuerdo al artículo 30 del Decreto 1352 del año 2013, los expedientes o casos para ser tramitados en las juntas de calificación de invalidez requieren unos requisitos mínimos, según se trate de accidente, enfermedad o muerte, los cuales independientemente de quien es el actor responsable de la información debe estar anexa en el expediente a radicar, así:

De acuerdo a lo señalado por el mentado artículo la X refiere a que se requiere y NA significa que no aplica.

Requerimientos mínimos para el empleador	Enfermedad	Accidente	Muerte
Formato Único de Reporte de Accidente de Trabajo FURAT o el que lo sustituya o adicione, debidamente diligenciado por la entidad o persona responsable, o en su defecto, el aviso dado por el representante del trabajador o por cualquiera de los interesados	X	X	X
El informe del resultado de la investigación sobre el accidente realizado por el empleador conforme lo exija la legislación laboral y seguridad social.	X	NA	X

Requerimientos mínimos para el empleador	Enfermedad	Accidente	Muerte
Evaluaciones médicas ocupacionales de ingreso, periódicas o de egreso o retiro. Si el empleador no contó con alguna de ellas deberá reposar en el expediente certificado por escrito de la no existencia de la misma, caso en el cual la entidad de seguridad social debió informar esta anomalía a la Dirección Territorial del Ministerio del Trabajo para la investigación y sanciones a que hubiese lugar.	NA	X	NA
Contratos de trabajo, tiempo de exposición si existen, durante el	NA	X	NA
Información ocupacional con descripción de la exposición ocupacional que incluyera la Información referente a la exposición a factores de riesgo con mínimo los siguientes datos:	NA	X	NA
Definición de los factores de riesgo a los cuales se encontraba o encuentra expuesto el trabajador, conforme al sistema de gestión de seguridad y salud en el trabajo.	NA	X	NA
2. Tiempo de exposición al riesgo o peligro durante su jornada laboral y/o durante el periodo de trabajo, conforme al sistema de gestión de seguridad y salud en el trabajo.	NA	X	NA
3. Tipo de labor u oficio desempeñados durante el tiempo de exposición, teniendo en cuenta el factor de riesgos que se está analizando como causal	NA	X	NA
4. Jornada laboral real del trabajador	NA	X	NA
5. Análisis de exposición al factor de riesgo al que se encuentra asociado la patología, lo cual podrá estar en el análisis o evaluación de puestos de trabajo relacionado con la enfermedad en estudio.	NA	X	NA
6. Descripción del uso de determinadas herramientas, aparatos, equipos o elementos, si se requiere.	NA	X	NA
Requerimientos mínimos para entidad que califica en primera oportunidad	Enfermedad	Accidente	Muerte
Formulario de solicitud de dictamen diligenciado	X	X	X
Fotocopia simple del documento de identidad de la persona objeto de dictamen o en su defecto el número correspondiente.	X	X	NA

Requerimientos mínimos para el empleador	Enfermedad	Accidente	Muerte
Calificación del origen y pérdida de la capacidad laboral junto con su fecha de estructuración si el porcentaje de este último es mayor a cero.	X	X	X
Certificación o constancia del estado de rehabilitación integral o de su culminación o la no procedencia de la misma antes de los quinientos cuarenta (540) días de presentado u ocurrido el accidente o diagnosticada la enfermedad.	X	X	NA
Si el accidente fue grave o mortal, el concepto sobre la investigación por parte de la Administradora de Riesgos Laborales.	X	NA	X
Copia completa de la historia clínica de las diferentes Instituciones Prestadoras de Servicios de Salud, incluyendo la historia Única ocupacional, Entidades Promotoras de Salud, Medicina Prepagada o Médicos Generales o Especialistas que lo hayan atendido, que incluya la información antes, durante y después del acto médico, parte de la información por ejemplo debe ser la versión de los hechos por parte del usuario al momento de recibir la atención derivada del evento. En caso de muerte la historia clínica o epicrisis de acuerdo con cada caso. Si las Instituciones Prestadoras de Servicios de Salud no hubiesen tenido la historia clínica, o la misma no esté completa, deberá reposar en el expediente certificado o constancia de este hecho, caso en el cual, la entidad de seguridad social debió informar esta anomalía a los Entes Territoriales de Salud, para la investigación e imposición de sanciones él que hubiese lugar.	X	X	X
Conceptos o recomendaciones y/o restricciones ocupacionales si aplica.	X	X	NA
Registro civil de defunción, si procede	NA	NA	X
Acta de levantamiento del cadáver, si procede	NA	NA	X
Protocolo de necropsia, si procede	NA	NA	X
Otros documentos que soporten la relación de causalidad, si los hay.	X	X	X

El expediente que se radique en la Junta de Calificación de Invalidez debe contener los datos actualizados para realizar la notificación de la persona objeto del dictamen, así como la copia de la consignación del pago de honorarios para la realización del dictamen en primera instancia.

Procedimiento ante la Junta Regional de Calificación de invalidez

Cuando la solicitud no esté acompañada de los documentos señalados, la correspondiente Junta, indicará al solicitante cuáles son los documentos faltantes a través de una lista de chequeo. La lista de chequeo será firmada por el Director Administrativo y Financiero de la junta, debe contener el número de radicado y será devuelta al solicitante, el expediente por tanto seguirá en custodia del solicitante. Se otorgará un término de treinta (30) días calendario para que allegue el expediente completo, lapso durante el cual estará suspendido el término para decidir. Se entenderá que el peticionario ha desistido de su solicitud ante la junta cuando no allegue los requisitos faltantes, salvo que antes de vencer el plazo concedido radique solicitud de prórroga hasta por un término igual.

Vale señalar que el ya citado artículo 142 del Decreto 019 del año 2012, indica expresamente que cuando la incapacidad declarada por una de las entidades que califican en primera oportunidad sea inferior en no menos del diez por ciento (10%) a los límites que califican el estado de invalidez, tendrá que acudirse en forma obligatoria a la Junta Regional de Calificación de Invalidez por cuenta de la respectiva entidad. Esto significa que cuando la calificación es igual o superior al cuarenta y un por ciento (41%) el dictamen será conocido obligatoriamente por la Junta Regional de Calificación.

Radicadas las solicitudes, dentro de los dos (2) días hábiles siguientes, el Director Administrativo y Financiero procederá a efectuar el reparto entre los médicos integrantes de la correspondiente junta de manera proporcional. Cuando existan varias salas de decisión en una Junta de Calificación de Invalidez, el reparto lo hará el Director Administrativo y Financiero en forma equitativa y para todas las salas existentes por igual número.

Las Juntas de Calificación de Invalidez tendrán sus audiencias privadas de decisión en la sede de la Junta como mínimo tres (3) veces por semana, de conformidad con el número de solicitudes allegadas, de modo que se dé cumplimiento a los términos establecidos en el presente decreto.

Después de ser repartida a un médico y conforme a la frecuencia de las reuniones señaladas se procederá a:

a) El Director Administrativo y Financiero de la junta citará al paciente por cualquier medio idóneo dentro de los dos (2) días hábiles siguientes de lo cual se dejará constancia en el expediente.

b) La valoración al paciente o persona objeto de dictamen deberá realizarse dentro de los diez (10) días hábiles siguientes a la citación.

c) En caso de no asistencia del paciente a la valoración, en el término anterior, al siguiente día el Director Administrativo y Financiero de la junta citará nuevamente por correo físico que evidencie el recibido de la citación para la valoración, esta última deberá realizarse dentro de los quince (15) días calendarios siguientes al envío de la comunicación.

d) En caso de no asistencia del paciente a la valoración, en el término anterior, al siguiente día luego del paso anterior, el Director Administrativo y Financiero de la junta dará aviso por escrito a la Administradora de Riesgos Laborales o Administradora del Sistema General de Pensiones de acuerdo a si la calificación en primera oportunidad fue de origen común o laboral, cuya constancia debe reposar en el expediente, indicándole la nueva fecha y hora en la que se debe presentar el paciente para que esta lo contacte y realice las gestiones para su asistencia. La valoración de la persona se deberá realizar dentro de los quince (15) días calendarios siguientes al recibo de la comunicación escrita a las Entidades anteriormente mencionadas.

e) Dentro de los cinco (5) días hábiles posteriores a la valoración del paciente, el médico ponente estudiará las pruebas y documentos suministrados y radicará la ponencia.

f) Cuando el médico ponente solicite la práctica de pruebas o la realización de valoraciones por especialistas, éste señalará el término para practicarlas.

g) Recibidos los resultados de las pruebas o valoraciones solicitadas, el médico ponente radicará el proyecto de dictamen dentro de los dos (2) días hábiles a su recibo y se incluirá el caso en la siguiente reunión privada de la junta.

h) Una vez radicada la ponencia el Director Administrativo y Financiero procederá a agendar el caso en la siguiente audiencia privada de decisión, que en todo no podrá ser superior a cinco (5) días hábiles.

Las Juntas de Calificación de Invalidez adoptarán sus decisiones en audiencia privada, donde asistirán de manera presencial todos los integrantes principales de la respectiva sala, sin participación de las partes interesadas, entidades de seguridad social o apoderados, la decisión se tomará con el voto favorable de la mayoría de ellos, y votarán todos los integrantes de la junta.

En caso de no existir quórum, el Director Administrativo y Financiero de la junta convocará la actuación del suplente y en su ausencia, solicitará a la

Dirección de Riesgos Laborales del Ministerio del Trabajo, la designación de un integrante Ad-hoc.

Tanto el voto como la ponencia deberán surtirse en forma escrita, de lo actuado en la audiencia privada se deberá elaborar acta y de todo lo anterior se dejará constancia en el expediente correspondiente.

La decisión de la Junta podrá considerar tanto el porcentaje, el origen como la fecha de estructuración y podrá modificarlo incluso en contra de los intereses de los beneficiarios. Y lo anterior toda vez que lo que interesa es que se profiera un dictamen técnico y científico que atienda la realidad de la situación.

Notificación del dictamen

Una vez la junta profiera el dictamen, dentro de los dos (2) días calendarios siguientes a la fecha de celebración de la audiencia privada, la Junta Regional de Calificación de Invalidez citará a través de correo físico que deje constancia del recibido a todas las partes interesadas para que comparezcan dentro de los cinco (5) días hábiles al recibo de la misma para notificarlas personalmente. Vencido el término anterior y si no es posible la notificación, se fijará en un lugar visible de la sede de la junta durante diez (10) días hábiles, indicando la fecha de fijación y retiro del aviso.

Recursos contra el dictamen de la Junta Regional

Contra el dictamen emitido por la Junta Regional de Calificación de Invalidez proceden los recursos de reposición y/o apelación, presentados por cualquiera de los interesados ante la Junta Regional de Calificación de Invalidez que lo profirió, directamente o por intermedio de sus apoderados dentro de los diez (10) días siguientes a su notificación, sin que requiera de formalidades especiales, exponiendo los motivos de inconformidad, acreditando las pruebas que se pretendan hacer valer y la respectiva consignación de los honorarios de la Junta Nacional si se presenta en subsidio el de apelación.

Resolución de los recursos

El recurso de reposición deberá ser resuelto por las Juntas Regionales dentro de los diez (10) días calendario siguientes a su recepción y no tendrá costo, en caso de que lleguen varios recursos sobre un mismo dictamen este término empezará a contarse desde la fecha en que haya llegado el último recurso dentro de los tiempos establecidos.

Presentado el recurso de apelación en tiempo, el Director Administrativo y Financiero de la Junta Regional de Calificación de Invalidez remitirá todo el expediente con la documentación que sirvió de fundamento para el dictamen dentro de los dos (2) días hábiles siguientes a la Junta Nacional de Calificación de Invalidez, salvo en el caso en que falte la consignación de los honorarios la Junta Nacional.

De conformidad con el artículo 142 del Decreto 19 de 2012 la Junta Nacional deberá decidir la apelación que haya sido impuesta, en un término de cinco (5) días hábiles contados a partir de la radicación de la ponencia.

En los casos de apelación, la Junta Nacional de Calificación de Invalidez dentro de los dos (2) días calendario siguientes a la fecha de celebración de la audiencia privada comunicará el dictamen por correo físico que deje constancia de su entrega a la persona objeto del dictamen y a las demás personas interesadas.

Este dictamen también podrá modificar el origen, el porcentaje y la fecha.

Dictamen en firme

Las controversias que se susciten en relación con los dictámenes emitidos en firme por las Juntas de Calificación de Invalidez, serán dirimidas por la justicia laboral ordinaria de conformidad con lo previsto en el Código Procesal del Trabajo y de la Seguridad Social, mediante demanda promovida contra el dictamen de la junta correspondiente.

Un dictamen en firme puede ser atacado por vía judicial. Se entiende que un dictamen está en firme cuando: a. Contra el dictamen en primera oportunidad no se haya manifestado inconformidad dentro del término previsto; b. Cuando interpuesto no se haya interpuesto el recurso de reposición y/o apelación dentro del término de diez (10) días siguientes a su notificación en contra del dictamen proferido por la Junta Regional. c. Cuando se hayan resuelto los recursos interpuestos y se hayan notificado o comunicado en los términos establecidos en el presente decreto.

Para efectos del proceso judicial, el Director Administrativo y Financiero representará a la junta como entidad privada del régimen de seguridad social integral, con personería jurídica, y autonomía técnica y científica en los dictámenes.

Sobre la naturaleza del dictamen vale señalar que la Corte Suprema de Justicia en reiterada jurisprudencia indica que es un medio probatorio independiente. (M.P. Jorge Mauricio Burgos, 2016).

Miembros de las Juntas de Calificación

De acuerdo al artículo 5° del Decreto 1352 de 2013, las Juntas de Calificación de Invalidez se integrarán de acuerdo con las listas de elegibles conformadas a través del concurso efectuado por el Ministerio del Trabajo.

El periodo de vigencia de funcionamiento de las juntas será de tres (3) años a partir de la fecha de posesión de los integrantes de cada Junta que señale el Ministerio del Trabajo.

El Ministerio del Trabajo determinará la conformación de las Juntas de Calificación de Invalidez y como mínimo tendrá el siguiente número de integrantes:

1. Junta nacional de calificación de invalidez:

Se conforma por cinco (5) integrantes, así: a) Tres (3) médicos: Dos (2) con título de especialización en salud ocupacional o medicina del trabajo o laboral y uno (1) con título de especialización en fisiatría, con una experiencia mínima de cinco (5) años en su especialidad. b) Un (1) psicólogo, con título de especialización en salud ocupacional con una experiencia profesional mínima de cinco (5) años. c) Un (1) terapeuta físico u ocupacional, con título de especialización en salud ocupacional, con una experiencia profesional mínima de cinco (5) años.

2. Juntas regionales de calificación de invalidez: Las Juntas Regionales se clasificarán en Tipo A y Tipo B, y su conformación será de tres (3) integrantes, así: a) Dos (2) médicos, los cuales deben tener especialización en medicina laboral o medicina del trabajo o salud ocupacional y contar con una experiencia mínima de cinco (5) años. b) Un (1) psicólogo o terapeuta físico u ocupacional, con título de especialización en salud ocupacional con una experiencia profesional mínima de cinco (5) años.

Las Juntas Regionales de Calificación de Invalidez Tipo A, son: Bogotá y Cundinamarca, Valle del Cauca, Antioquia, Atlántico, Bolívar, Santander, Norte de Santander, Magdalena, Córdoba, Sucre, Cesar, Quindío, Risaralda, Caldas, Nariño, Cauca, Huila, Tolima, Boyacá y Meta.

Las Juntas Regionales de Calificación de Invalidez Tipo B, son: Arauca, Chocó, Guajira, Putumayo, Guaviare, Vaupés, Caquetá, Casanare, Guainía, Vichada, Amazonas y San Andrés y Providencia.

Vale finalmente señalar que los honorarios que se deben cancelar a las juntas corresponderán a un (1) salario mínimo mensual legal vigente por cada dictamen solicitado, sin importar el número de patologías que se presenten y deban ser evaluadas, del cual un porcentaje será para el pago de honorarios de los integrantes de las Juntas y otro porcentaje a la administración de la Junta.

10.5 *Indemnización sustitutiva en el Régimen de Prima Media*

El legislador al crear el reglamento general del seguro social mediante el Decreto 3041 de 1966, y al promulgarse La Ley 100 de 1993 consideró que la finalidad de la seguridad social se concretaba en garantizar a la población el reconocimiento de las pensiones de vejez, invalidez y muerte a partir del cumplimiento de unos requisitos específicos para cada caso, creando no obstante mecanismos alternativos para los afiliados que no alcancen a cumplir requisitos exigidos para ser beneficiarios de las pensiones señaladas y cuales son: la indemnización sustitutiva en el régimen de prima media con prestación definida y la devolución de saldos en el régimen de ahorro individual con solidaridad.

La Ley 100 de 1993 en su artículo 45 y el Decreto 4640 de 2005 indicaron que habría lugar a recibir una indemnización sustitutiva de la pensión de invalidez cuando no acreditase el afiliado el requisito de semanas mínimas exigido al momento de estructurar su invalidez de origen común, señalando que la misma sería liquidada conforme a la indemnización sustitutiva de vejez. Y finalmente señala el artículo 4° del Decreto 1730 de 2001 que para acceder a la misma sólo se requiere acreditar el estado invalidante al tiempo de no tener las semanas mínimas exigidas.

La Corte Constitucional en la sentencia de tutela T-001 de 2009 (M.P Nilson Pinilla Pinilla), por su parte define la indemnización sustitutiva como:

> La indemnización sustitutiva de la pensión de vejez, invalidez o supervivencia es una garantía establecida por el legislador que busca sustituir la prestación, cuando no se cumplen los requisitos para su reconocimiento; es claro, mutatis mutandis, que puede equipararse a un derecho pensional, razón por la cual el parámetro de imprescriptibilidad para este tipo de derechos, fijado por la jurisprudencia debe aplicarse en este ámbito, es decir, que su exigibilidad surge en cualquier tiempo, sujetándose a normas de prescripción pero una vez ha sido efectuado su reconocimiento por parte de la autoridad correspondiente. (M.P Nilson Pinilla Pinilla, 2009).

Aun cuando indique que la indemnización puede sustituir una pensión a efectos de darle el mismo tratamiento en cuanto a la imprescriptibilidad, en modo alguno la misma pueda operar como un remplazo. Pues si suponemos que es un remplazo, en caso de haber optado por la misma, y al haber recuperado su capacidad laboral teniendo en cuenta la obligación del sistema de seguridad social de buscar la rehabilitación del inválido y la naturaleza esencialmente transitoria de la pensión de invalidez, como lo indicábamos en un comienzo, no podría contabilizarse el tiempo cotizado tenido en cuenta a efectos de liquidar la indemnización para liquidarle una futura pensión bien de vejez o de invalidez, al haber sustituido aquella a estas. No puede considerarse en efecto que la indemnización suple el riesgo de invalidez o vejez, pudiendo en consecuencia el que fue inválido y beneficiario de una indemnización, optar en un futuro por una pensión de invalidez o vejez.

Con todo sin rastrear jurisprudencia al respecto, cabe el mismo trato dado por la Corte Suprema de Justicia a los casos en que ha habido un reconocimiento erróneo de indemnización cuando en derecho debió proceder el reconocimiento de la pensión de vejez, por culpa imputable a la entidad, partiendo del carácter provisional de la misma indemnización. En tales casos en efecto se reconoció la pensión, no obstante haberse reconocido la indemnización. Al respecto se puede consultar la sentencia con radicación 41956 del 10 de diciembre de 2015 y con ponencia del magistrado Luis Gabriel Miranda Buelvas, en donde la Sala Laboral de la Corte Suprema indicó:

> (...) la indemnización sustitutiva se ha contemplado como una prestación provisional, que si bien no excluye el reconocimiento pensional cuando con posterioridad se constata que lo que realmente procedía era la pensión de vejez, lo cierto es que para la contabilización de las semanas cotizadas debe tenerse en cuenta lo aportado con anterioridad a la manifestación expresa de acceder a la suma indemnizatoria (...). (M.P. Luis Gabriel Miranda Buelvas, 2015).

Así, en caso de haberse reconocido una indemnización y luego seguir cotizando por haber recuperado la capacidad laboral y haberse reinsertado al mercado laboral, el tiempo tenido en cuenta para la liquidación de la indemnización debe considerarse a efectos de liquidar una pensión futura. Valdría peguntarse si tal y como sucede en tales casos, cabe descontar el valor pagado por concepto de indemnización. Sin embargo, no habría lugar a descuento porque se trataría de la respuesta a un riesgo que sí se estructuró y no de la respuesta errónea a un riesgo.

Ahora bien, vale finalmente indicar que conforme al artículo 15 del Decreto 832 de 1996, cuando ha cesado el estado invalidante, se le tomará como tiempo cotizado aquel durante el cual gozó de la pensión de invalidez, tomando como salario devengado en tal tiempo, el ingreso base de liquidación utilizado para el cálculo de su pensión actualizado anualmente con el índice de precios al consumidor suministrado por el DANE.

10.6. *Monto Pensión de Invalidez*

El monto de la pensión de invalidez depende del porcentaje de pérdida de capacidad laboral a la luz de la normativa vigente:

a. Cuando la disminución en su capacidad laboral sea igual o superior al cincuenta por ciento (50%) e inferior al sesenta y seis por ciento (66%), el monto de la pensión será el cuarenta y cinco por ciento (45%) del ingreso base de liquidación (ya explicado en la pensión de vejez), más el uno punto cinco por ciento (1.5%) de dicho ingreso por cada cincuenta (50) semanas de cotización que el afiliado tuviese acreditadas con posterioridad a las primeras quinientas (500) semanas de cotización.

b. Cuando la disminución en su capacidad laboral es igual o superior al sesenta y seis por ciento (66%) corresponderá al cincuenta y cuatro por ciento (54%) del ingreso base de liquidación, más el dos por ciento (2%) de dicho ingreso por cada cincuenta (50) semanas de cotización que el afiliado tuviese acreditadas con posterioridad a las primeras ochocientas (800) semanas de cotización,

La pensión por invalidez no podrá ser superior al 75% del ingreso base de liquidación.

En ningún caso la pensión de invalidez podrá ser inferior al salario mínimo legal mensual.

La pensión de invalidez se reconocerá a solicitud de parte interesada y comenzará a pagarse, en forma retroactiva, desde la fecha en que se produzca tal estado. Es incompatible con el subsidio por incapacidad temporal, luego se reconocerá desde que deje de recibirse este subsidio.

10.7. *Devolución de saldos en el Régimen de Ahorro Individual con Solidaridad*

La Ley 100 de 1993 en su artículo 72 indica que habrá lugar a la devolución de saldos por invalidez, cuando no se cumplan las semanas exigidas para su causación por parte del afiliado al momento de invalidarse dentro del régimen de ahorro individual, teniendo derecho a que se le entregue la totalidad del saldo que tenga en su cuenta de ahorro individual, incluidos los rendimientos financieros y el valor del bono si hubiere lugar. No obstante, señala el legislador, que en tales casos el afiliado podrá mantener el saldo en la cuenta de ahorro para optar en un futuro por una pensión de vejez, en caso de seguir cotizando.

Haciéndonos la misma pregunta suscitada por la indemnización sustitutiva, cabe indicar que la diferente manera en que se financian las pensiones en ambos regímenes, nos impide darle la misma respuesta. No resulta tan claro tomar el capital devuelto en virtud de la devolución de saldos, para financiar una pensión futura que se financia con cargo al mismo capital dispuesto en la cuenta de ahorro individual. En tales casos, no parece lógico optar por la misma solución prevista en el régimen de prima media, encontrándose justificado así la última parte del artículo. En efecto si el legislador no fuese consciente de este riesgo, no habría previsto la posibilidad de seguir cotizando a efectos de lograr el capital para alcanzar la pensión de vejez. Así, esta última parte indica que sólo y si sigue cotizando podrá optar en un futuro por una pensión de vejez incluyendo para su liquidación este capital que de no seguir cotizando sería devuelto.

Con todo, las administradoras de fondos de pensiones del régimen de ahorro individual, deben advertirle al afiliado las consecuencias derivadas de la devolución de saldos, informándolo de la posibilidad de seguir cotizando a efectos de causar una pensión de vejez en un futuro conforme al mismo artículo 72 de la Ley 100, para evitar que el pago único que constituye la devolución de saldos le impida alcanzar una prestación periódica vitalicia en la vejez.

11. CONCEPTO Y FINALIDAD DE LA PENSIÓN DE SOBREVIVENCIA

La pensión de sobrevivencia, consagrada en el Sistema General de Pensiones creado por la Ley 100 de 1993 consiste en una prestación económica que surge como medida de protección al núcleo familiar por la muerte del afiliado o el pensionado quien proveía el sustento para su familia, como consecuencia de una enfermedad o accidente de origen común. (Arenas G., El derecho colombiano de la Seguridad Social, 2011, pág. 336).

En esta medida, la finalidad de la pensión de sobrevivientes es resguardar económicamente a los familiares más cercanos que brindaron ayuda y compañía al causante, o que dependían económicamente de éste y que, como consecuencia de su muerte ven afectados los recursos necesarios para proveerse una vida digna. Así, la Corte Constitucional en sentencia C-080 de 1999 señaló:

> La pensión de sobrevivientes busca impedir que, ocurrida la muerte de una persona, quienes dependían de ella se vean obligados a soportar individualmente las cargas materiales y espirituales de su fallecimiento. Desde esta perspectiva,

> responde a la necesidad de mantener para su beneficiario, al menos el mismo grado de seguridad social y económica con que contaba en vida del pensionado fallecido, que al desconocerse puede significar, en no pocos casos, reducirlo a una evidente desprotección y posiblemente a la miseria. (M.P. Alejandro Martínez Caballero, 1999).

Más adelante, en sede de tutela, a través de la sentencia T-124 de 2012 (M.P. Jorge Ignacio Pretelt Chaljub, 2012), el Alto Tribunal Constitucional señaló la importancia que tiene la prestación que hoy nos ocupa para garantizar la dignidad de los beneficiarios de la pensión.

> Es innegable la importancia y la finalidad que como derechos fundamentales tienen la pensión de sobrevivientes y la sustitución pensional, pues éstas buscan lograr a favor de los beneficiarios, un trato digno y justo, mediante la sustitución de la ausencia del apoyo económico que deja el familiar muerto. (M.P. Jorge Ignacio Pretelt Chaljub, 2012).

Dicho lo anterior, es evidente que la finalidad esencial de la pensión de sobrevivientes es ofrecer una protección económica a los familiares del afiliado o del pensionado que fallece, impidiendo, de alguna forma, que los beneficiarios de dicha pensión se vean privados de los ingresos que suministraba el afiliado o pensionado, de quién dependían económicamente.

Aunado a lo anterior, es importante señalar que, si bien la pensión de sobrevivientes es una prestación económica, en determinados casos es tutelable en la medida que el reconocimiento y pago de la misma garantiza el mínimo vital de los beneficiarios del causante. Así, en sentencia T-049 de 2002 (M.P. Marco Gerardo Monroy Cabra, 2002) la Corte Constitucional indicó:

> La pensión de sobrevivientes es un derecho fundamental por estar contenido dentro de valores tutelables: el derecho a la vida, a la seguridad social, a la salud, al trabajo. Es inalienable, inherente y esencial. Y, hay una situación de indefensión del beneficiario respecto a quien debe pagarle la mesada (M.P. Marco Gerardo Monroy Cabra, 2002).

Finalmente, la pensión de sobrevivientes es compatible con la de vejez, toda vez que si bien la dependencia económica es determinante a efectos de establecer el lazo entre el beneficiario y el causante, la misma no se refiere a una carencia absoluta de ingresos, por lo que recibir una pensión de vejez no supone que la persona haya superado la pérdida económica que busca atenderse con la pensión de sobrevivientes. De igual manera son compatibles ya que tienen una finalidad diferente y dependen de cotizaciones que se realizaron de manera independiente: mientras la de vejez depende de cotizaciones realizadas por el mismo afiliado en su propio provecho, la de sobrevivientes depende de las cotizaciones que realizó el causante en favor de unos terceros denominados beneficiarios.

11.1. Requisitos para generar la pensión de sobrevivencia

Para el reconocimiento de la pensión de sobrevivencia por parte del Sistema General de Pensiones se requiere en primer lugar, que el afiliado o pensionado por invalidez o vejez fallezca como consecuencia de un riesgo de origen común y, en segundo lugar, que el afiliado cumpla con las semanas de cotización exigidas en la norma que le es aplicable.

Así, la fecha del deceso determinará la norma aplicable para el reconocimiento de la pensión de sobrevivientes, pues debido al alto costo financiero que ha generado la exigencia de periodos de cotización escasos, han existido distintos cambios normativos que han aumentado este requisito. (Arenas G., El derecho colombiano de la Seguridad Social, 2011, pág. 337) Dentro de las normas vigentes que determinan el número de semanas de cotización que debió haber realizado el afiliado para generar la pensión de sobrevivientes se encuentran el Acuerdo 049 de 1990 —aprobado por el Decreto 758 de 1990—, la Ley 100 de 1993 y la Ley 797 de 2003.

Cabe indicar que causan la pensión de sobrevivientes los beneficiarios del afiliado o del pensionado por invalidez o vejez. Cuando son los del afiliado, el causante por su parte en vida debió acreditar un mínimo de semanas que se explicarán a continuación y que han cambiado a lo largo de los diferentes cuerpos normativos. Y cuando son los del pensionado, simplemente basta que el causante haya disfrutado de una pensión de vejez o invalidez en vida. Los beneficiarios como se explicará más adelante deben también acreditar unas condiciones para gozar de la pensión de sobrevivientes.

Debe señalarse además que los requisitos de causación de cara a las semanas mínimas del afiliado y a la condición de beneficiario, son iguales tanto en el RAIS como en el RPM. En el RAIS, además se debe contratar un seguro previsional, con una compañía de seguros de vida, con el fin de garantizar la financiación de la pensión obligatoria a que tenga derecho, conforme a la Ley 100 de 1993, en caso de invalidez o muerte de uno de sus afiliados. Esta aseguradora garantizará el reconocimiento pensional si lo ahorrado en la cuenta individual resultare ser insuficiente para su financiación.

Dicho esto, pasamos a exponer los requisitos sobre las semanas que debe acreditar el causante en vida.

Decreto 758 de 1990

El Acuerdo 049 de 1990 —aprobado por el Decreto 758 de 1990—, señala en su artículo 25 que para acceder a la pensión de sobrevivientes se deben cumplir los requisitos consagrados para obtener la pensión de invalidez. De esta forma, se tiene que es necesario que el causante hubiese cotizado ciento cincuenta (150) semanas dentro de los seis (6) años anteriores a la fecha de la muerte, o trescientas (300) semanas en cualquier época, con anterioridad a la fecha del deceso.

Ley 100 de 1993

Por su parte, el artículo 46 de la Ley 100 de 1993 en su estado original indicaba que el afiliado causante al momento de su muerte debió haber cotizado veintiséis (26) semanas al sistema, siempre que para dicha fecha fuera cotizante activo o; en caso que hubiere dejado de cotizar al sistema, debió haber efectuado aportes durante las veintiséis (26) semanas en el año inmediatamente anterior a la fecha de la muerte.

Ley 797 de 2003

Finalmente, el artículo 12 de la Ley 797 de 2003, que modifica el artículo 46 de la Ley 100 de 1993, determinó que para generar la pensión de sobrevivientes era necesario que se acreditara que el afiliado al momento de su muerte: (i) hubiera cotizado cincuenta (50) semanas dentro de los tres (3) últimos años anteriores al fallecimiento y (ii) acreditara una fidelidad con el sistema así: tratándose de muerte causada por enfermedad de origen común, el afiliado mayor a veinte (20) años de edad debió haber cotizado al menos veinticinco por ciento (25%) del tiempo transcurrido entre los veinte (20) años de edad y la fecha del fallecimiento, mientras que el afiliado de la misma edad que muriera como consecuencia de un accidente de origen común debía haber cotizado al menos el veinte por ciento (20%) del tiempo transcurrido entre los veinte (20) años de edad y la fecha de la muerte.

Igualmente estableció que cuando un afiliado (Esté en el RPM o en el RAIS) haya cotizado el número de semanas mínimo requerido en el régimen de prima media en tiempo anterior a su fallecimiento, sin que haya tramitado o recibido una indemnización sustitutiva de la pensión de vejez o la devolución de saldos, los beneficiarios de la pensión tendrán derecho a la pensión de sobrevivientes. El monto de la pensión en este caso será del ochenta por ciento (80%) del monto que le hubiera correspondido en una pensión de vejez.

Con posterioridad, la Corte Constitucional, mediante sentencia C-1094 de 2003 (M.P Jaime Córdoba Triviño, Jaime Córdoba Triviño) declaró exequible condicionado el requisito de fidelidad establecido por la Ley 797 de 2003, en el entendido que, atendido los principios de igualdad y univer-salidad, independientemente de la causa de la muerte, la fidelidad con el sistema debía ser de veinte por ciento (20%) de cotizaciones.

Bajo nuevos cargos, el Alto Tribunal Constitucional volvió a examinar la constitucionalidad del requisito de fidelidad al que nos hemos referido y en sentencia C-556 de 2009 (M.P Nilson Pinilla Pinilla, 2009), se declararon inexequibles los literales a) y b) del artículo 12 de la Ley 797 de 2003 que establecían el requisito de fidelidad. Para llegar a dicha consideración la Corte consideró que se trataba de una medida regresiva que vulneraba el principio de progresividad de los derechos en materia de seguridad social.

> Es decir, la exigencia de fidelidad de cotización, que no estaba prevista en la Ley 100 de 1993, es una medida regresiva en materia de seguridad social, puesto que la modificación establece un requisito más riguroso para acceder a la pen-sión de sobrevivientes, desconociendo la naturaleza de esta prestación, la cual no debe estar cimentada en la acumulación de un capital, sino que por el contrario, encuentra su fundamento en el cubrimiento que del riesgo de fallecimiento del afiliado se está haciendo a sus beneficiarios. (M.P Nilson Pinilla Pinilla, 2009).

Ahora bien, respecto de la declaratoria de inexequibilidad es importante indicar que la Corte Constitucional en la sentencia anteriormente referida no estableció si su fallo tenía efectos retroactivos, motivo por el cual ante situaciones de afiliados que murieron entre la expedición de la Ley 797 de 2003 y la fecha de la declaratoria de inexequibilidad, la Sala Laboral de la Corte Suprema de Justicia aplicó el requisito de fidelidad al considerar que durante este periodo de tiempo la norma se encontraba vigente y surtiendo plenos efectos.

Con todo, la anterior posición fue revaluada en el año 2012 por la Sala Laboral de la Corte Suprema de Justicia, cuando a través de la sentencia del 20 de junio de 2012, radicado 42540 (M.P. Jorge Mauricio Burgos Ruíz, 2012) acogió la necesidad de aplicar de forma retroactiva la inexequibili-dad declarada por la sentencia C-556 de 2009 (M.P. Nilson Pinilla Pinilla), como si el requisito de fidelidad no hubiese existido en nuestro sistema jurídico.

> En estos eventos y ante la existencia de una disposición legal que descono-ce el principio de progresividad el cual irradia las prestaciones de la seguridad social, el juzgador para lograr la efectividad de los postulados que rigen la mate-ria y valores caros a un estado de derecho consagrados en nuestra Constitución Política, especialmente los artículos 48 y 53, y que encuentran sustento también en la regulación internacional como la Declaración Universal de los Derechos Humanos, y los tratados sobre el tema ratificados por el Estado Colombiano los cuales prevalecen sobre el orden interno, debe abstenerse de aplicar la disposi-

ción regresiva aún frente a situaciones consolidadas antes de la declaratoria de inexequibilidad, en las hipótesis en que ella se constituya en un obstáculo para la realización de la garantía pensional (M.P. Jorge Mauricio Burgos Ruíz, 2012).

Condición más beneficiosa

Resulta importante indicar que, la Sala Laboral de la Corte Suprema de Justicia ha establecido una línea jurisprudencial para, bajo el principio de la condición más favorable, solucionar aquellos casos en los cuales el afiliado no logra cumplir con los requisitos señalados en la norma vigente al momento del siniestro, pero sí con los presupuestos establecidos en la norma inmediatamente anterior. ´

Condición más beneficiosa en el tránsito del Acuerdo 049 de 1990 (Decreto 758 de 1990) a la Ley 100 de 1993

Cuando la muerte del afiliado ocurre en vigencia de la Ley 100 de 1993, en su redacción original es posible estudiar el reconocimiento de la pensión de sobrevivientes, con apego a los requisitos establecidos en el Acuerdo 049 de 1990, aprobado por el Decreto 758 de 1990.

En efecto, si bien aparece que exigir un requisito de 26 semanas de cotización para el acceso a las prestaciones es más favorable para la mayoría de la población protegida, para algunos que tenían una situación concreta con anterioridad podían verse desfavorecidos por la norma vigente.

Este precedente ha sido desarrollado por la Corte Constitucional, entre otras sentencias, en las siguientes: T-008 de 2006 (M.P. Marco Gerardo Monroy Cabra, 2006), T-584 de 2011 (M.P. Jorge Ignacio Pretelt Chaljub, 2011), T-563 de 2012 (M.P. María Victoria Calle Correa, 2012), T-595 de 2012 (M.P. Nilson Pinilla Pinilla, 2012), de manera que cuando una persona fallece en vigencia del artículo 46 de la Ley 100 de 1993, en su versión original y no cumple las exigencias de esa normatividad, son aplicables las disposiciones contenidas en el Acuerdo 049 de 1990, si para el momento de entrar en vigencia el sistema general de la Ley 100 de 1993, cumplía el supuesto del número de semanas cotizadas para que sus beneficiarios pudiesen acceder a la pensión de sobrevivientes. Esto es, reunir 150 semanas de cotización sufragadas en los seis (6) años anteriores a la entrada en vigencia del sistema general o trescientas (300) en cualquier tiempo, antes de la entrada en vigencia. Si esto sucede, su beneficiario puede pensionarse siempre y cuando el causante acredite ciento cincuenta (150) semanas en los seis (6) años anteriores al fallecimiento o trecientas (300) en cualquier tiempo.

Lo anterior significa que el causante debe acreditar unos requisitos a la entrada en vigencia del sistema general de pensiones para que sus beneficiarios puedan disfrutar de la condición más beneficiosa, y que esta condición por su parte, les permitirá pensionarse con los requisitos del anterior régimen. Así, en este supuesto, se pensionarán siempre y cuando el causante haya cotizado las semanas mínimas requeridas no sólo para mantener la condición más beneficiosa sino para causar la pensión de sobrevivientes: ciento cincuenta (150) en los seis (6) años anteriores a su fallecimiento o trescientas (300) en cualquier tiempo.

Condición más beneficiosa tránsito legislativo Ley 100 de 1993 a Ley 797 de 2003

Según reiterada jurisprudencia de la Corte Suprema de Justicia se aplica la condición más beneficiosa en este tránsito. (M.P Fernando Castillo Cadena y Gerado Botero Zuluaga, 2017).

Entre el tránsito de la Ley 100 de 1993 a la Ley 797 de 2003, cabe señalar que el primigenio artículo 46 de la Ley 100 de 1993, dispuso: Tendrán derecho a la pensión de sobrevivientes:

> (...) 2. Los miembros del grupo familiar del afiliado que fallezca, siempre que este hubiere cumplido alguno de los siguientes requisitos: a. Que el afiliado se encuentre cotizando al sistema y hubiere cotizado por lo menos veintiséis (26) semanas al momento de la muerte; b. Que habiendo dejado de cotizar al sistema, hubiere efectuado aportes durante por lo menos veintiséis (26) semanas del año inmediatamente anterior al momento en que se produzca la muerte (...) (M.P Fernando Castillo Cadena y Gerado Botero Zuluaga, 2017).

Así, habrá una expectativa legítima de derecho protegible ante este tránsito legislativo si el afiliado para el momento del cambio legislativo, esto es, 29 de enero de 2003, (i) estaba cotizando al sistema, y (ii) había aportado veintiséis (26) semanas o más en cualquier tiempo o: (i) no estaba cotizando al sistema, pero (ii) había cotizado veintiséis (26) semanas en el año inmediatamente anterior al tránsito, esto es, entre el 29 de enero de 2002 y 29 de enero de 2003. (M.P Fernando Castillo Cadena y Gerado Botero Zuluaga, 2017).

Esta legítima expectativa por su parte sólo podrá protegerse hasta el 29 de enero de 2006. Esto significa que la condición más beneficiosa sólo aplicará, además del requisito de la cotización de veintiséis (26) semanas en cualquier tiempo o en el año inmediatamente anterior dependiendo de su afiliación al operar el cambio legislativo, hasta el 29 de enero del año 2006: siempre y cuando fallezca en o antes de esta fecha. (M.P Fernando Castillo Cadena y Gerado Botero Zuluaga, 2017).

Aunado a esto, aun cuando los a los beneficiarios los cobije el principio de la condición más beneficiosa lo mismo no supone que accedan inmediatamente a la pensión, pues han de acreditar las condiciones del régimen anterior: si el causante estaba cotizando al momento de su fallecimiento, veintiséis (26) semanas en cualquier tiempo; y si no, veintiséis (26) semanas en el año inmediatamente anterior a su fallecimiento.

Desglosando lo indicado, el afiliado que se encontraba cotizando al momento del cambio normativo: al 29 de enero de 2003 y que por lo indicado debía haber acreditado veintiséis (26) semanas en cualquier tiempo y que debía haber muerto entre el 29 de enero de 2003 y el 29 de enero de 2006, si al momento del fallecimiento no estaba cotizando debió acreditar veintiséis (26) semanas en el año inmediatamente anterior al deceso y si sí, en cualquier tiempo.

Por su parte, el afiliado que no se encontraba cotizando al momento del cambio normativo: al 29 de enero de 2003 y que por lo indicado debía haber acreditado veintiséis (26) semanas en año inmediatamente anterior al 29 de enero del año 2003 y que debe haber muerto entre el 29 de enero de 2003 y el 29 de enero de 2006, si al momento del fallecimiento no estaba cotizando debió acreditar veintiséis (26) semanas en el año inmediatamente anterior al deceso y si sí, en cualquier tiempo.

Condición más beneficiosa del acuerdo 049 de 1990 (Decreto 758 de 1990) a la Ley 797 de 2003

A diferencia de la jurisprudencia de la Sala Laboral de la Corte Suprema de Justicia, indica la Corte Constitucional en Sentencia de Unificación SU-005 de 2018 que cuando un afiliado al Sistema de Seguridad Social fallece, en vigencia de la Ley 797 de 2003, y no cumple las exigencias que esa normativa dispone para que sus beneficiarios accedan a la pensión de sobrevivientes, es posible acudir a las disposiciones contenidas en el Acuerdo 049 de 1990 (o de un régimen anterior), siempre y cuando el causante hubiese cotizado antes de entrar del sistema general de pensiones el mínimo de semanas requerido por dicho Acuerdo, en aplicación de una concepción amplia del principio de la condición más beneficiosa. (Corte Constitucional M.P. Carlos Bernal Pulido, 2018).

Así las cosas, para este alto tribunal es posible aplicar el acuerdo 049 de 1990 aun cuando la persona fallece en vigencia de la Ley 797, si a la entrada en vigencia del sistema general acreditó las condiciones de tal acuerdo. Y en este sentido, a sus beneficiarios se les aplicará el acuerdo 049 que exige ciento cincuenta (150) semanas en los seis (6) años anteriores al fallecimiento y trescientas (300) en cualquier tiempo.

Cabe finalmente indicar que la condición más beneficiosa solo existe hasta el momento, frente al requisito de las semanas que debió alcanzar el causante; más no frente a los requisitos que deben acreditar los beneficiarios.

11.2. Beneficiarios de la pensión de sobrevivencia

Debido a las diversas normas que resultan aplicables, dependiendo de la fecha del deceso o la habilitación para la aplicación ultractiva de normas anteriores en desarrollo de la condición más beneficiosa, quienes detentan la calidad de beneficiarios, dependerá de la misma norma aplicable. Así las cosas y dada la amplitud que requiere su análisis, en la presente nos concentraremos solamente en quienes gozan la calidad de beneficiarios a la luz del texto original de la Ley 100 de 1993 (artículos 47 y 74), modificado por la Ley 797 de 2003 (artículo 13).

	Compañera permanente y cónyuge	
	Pensión de sobreviviente artículo 47 y 74 de la Ley 100 de 1993	Pensión de sobreviviente artículo 13 Ley 797 de 2003
Beneficiarios	Compañera(o) permanente - cónyuge indistintamente	Compañero(a) permanente y cónyuge supérstite
Requisitos	– Convivencia al momento de la muerte del causante. – Acreditar una convivencia de dos años continuos con el causante antes de su muerte o haber procreado hijos con el mismo durante tal interregno.	– Convivencia continua durante los cinco años anteriores a la muerte del causante o durante cualquier tiempo para la (el) esposa(o) con vínculo matrimonial vigente pero separada(o) de hecho del causante.
Reconocimiento vitalicio o temporal	De manera vitalicia	– De manera vitalicia cuando el (la) compañero(a) permanente tenga más de 30 años o haya procreado hijos con el causante. – De manera temporal cuando el (la) compañero(a) permanente tenga menos de 30 años y no haya procreado hijos con el causante.
Situaciones adicionales diferenciando convivencia simultánea y sucesiva entre compañera(o) permanente y cónyuge supérstite.	No establece	– Convivencia simultánea entre compañero(a) y cónyuge se dividirá en proporción al tiempo de convivencia. – Convivencia sucesiva entre compañera y cónyuge con separación de hecho pero vínculo matrimonial vigente, se dividirá en proporción al tiempo convivido.

Conforme a pronunciamientos de la Corte Suprema de Justicia anteriores a la reforma de la Ley 797 de 2003, dentro de los cuales destacamos la sentencia del 2 de marzo de 1999 con radicado 11245 (M.P. José Roberto Herrera Vergara, 1999), en casos de convivencia simultánea, el derecho de la cónyuge desplazaba al de la compañera permanente; pero en todo caso ambas debían acreditar una convivencia al momento del deceso y en el tiempo inmediatamente anterior exigido.

La convivencia, por su parte, merece una interpretación amplia pues, de acuerdo a pronunciamientos anteriores y posteriores a la Ley 797 de 2003, se protege no sólo a quien convive físicamente con el causante, sino también a quien tiene vocación de convivencia, acompañando espiritual, económica y permanentemente al causante, aun cuando la fuerza de las circunstancias materiales, bien por limitación de los medios, por oportunidades laborales, entre otras, impidiesen su convivencia física. De igual manera, no puede entenderse como un mero encuentro físico, pues la convivencia es la concurrencia de la fortaleza de vínculos espirituales y de apoyo mutuo[20] así como que la misma no quedará desvirtuada si la falta de ella responde a culpa imputable al causante, conforme a la sentencia con radicado 33210 del 17 de octubre de 2008 (M.P. Gustavo José Gnecco Mendoza, 2008).

Ahora bien, con la entrada en vigencia de la Ley 797 de 2003, se permitió la causación simultánea del derecho a una pensión de sobrevivientes de la compañera y la cónyuge, el cual sería repartido en proporción al tiempo convivido.

Sin embargo y a partir de la sentencia con radicado 40055 de noviembre 29 de 2011 (M.P. Gustavo Gnecco Mendoza, 2011) se indicó que la cónyuge con vínculo matrimonial vigente pero sin convivencia al momento del deceso tendría derecho a la pensión de sobrevivientes siempre y cuando acreditase una convivencia de cinco (5) años en cualquier momento, no brindándose igual protección a la compañera(o) que se encontrase en la misma situación. Así las cosas, la sentencia brinda un trato inequitativo

---

[20]   Así lo han establecido las siguientes sentencias de la Sala Laboral de la corte Suprema de justicia y la Corte Constitucional: Sentencia C-389 de 22 de agosto de 1996 (M.P. Alejandro Martínez Caballero); Sentencia de 2 de marzo de 1999 con radicado 11245 Sala de Casación Laboral Corte Suprema de Justicia (M.P. José Roberto Herrera Vergara); Sentencia del 8 de febrero de 2002 con radicado 16600 (M.P. Carlos Isaac Nader) Sala de Casación Laboral Corte Suprema de Justicia; Sentencia del 5 de mayo de 2005 con radicado 22560 (M.P. Francisco Javier Ricaurte Gómez) Sala de Casación Laboral Corte Suprema de Justicia; y Sentencia. del 10 de marzo de 2006 Rad. 26710 (M.P.) Eduardo López Villegas Sala de Casación Laboral Corte Suprema de Justicia.

beneficiando a quien mantiene un vínculo matrimonial, sin considerar que la separación de cuerpos presupone que se ha construido una vida independiente, no siendo clara la afectación emocional y económica derivada de la muerte de su ex pareja.

De otra parte, para probar dicha unión y dicha convivencia debe tenerse en cuenta que no existe tarifa legal sino que, por el contrario, existe libertad probatoria siempre y cuando el medio probatorio empleado sea útil y pertinente. Sobre éste particular la Corte Constitucional ha decantado que no es posible exigir los medios probatorios previstos en el artículo 2 de la Ley 54 de 1990, pues los mismos se encuentran consagrados para probar la sociedad conyugal de hecho y no la unión marital. Así, en primer lugar, en la sentencia de constitucionalidad C-521 de 2007 (M.P. Clara Inés Vargas Hernández, 2007), que, si bien se refiere a una disposición del Sistema de Salud, el Alto Tribunal Constitucional indicó:

> Mientras el artículo 2º de la ley 54 de 1990 regula el régimen económico de las uniones maritales de hecho, el artículo 163 de la ley 100 de 1993 se aplica a la cobertura familiar en el Plan Obligatorio de Salud; es decir, una y otra disposición son ontológicamente diferentes, la primera aplicable a las consecuencias económicas derivadas de la unión marital de hecho, al paso que la segunda está relacionada con la protección integral de la familia en cuanto a la prestación del servicio de seguridad social en salud se refiere, materia ésta que vincula la protección eficaz de los derechos fundamentales a la vida en condiciones en dignas y a no ser discriminado en razón del origen familiar (M.P. Clara Inés Vargas Hernández, 2007).

Esta posición también fue acogida para los compañeros permanentes beneficiarios de la pensión de sobrevivientes. Así en sentencia de tutela T-327 de 2014 (M.P. María Victoria Calle Correa, 2014), se señala expresamente que la esencia informal de la unión marital de hecho, impide que exista tarifa legal. Se lee:

> De conformidad con lo expuesto en párrafos precedentes, la unión marital de hecho puede demostrarse a través de cualquier medio legal, conducente y pertinente, porque ninguna norma establece un mecanismo único para su acreditación (...).
>
> Pero además, esta actuación desconoce la esencia misma de la unión marital de hecho y la libre determinación del actor. La unión marital se rige fundamentalmente por los principios de informalidad y prevalencia de la realidad sobre las formas, en tanto la relación emerge y produce efectos jurídicos con la sola voluntad de las personas de construir un proyecto de vida común, sin la necesidad de solemnizar y oponer la convivencia ante la sociedad. Su "esencia es producir efectos jurídicos antes de ser certificada probatoriamente". En este sentido, es contrario a la naturaleza misma de la institución exigir una declaración judicial de la unión para acceder a la pensión de sobrevivientes, o para demostrar la convivencia. (M.P. María Victoria Calle Correa, 2014).

Finalmente, es importante indicar que, de acuerdo con la sentencia C-336 de 2008 (M.P. Clara Inés Vargas Hernández, 2008) de la Corte Constitucional, el beneficio para los compañeros permanentes se extiende para las parejas del mismo sexo y que la convivencia se exige tanto para la pareja del pensionado como del afiliado.

Hijos menores de dieciocho (18) años		
	Pensión de sobreviviente artículo 47 y 74 de la Ley 100 de 1993	**Pensión de sobreviviente artículo 13 Ley 797 de 2003**
Beneficiarios	Hijo menor de dieciocho (18) años	Hijo menor de dieciocho (18) años
Requisitos	– No se requiere probar dependencia económica.	– No se requiere probar dependencia ecnonómica.
Reconocimiento vitalicio o temporal	Hasta que alcance la mayoría de edad. Si la supera debe acreditar los del hijo mayor a dieciocho (18) años menor de veinticinco (25), indicados en el siguiente cuadro.	Hasta que alcance la mayoría de edad. Si la supera debe acreditar los del hijo mayor a dieciocho (18) años menor de veinticinco (25), indicados en el siguiente cuadro.

Estos beneficiarios no requieren comprobar su dependencia económica tal y como lo ha reiterado la Corte Suprema de Justicia en su Sala de Casación Laboral[21]. Por otro lado, para acceder a esta prestación lo que sí se debe acreditar es la condición de hijo. Sobre la posibilidad de reconocer la pensión de sobrevivientes a los hijos de crianza ha sostenido la Corte Constitucional desde la sentencia de tutela T-074 del año 2016 que:

> De lo anterior, esta Sala de revisión concluye: (i) que en una sociedad plural no es aceptable un concepto único y excluyente de familia, identificando a esta exclusivamente con aquella surgida del vínculo matrimonial o sanguíneo y (ii) que la protección constitucional a la familia no se solo se predica a favor de las familias conformadas en virtud de vínculos jurídicos o de consanguinidad, sino también a las que surgen de hecho o a las denominadas familias de crianza, "donde conceptos como la convivencia, el afecto, la protección, el auxilio y respeto consolidan el núcleo familiar por lo que el ordenamiento jurídico debe reconocer y proteger a los integrantes de tales familias. (M.P. Alberto Rojas Ríos, 2016).

Dentro del concepto de crianza no sólo considera al que ha asumido plenamente la figura paternal o maternal sino a aquel que, aún existiendo

---

21   Sentencia del 18 de noviembre de 2009 con radicado 36664 (M.P. Eduardo López Villegas).

padres, le brinda al menor los medios para su subsistencia. Y así, extiende la protección de este concepto amplio de familia, la Corte hace beneficiarios de la pensión de sobrevivientes a los hijos de crianza cuando se ha asumido plenamente la figura paternal o maternal o cuando simplemente, a partir del principio de solidaridad, se ha asumido el sostenimiento del menor, aun existiendo padres.

Hijos mayores de dieciocho (18) años y menores de veinticinco (25) años		
	Pensión de sobreviviente artículo 47 y 74 de la Ley 100 de 1993	Pensión de sobreviviente artículo 13 Ley 797 de 2003
Beneficiarios	Hijo mayor de dieciocho (18) años y menor de veinticinco (25)	Hijo mayor de dieciocho (18) años y menor de veinticinco (25)
Requisitos	– Estudiantes. – Dependencia económica al momento de la muerte.	– Estudiantes. – Dependencia económica al momento de la muerte.
Reconocimiento vitalicio o temporal	Hasta que cumpla los veinticinco (25) o hasta que abandone los estudios y no hasta que deje de depender económicamente de los padres.	Hasta que cumpla los veinticinco (25) o hasta que abandone los estudios y no hasta que deje de depender económicamente de los padres.

Vale indicar que frente a este grupo caben las mismas apreciaciones realizadas en anterior punto a propósito de la calidad de hijo. Sin embargo, la dependencia económica frente a este grupo estará ligada a la calidad de estudiante que lo incapacita para trabajar. Al respecto, la Ley 1574 de 2012, estableció en su artículo 2° que para efectos del reconocimiento de la pensión deberán acreditar lo siguiente: i) certificación expedida por el establecimiento de educación formal, preescolar, básica, media o superior, autorizado por el Ministerio de Educación Nacional o por las Secretarías de Educación de las entidades territoriales y; ii) Certificación en la cual debe constar que el estudiante cumplió con la dedicación a las actividades académicas curriculares con una intensidad académica no inferior a veinte (20) horas semanales. No obstante, la Corte Constitucional ha indicado que aplicar taxativamente éste último requisito puede resultar contrario a la Constitución en algunos casos. En efecto, en la sentencia de tutela T-150 de 2014 (M.P. Mauricio González Cuervo, 2014), se condenó a Colpensiones al pago de la pensión por sobrevivencia en favor de la accionante menor de veinticinco (25) años que acreditó tan solo una intensidad de catorce (14) horas semanales por ser, a su vez, madre de una menor de edad que merece especial protección.

Podríamos finalmente indicar que la dependencia económica no es un requisito adicional sino que se presume con la condición de estudiante. En efecto, ha señalado la Corte Constitucional en sentencia de constitucionalidad C-451 de 2005 (M.P. Clara Inés Vargas, 2005).

> Sostiene que desde siempre el legislador ha previsto que las pensiones de los hijos que no son inválidos solo se extenderán hasta los 25 años de edad mientras el hijo se encuentra incapacitado para trabajar en razón de sus estudios, pues estima que superada esa edad el hijo ya se encuentra en capacidad de procurarse su sustento económico sin que tenga que depender de los padres. (M.P. Clara Inés Vargas, 2005).

De esta manera se presume que el hijo menor de veinticinco (25) años, mientras estudie, dependerá económicamente de los padres.

	Hijos inválidos que dependan económicamente de los padres	
	Pensión de sobreviviente artículo 47 y 74 de la Ley 100 de 1993	Pensión de sobreviviente artículo 13 Ley 797 de 2003
Beneficiarios	Hijo inválido	Hijo inválido
Requisitos	– Invalidez – Dependencia económica.	– Invalidez – Dependencia económica.
Reconocimiento vitalicio o temporal	Mientras subsista la invalidez y la dependencia económica.	Mientras subsista la invalidez y la dependencia económica.

Sobre estos beneficiarios vale preguntarse si además de la condición de invalidez, ¿deben acreditar su carácter de hijos dependientes económicamente del causante? Sobre el particular, la Corte Suprema de Justicia en Sentencia del 12 de marzo de 2014, con radicado 46411 (M.P. Carlos Ernesto Molina Monsalve, 2014) ha indicado que este grupo de beneficiarios debe acreditar de manera concurrente: el ser hijos del causante, su dependencia económica al momento del deceso y su condición de inválidos.

Sobre la dependencia económica la Corte Suprema de Justicia ha indicado que no existe circunstancia alguna que por sí misma pueda romper la subordinación económica que exista y sea acreditada. En efecto, indica el Alto Tribunal que la dependencia económica no puede destruirse con la sola prueba de un vínculo jurídico, como el matrimonio, o por el hecho de llegar a la mayoría de edad[22].

---

22   Sentencia del 27 de agosto de 2001, radicado 18346 (M.P. Francisco Escobar Henriquez); Sentencia del 7 de septiembre de 2010 radicado 36756 (M.P. Gustavo José

Y la Corte Constitucional en sentencia de constitucionalidad C-066 del año 2016, declaró la inexequibilidad de la expresión "esto es, que no tienen ingresos adicionales" que acompañaba el requisito de la dependencia económica pues lo mismo suponía una dependencia absoluta que hacía nugatoria la posibilidad de proveerse los hijos inválidos ingresos propios, contraviniendo normas constitucionales que permiten que la gente en situación de invalidez pueda desarrollarse laboralmente. (M.P. Alejandro Linares Cnatillo, 2016).

Ahora bien, la posibilidad de seguir percibiendo la pensión de sobreviviente depende de la continuidad en el estado de invalidez.

Son entonces requisitos independientes, pues ni la persona inválida pero no dependiente, ni la dependiente pero con capacidad laboral, pueden acceder a esta prestación. Sin embargo, vale indicar frente al menor que percibe una pensión de sobreviviente al que le sobreviene un estado invalidante, la dependencia se presume con la invalidez. La invalidez que sobreviene al menor de edad que debe depender económicamente de los padres, por la obligación de rango constitucional que existe de procurarles los alimentos y necesidades básicas, no se ve alterada si le sobreviviente un estado invalidante. Así, el menor que depende económicamente de los padres, que se ve obligado a sufrir la muerte de alguno de ellos o de ambos y que por circunstancias de la vida lo sorprende un estado invalidante, no puede acceder a la independencia económica esperada[23].

Padres dependientes del causante		
	Pensión de sobreviviente artículo 47 y 74 de la Ley 100 de 1993	Pensión de sobreviviente artículo 13 Ley 797 de 2003
Beneficiarios	Padres	Padres
Requisitos	– Dependencia económica.	– Dependencia económica.
Reconocimiento vitalicio o temporal	Vitalicia	Vitalicia

A falta de pareja o hijos con derecho, acceden los padres.

Gnecco Mendoza); Sentencias del 3 de diciembre de 2007 radicado 30700 (M.P. Isaura Vargas Díaz) y del 4 de noviembre de 2009 radicado 35703 (M.P. Camilo Tarquino).

[23] Sentencias del 3 de diciembre de 2007 con radicado 30700 (M.P. Isaura Vargas Díaz) y del 4 de noviembre de 2009 radicado 35703 (M.P. Camilo Tarquino).

Frente a los padres del causante, cabe indicar que para que los mismos puedan acceder a esta prestación deben acreditar una dependencia económica que no se requiere que sea total y absoluta, tal y como lo ha indicado la Corte Constitucional y la Corte Suprema de Justicia en su Sala de Casación Laboral, antes y después de la modificación introducida a los artículos 47 y 74 de la Ley 100 de 1993 por el artículo 13 de la Ley 791 de 2003.

A la luz de sus pronunciamientos, basta que provean de algún sustento, que no los convierta en autosuficientes, es decir, y según la sentencia del 7 de febrero de 2006 con radicado 25069 (M.P. Gustavo José Gnecco Mendoza, 2006) basta: *"Que la ayuda o apoyo del hijo hacía sus progenitores sea parcial y complementaria a la de otros ingresos precarios, que por si no basten para proveerse de lo necesario para llevar una vida digna"* (M.P. Gustavo José Gnecco Mendoza, 2006).

En esta línea, para que el padre cause el derecho a una pensión de sobrevivientes debe acreditar que el hijo asegurado contribuía, en parte, con su sostenimiento, infiriéndose en consecuencia que su muerte modificó la cotidianidad de su vida. Cabría preguntarse enseguida si ¿cualquier contribución económica es suficiente para acreditar la condición exigida?

En sentencia del 29 de septiembre de 2009 con radicado 36023 (M.P. Camilo Humberto Tarquino Gallego, 2009), se indicó que ni el sostenimiento por parte de otros hijos ni la expectativa de una pensión de vejez, pueden llegar a desvirtuar la dependencia económica y en sentencia de 3 de marzo de 1994 con radicado 6289 por su parte, se indicó que ni siquiera la percepción de una pensión de vejez puede frustrar el derecho, en este caso, porque se trata de dos pensiones que amparan riesgos diferentes.

En sentencia del 30 de agosto de 2005 con radicado 25919 (M.P. Eduardo López Villegas, 2005), por otro lado, se indicó que la percepción simultánea de otra pensión de sobrevivientes tampoco puede servir como excusa para frustrar el derecho, pues aunque ambas estén dirigidas a amparar el mismo riesgo, pueda que lo hagan de manera complementaria; y en sentencias del 30 de julio de 2007 con radicado 31025 (M.P. Luis Javier Osorio López, 2007), del 28 de julio de 2009 con radicado 35760 (M.P. Gustavo José Gnecco Mendoza, 2009) y del 9 de junio de 2010 con radicado 35156 (M.P. Francisco Javier Ricaurte, 2010) la Corte Suprema de Justicia indicó además, que ni lo ocasional, esporádico o lo exigua de la ayuda económica brindada por el hijo, pueden frustrar el derecho cuando de ella contribuye al desarrollo de la vida de los padres en condiciones dignas.

Ahora bien, frente a la condición de ser padre del menor, cabe indicar que según lo señaló la Corte Suprema de Justicia en sentencia del 1° de marzo de 2010 con radicado 37254 (M.P. Gustavo José Genecco Mendoza, 2010), basta el registro del hijo, sin que puede alegarse la falta de legitimación del mismo.

Finalmente cabe resaltar que, de acuerdo a la redacción de la norma, podemos inferir el carácter de vitalicia presupone una protección a una población mayor que no goza de las mismas posibilidades que tiene la población joven para acceder al mercado laboral.

Hermanos inválidos del causante		
	Pensión de sobreviviente artículo 47 y 74 de la Ley 100 de 1993	Pensión de sobreviviente artículo 13 Ley 797 de 2003
Beneficiarios	Hermanos inválidos	Hermanos inválidos
Requisitos	– Dependencia económica al momento del deceso. – Invalidez	– Dependencia económica al momento del deceso. – Invalidez
Reconocimiento vitalicio o temporal	Mientras dure la invalidez y dependencia económica.	Mientras dure la invalidez y dependencia económica.

A falta de pareja, hijos y padres tienen derecho los hermanos que cumplan las condiciones descritas.

En cuanto a los hermanos del causante cabe decir que deben cumplir los mismos requisitos que los hijos inválidos, es decir: la invalidez y la dependencia económica al momento del deceso. Así lo señaló la Corte Suprema de Justicia en sentencia del 29 de octubre de 2014 con radicado 59763 (M.P. Elsy de Pilar Cuello Calderón, 2014), entendiéndose entonces que la prestación es de carácter temporal pues tanto la invalidez como la dependencia se pueden superar.

Finalmente cabe indicar que los hermanos menores no gozan de protección *per se*, al entender la Corte Suprema de Justicia que la condición de menor de edad no acredita su invalidez, tal y como se señaló en sentencia del 30 de septiembre de 2008 con radicado 33318. (M.P. Camilo Tarquino Gallego.), 2008).

11.3. Monto Pensión de Sobrevivientes

El monto mensual de la pensión de sobrevivientes a la luz de la normatia vigente por muerte del pensionado será igual al 100% de la pensión que aquel disfrutaba.

El monto mensual de la Pensión total de sobrevivientes por muerte del afiliado será igual al cuarenta y cinco por ciento (45%) del ingreso base de liquidación (que será el mismo que explicado en la pensión de vejez) más dos por ciento (2%) de dicho ingreso por cada cincuenta (50) semanas adicionales de cotización a las primeras quinientas (500) semanas de cotización, sin que exceda el setenta y cinco por ciento (75%) del ingreso base de liquidación.

En ningún caso el monto de la pensión podrá ser inferior al salario mínimo legal mensual vigente.

En caso de fallecimiento, habiendo el causante cumplido el número de semanas mínimo requerido en el régimen de prima media para optar por una pensión de vejez, sin haberla reclamado o haber tramitado o recibido una indemnización sustitutiva de vejez, se causaría una pensión de sobrevivientes de al menos el ochenta por ciento (80%) del monto que le hubiese correspondido por una pensión de vejez.

12. AUXILIO FUNERARIO

De acuerdo con lo establecido en los artículos 51 y 86 de la Ley 100 de 1993 el auxilio funerario es una prestación adicional del Sistema General de Pensiones en caso de muerte por origen común[24], del afiliado o pensionado, previsto tanto en el régimen de Prima Media con Prestación Definida como en el régimen de Ahorro Individual con Solidaridad.

Se trata de una prestación adicional y especial, pues no necesariamente se paga a los beneficiarios o familiares del causante como ocurre con la pensión de sobrevivientes, sino a quien demuestre haber sufragado los gastos exequiales. De esta manera, como lo señala Arenas Monsalve, es un beneficio que no se reconoce en función del vínculo familiar sino en calidad de reembolso (Arenas G., El derecho colombiano de la Seguridad Social, 2011,

---

[24]   Si la muerte es generada como consecuencia de un evento laboral el auxilio funerario se encuentra a cargo de la respectiva Administradora de Riesgos Laborales.

pág. 420) motivo por el cual, al momento de su solicitud se debe probar únicamente la muerte del causante y el pago de los gastos funerarios.

Así mismo, ha señalado la Corte Suprema de Justicia Sala Laboral en sentencia 42578 del 13 de marzo de 2012 (M.P. Jorge Mauricio Burgos Ruíz, 2012), que no es requisito para acceder al auxilio funerario que se haya causado la pensión de sobrevivientes, pues para su reconocimiento es indiferente el número de semanas cotizadas por el afiliado:

> De las normas recién transcritas se desprende que el auxilio funerario fue consagrado en la Ley 100 de 1993 como una prestación económica autónoma y en esa medida independiente de la pensión de sobrevivientes. Es decir, que en la regulación del sistema general de pensiones tiene derecho a reclamar ese beneficio quien demuestre que ha cubierto los gastos de exequias del afiliado o pensionado, pues los únicos requisitos que contempla el artículo 4° del Decreto 876 es acreditar el pago y la prueba de la muerte conforme a lo previsto en la ley. No se exige entonces, que se demuestre la calidad de beneficiario en los términos requeridos para la pensión de sobrevivientes, como tampoco un determinado número de aportes ni fidelidad de cotizaciones al sistema de pensiones. (M.P. Jorge Mauricio Burgos Ruíz, 2012).

La cuantía del auxilio se encuentra supeditado a la calidad que el causante tenía con el Sistema de Pensiones. Así, tratándose de un pensionado el valor a reconocer será igual a la última mesada pensional de éste y, tratándose de un afiliado, el monto equivaldrá al último salario base de cotización reportado por aquél. Lo anterior, sin que, en todo caso, el auxilio pueda ser inferior a cinco o mayor a diez salarios mínimos legales mensuales vigentes.

En el régimen de Prima Media con Prestación Definida, el auxilio será reconocido y asumido directamente por Colpensiones, mientras que, en el régimen de Ahorro individual con Solidaridad, la entidad que tiene a su cargo la prestación varía dependiendo si se trata de un afiliado o pensionado y de la modalidad de pensión escogida por este último.

Corolario, cuando se trate de un afiliado o pensionado bajo la modalidad de retiro programado el auxilio será reconocido por la administradora del fondo de pensiones con cargo a la cuenta de ahorro individual tal y como lo señala el artículo 2.31.1.6.4 del Decreto 2555 de 2010, pues no puede perderse de vista que conforme a lo establecido en el literal b) del artículo 60 de la Ley 100 de 1993 y el Decreto 832 de 1996 el seguro provisional únicamente cubre los montos faltantes para las prestaciones pensionales de invalidez y sobrevivientes y no éste auxilio especial. Por su parte, en caso de un pensionado bajo la modalidad de renta vitalicia será la aseguradora con la que se contrató la renta quien reconozca directamente el auxilio funerario.

Finalmente, siguiendo lo establecido en el artículo 2.31.1.6.4 del Decreto 2555 de 2010 ya referido, el auxilio funerario debe ser pagado por la administradora de fondos de pensiones o la aseguradora de renta vitalicia dentro de los cinco días hábiles siguientes a la respectiva solicitud.

13. FONDO DE SOLIDARIDAD PENSIONAL

El Fondo de Solidaridad Pensional es una cuenta especial de la Nación, sin personería jurídica, adscrita al Ministerio del Trabajo, orientada a subsidiar las cotizaciones al RPM para pensiones de grupos de población que por sus características y condiciones económicas no tienen acceso a los Sistemas de Seguridad Social, así como al otorgamiento de subsidios económicos para la protección de adultos mayores en estado de indigencia o de pobreza extrema.

En este sentido promueve la cobertura al sistema pensional, al subsidiar los aportes de grupos poblacionales en condición de vulnerabilidad.

Son beneficiarios de estos subsidios:

- Artistas.
- Deportistas.
- Músicos.
- Compositores.
- Toreros y sus subalternos.
- Mujeres microempresarias.
- Madres Comunitarias.
- Discapacitados físicos, psíquicos y sensoriales.
- Miembros de las cooperativas de trabajo asociado y otras formas asociativas de producción. Estos últimos corresponden únicamente a los municipios de categoría 4, 5 y 6.

Para concretar sus fines, este fondo actúa a través de dos programas. Los programas de este fondo son:

1. El Programa de Subsidio al Aporte en Pensión: es un aporte destinado a grupos poblacionales que, por sus características y condiciones, no tienen acceso a los sistemas de seguridad social.

En este programa los beneficiarios deben aportar un porcentaje del monto total de cotización al RPM, que generalmente oscila entre el cinco por ciento (5%) y el treinta por ciento (30%), dependiendo del grupo poblacional al que pertenezcan. El porcentaje restante lo subsidia el gobierno nacional, a través del Fondo de Solidaridad Pensional.

2. El Programa de Solidaridad con el Adulto Mayor "Colombia Mayor", busca aumentar la protección a los adultos mayores que se encuentran desamparados, que no cuentan con una pensión o viven en la indigencia o en la extrema pobreza; por medio de la entrega de un subsidio económico.

Para ser beneficiario de este subsidio económico deben cumplir con los siguientes requisitos: ser colombiano; haber residido durante los últimos diez (10) años en el territorio nacional; tener mínimo tres años menos de la edad que se requiere para pensionarse por vejez (cincuenta y cuatro (54) años para mujeres y cincuenta y nueve (59) para hombres); estar clasificado dentro del SISBEN en los niveles rango uno (1) y dos (2); carecer de rentas o ingresos suficientes para subsistir. Para identificar la suficiencia de los ingresos este programa verifica las siguientes condiciones: que vivan solos, en la calle, en centros de bienestar para el adulto mayor, que no reciban ingresos iguales o superiores a un salario mínimo legal mensual vigente o que vivan con sus familias y los ingresos de estas no superen el salario mínimo.

14. BENEFICIOS ECONÓMICOS PERIÓDICOS BEPS

Estos Beneficios fueron creados mediante el Acto Legislativo 01 del año 2005 que establece que la ley podrá determinar los casos en que se puedan conceder beneficios económicos periódicos inferiores al salario mínimo, a personas de escasos recursos que no cumplan con las condiciones requeridas para tener derecho a una pensión.

De acuerdo con el artículo 2.2.13.1.2. del Decreto 1833 del año 2016, los Beneficios Económicos Periódicos, son un mecanismo individual, independiente, autónomo y voluntario de protección para la vejez, que se integra al Sistema de Protección a la Vejez, con el fin de que las personas de escasos recursos que participen en este mecanismo, obtengan hasta su muerte un ingreso periódico, personal e individual. Con todo vale señalar que no tienen la naturaleza de una pensión, pues de acuerdo a lo estipulado en el ya citado Acto Legislativo, no podrá haber ninguna pensión inferior al salario mínimo.

La Administradora Colombiana de Pensiones será la encargada de administrar los BEPS. Pueden afiliarse a este mecanismo los afiliados a cualquiera de los regímenes de pensiones que voluntariamente decidan trasladar el dinero correspondiente a la devolución de saldos o indemnización sustitutiva al mecanismo BEPS.

De acuerdo con el artículo 2.2.13.2.1 del mismo Decreto, los requisitos para el ingreso al Servicio Social Complementario de Beneficios Económicos Periódicos (BEPS) son: ser ciudadano colombiano; pertenecer a los niveles I, II y III del SISBEN, o los indígenas incluidos en el listado censal.

A la luz del artículo 2.2.13.3.1 el aporte a los BEPS será voluntario y flexible en cuantía y periodicidad. En consecuencia, se podrá efectuar en cualquier tiempo, sin restricción en la cuantía mensual.

A la luz del artículo 2.2.13.3.2 los recursos que por concepto de aportes realice cada beneficiario a BEPS, junto con los rendimientos que se generen, se deberán registrar y contabilizar en cuentas individuales dentro del fondo común de BEPS administrado por Colpensiones.

Siguiendo el artículo 2.2.13.4.1 existe un subsidio periódico que consiste en un aporte económico otorgado por el Estado que se calcula anualmente de manera individual para cada beneficiario, sobre los aportes que haya realizado en el respectivo año y por lo tanto, se constituye en un apoyo al esfuerzo de ahorro, cuya finalidad última es desarrollar el principio de solidaridad con la población de menor ingreso.

Ahora bien, de acuerdo al 2.2.13.5.1 para acceder al beneficio derivado de los BEPS se deben acreditar los siguientes requisitos:

1. Que el beneficiario si es mujer haya cumplido cincuenta y siete (57) años de edad, o si es hombre sesenta y dos (62) años de edad.

2. Que el monto de los recursos ahorrados, más el valor de los aportes obligatorios, más los aportes voluntarios al Fondo de Pensiones Obligatorio y otros autorizados por el Gobierno Nacional para el mismo propósito, no sean suficientes para obtener una pensión mínima.

Y conforme con el artículo 2.2.13.5.2 el beneficiario, una vez cumpla los requisitos establecidos en el artículo anterior, podrá destinar los recursos para:

1. Contratar a través de la administradora del mecanismo BEPS, en forma irrevocable con una compañía de Seguros de Vida legalmente constituida, una anualidad vitalicia pagadera bimestralmente y hasta su muerte, con cargo a los recursos ahorrados, los rendimientos generados y el incentivo o subsidio periódico a que haya lugar. Este beneficio no podrá superar el ochenta y cinco por ciento (85%) de un salario mínimo mensual legal vigente y se ajustará cada año de acuerdo con la variación porcentual del Índice de Precios al Consumidor

certificada por el DANE para el año inmediatamente anterior. Si en el momento de contratar el pago del beneficio económico periódico, los recursos aportados, más sus rendimientos y el valor del incentivo periódico superan el porcentaje establecido señalado, el capital que exceda dicho porcentaje se devolverá al beneficiario del mecanismo BEPS, con sus respectivos rendimientos financieros.

2. Solicitar la devolución de la suma ahorrada y sus rendimientos en un único pago, evento en el cual no se hará acreedor al subsidio periódico. En este caso, la administradora del mecanismo BEPS deberá informar al beneficiario los riesgos de esta decisión.

3. Pagar total o parcialmente un inmueble de su propiedad. En este caso la administradora del mecanismo BEPS deberá informar al beneficiario los riesgos de esa decisión.

4. Trasladar los recursos al Sistema General de Pensiones, sin que pueda obtener un doble subsidio proveniente del Estado relacionado con pensiones, incluyendo el Sistema General de Pensiones, simultáneamente con el incentivo o subsidio periódico establecido en el Servicio Social Complementario de BEPS.

SUBSISTEMA DE RIESGOS LABORALES

1. INTRODUCCIÓN

El sistema de riesgos laborales existe para todo aquel que ejerce una actividad laboral y se ve expuesto por tanto a sufrir riesgos derivados de la misma.

En un comienzo quien tenía la responsabilidad y por tanto respondía ante la ocurrencia de cualquier accidente o enfermedad producida con ocasión del trabajo era el empleador y ello porque generaba la situación riesgosa denominada trabajo y porque se beneficiaba de ella. Con en nacimiento no obstante de la seguridad social y concretamente en Colombia con la Ley 100 de 1993, el empleador traslada esta responsabilidad a un tercero denominado Administradora de Riesgos Laborales.

Este sistema en últimas busca:

- Evitar la ocurrencia de accidentes de trabajo y enfermedades laborales.

- Mitigar sus efectos una vez suceden.

- Atender, rehabilitar laboralmente e indemnizar a quien los sufre.

1.1. *Responsabilidad objetiva*

Una de las necesidades sociales que ha debido afrontar el derecho es la reparación de los perjuicios causados por otro. Así, se han desarrollado distintas teorías entorno a las causales de responsabilidad, las cuales establecen los elementos que deben concurrir para endilgar la obligación de reparar el daño.

En rasgos generales la responsabilidad civil se ha desligado en dos vertientes basadas en un componente subjetivo al momento de la generación del daño. De esta manera, encontramos la responsabilidad subjetiva y la responsabilidad objetiva, en donde en la primera de ellas, existe un componente subjetivo o intencional en la situación generadora del daño, mientras que, en la segunda existe responsabilidad independientemente de si la conducta fue culposa o no; es decir, que ocurrido el daño se verifica un nexo de causalidad con determinada acción u omisión con independencia del elemento volitivo en su ocurrencia.

Ahora bien, como consecuencia de la revolución industrial, las actividades laborales fueron determinadas como actividades peligrosas o de alto riesgo, que, en consecuencia, por sí mismas generaron una responsabilidad objetiva, la cual fue asumida por el empleador y posteriormente trasladada al Sistema de Seguridad Social.

1.2. La responsabilidad tarifada

Como una de las modalidades de la responsabilidad objetiva se encuentra la responsabilidad tarifada, en la cual, los perjuicios así como la manera de atenderlos ya se encuentra determinada previamente por la ley. Es decir, existe una tarifa legal para lo que se entiende por perjuicio y frente a la cuantificación del mismo.

Este tipo de responsabilidad es la que se pregona en el Sistema de Riesgos Laborales. En primer lugar, se predica responsabilidad objetiva cuando a la luz del artículo 1º de la Ley 776 de 2002 se señala que las Administradoras de Riesgos Laborales reconocerán las prestaciones económicas y asistenciales a las que haya lugar como consecuencia de un accidente de trabajo o enfermedad laboral, sin señalar que debe concurrir la conducta culposa del empleador, esto es, basta probar el nexo causal entre el daño y la actividad laboral. Y, en segundo lugar, la reparación. Se encuentra esbozada a lo largo de la norma anteriormente citada, cuando señala el tipo y cuantía de la prestación que otorgará el Sistema, la cual está determinada únicamente por las afecciones físicas que se ha causado en el trabajador y que se encuentran medidas por la incapacidad temporal o permanente para trabajar, así como por la pérdida de capacidad laboral.

Es decir que, uno de los elementos esenciales de la responsabilidad. Se concreta en que la medida del perjuicio se encuentra determinada únicamente por las consecuencias físicas que ha causado en la víctima directa del daño, sin tener en cuenta a las víctimas por contragolpe u otras esferas patrimoniales y mucho menos los perjuicios extra patrimoniales[25]. En este sentido, Arenas Monsalve señala:

> Se denomina reparación tarifara de riesgos, por oposición a la llamada reparación plena, el reconocimiento de unos beneficios previamente dispuestos en la legislación, establecidos a cargo de la entidad de seguridad administradora de

---

[25]   Perjuicios estos que merecerán una indemnización plena bajo el régimen de responsabilidad civil subjetiva.

riesgos (ARP)[26], en proporción al daño específico que se haya causado, pero sin atender el perjuicio puramente individual de la víctima o su familia. (Arenas G., El derecho colombiano de la Seguridad Social, 2011, pág. 681).

Así, la medida del daño en el Sistema de Riesgos Laborales se encuentra determinada por las prestaciones asistenciales y económicas que otorga el sistema (las cuales se expondrán más adelante). Prestaciones éstas que son asumidas por la Administradora de Riesgos Laborales, por la sola ocurrencia del accidente laboral o la enfermedad laboral y como consecuencia del aseguramiento asumido con el pago de la prima por parte del asegurado.

> Con otras palabras, cuando se presenta un accidente de trabajo la entidad administradora debe responder por las prestaciones correspondientes, sin que sea en principio relevante si tal accidente se presentó con intervención de la culpa del empleador o la culpa del trabajador, pues la responsabilidad de la ARP es una responsabilidad objetiva, originada en el hecho jurídico del aseguramiento del riesgo y en el pago de las cotizaciones establecidas por el sistema (Arenas G., El derecho colombiano de la Seguridad Social, 2011, pág. 670).

1.3. Accidente de Trabajo y Enfermedad Laboral

Según el artículo 3° de la Ley 1562 de 2012, por accidente de trabajo entendemos todo suceso repentino que sobrevenga por causa o con ocasión del trabajo y que produzca en el trabajador una lesión orgánica, una perturbación funcional, una invalidez o la muerte.

Se considera también accidente de trabajo aquel que se produce durante la ejecución de órdenes del empleador, o contratante durante la ejecución de una labor bajo su autoridad, aún fuera del lugar y horas de trabajo; considera accidente de trabajo el que se produzca durante el traslado de los trabajadores o contratistas desde su residencia a los lugares de trabajo o viceversa, cuando el transporte lo suministre el empleador o contratante; el ocurrido durante el ejercicio de la función sindical aunque el trabajador se encuentre en permiso sindical siempre que el accidente se produzca en cumplimiento de dicha función; y el que se produzca por la ejecución de actividades recreativas, deportivas o culturales, cuando se actúe por cuenta o en representación del empleador.

Expuesto esto, lo que hace el artículo aun cuando indica que es accidente el que ocurra por causa o con ocasión del trabajo (definición bastante am-

---

[26]   Hoy Administradora de Riesgos Laborales (ARL).

plia) es determinar una serie de ocasiones específicas que aligeren la labor de calificación laboral de un determinado accidente.

Y según el artículo 4° del mismo cuerpo normativo, se entiende por enfermedad laboral aquella enfermedad que se produce por el ejercicio de una actividad laboral o por la exposición a agentes químicos o físicos en el puesto de trabajo.

Vale indicar que de acuerdo con el artículo 62 del Decreto 1295 de 1994, todo accidente de trabajo o enfermedad laboral que ocurra en una empresa o actividad económica, deberá ser informado por la respectiva entidad en la que se esté ejecutando la laboral a la ARL y a la EPS en forma simultánea, dentro de los dos (2) días hábiles siguientes de ocurrido el accidente o diagnosticada la enfermedad.

Por su parte, el artículo 3.1.1 del Decreto 1072 de 2015, señala que los empleadores reportarán los accidentes graves y mortales, así como las enfermedades diagnosticadas como laborales, directamente al Ministerio de Trabajo, a través de la Dirección Territorial u Oficinas Especiales correspondientes, dentro de los dos (2) días hábiles siguientes al evento o recibo del diagnóstico de la enfermedad, independientemente del reporte que deben realizar a las ARL y EPS y lo establecido en el artículo 4° del Decreto número 1530 de 1996. Esto se hace extensivo a todas las entidades donde se ejecute una labor, no sólo al empleador.

Finalmente, de acuerdo con el artículo 2.2.4.1.6 del citado Decreto Único Reglamentario 1072 de 2015, cuando un afiliado fallezca como consecuencia de un Accidente de Trabajo o de una Enfermedad Laboral, la entidad donde se ejecuta la labor (en la redacción original dice empleador que se propone la entidad donde ejecuta la labor teniendo en cuenta que no sólo son los trabajadores dependientes quienes se deben vincular al subsistema de riesgos laborales) deberá adelantar, dentro de los quince (15) días calendario siguientes a la ocurrencia de la muerte, una investigación encaminada a determinar las causas del evento y remitirlo a la ARL, en los formatos que para tal fin ésta determine, los cuales deberán ser aprobados por el Ministerio de Trabajo.

Recibida la investigación por la ARL, ésta lo evaluará y emitirá concepto sobre el evento correspondiente, y determinará las acciones de prevención a ser tomadas por la entidad, en un plazo no superior a quince (15) días hábiles.

Dentro de los diez (10) días hábiles siguientes a la emisión del concepto por la ARL, ésta lo remitirá junto con la investigación y la copia del informe de la entidad referente al Accidente de Trabajo o del evento mortal, a la Dirección Regional o Seccional de Trabajo o a la Oficina Especial de Trabajo del según sea el caso, del Ministerio de Trabajo, del lugar donde tuvo lugar la muerte o del domicilio de la empresa, a efecto que se adelante la correspondiente investigación y se impongan las sanciones a que hubiere lugar.

2. ADMINISTRADORAS DE RIESGOS LABORALES ARL

Como su nombre lo indica, se trata de las entidades que gestionan y administran el Sistema General de Riesgos Laborales, mediante la expedición de un seguro obligatorio, el cual cubre los daños de origen laboral como consecuencia del pago de una prima determinada. Adicionalmente, estas entidades coordinan la prestación y prevención de los accidentes laborales y enfermedades laborales.

De acuerdo con lo establecido en el artículo 79 del Decreto-Ley 1295 de 1994, las entidades aseguradoras de vida, autorizadas por parte de la Superintendencia Financiera, que pretendan expedir pólizas en el ramo de riesgos laborales deberán cumplir tres requisitos: 1) de patrimonio técnico, 2) capacidad humana y técnica especializada para administrar y 3) conformación de un departamento de prevención de riesgos laborales.

El Ministerio del Trabajo y Seguridad Social, elaboró el proyecto del estatuto general del Sistema de Riesgos Laborales, que posteriormente se convirtió en el Decreto Ley 1295 de 1994, en el cual, al tenor de su artículo 77, la administración estaría a cargo de las administradoras de seguros vida autorizadas y del Instituto del Seguros Sociales, que de acuerdo con el Decreto 600 de 2008, trasladó el negocio de riesgos laborales a la compañía de seguros La Previsora S.A. quien, a su vez, posteriormente trasladó el aseguramiento a Positiva Compañía de Seguros S.A. (Arenas. 2011, pág. 646). Así las cosas, Positiva es una administradora de riesgos laborales de creación normativa que subsiste con las demás administradoras que se creen de acuerdo a los requisitos indicados.

Finalmente, de acuerdo con lo establecido en el artículo 80 del Decreto-Ley 1295 de 1994, las funciones de las administradoras de riesgos laborales son: (i) la afiliación al Sistema General de Riesgos Laborales, (ii) el registro, (iii) el recaudo, cobro y distribución de las cotizaciones, (iv) la garantía de la prestación de los servicios de salud y las prestaciones económicas, (v) la realización de promoción y prevención en riesgos laborales y la (vi) promoción y divulgación de programas de medicina preventiva y del trabajo, higiene industrial, seguridad y salud en el trabajo.

3. CONTROL Y VIGILANCIA DEL SISTEMA GENERAL DE RIESGOS LABORALES

El control y vigilancia del Sistema General de Riesgos Laborales le corresponde al Ministerio del Trabajo a través de las Direcciones Territoriales en lo que respecta a la administración, prevención, atención y control de los Riesgos Laborales a cargo de las Administradoras de Riesgos Laborales y de las empresas, así como el cabal cumplimiento de los procedimientos de la calificación de pérdida de capacidad laboral a cargo de las Juntas de Calificación de Invalidez.

Por su parte, corresponde a la Superintendencia Financiera, el control y la vigilancia de las Administradoras de Riesgos Laborales en relación con los niveles de patrimonio, reservas, inversiones y el adecuado reconocimiento de prestaciones económicas.

Finalmente, la Superintendencia Nacional de Salud, ejerce sus funciones de inspección, vigilancia y control en relación con la prestación de los servicios de salud que brinda la Administradora de Riesgos Laborales.

4. CONSEJO NACIONAL DE RIESGOS LABORALES

Este Consejo que se denominaba Consejo Nacional de Riesgos Profesionales fue creado por el Decreto 1295 de 1994 y reglamentado por el Decreto 1834 de 1994. A partir de la Ley 1562 de 2012, se cambia su nombre a Consejo Nacional de Riesgos Laborales.

Pasamos a continuación a exponer su constitución como sus funciones.

El artículo 69 del Decreto 1295 de 1994 creo el Consejo Nacional de Riesgos Profesionales, hoy Consejo Nacional de Riesgos Laborales, como un organismo adscrito al Ministerio de Trabajo y Seguridad Social como un órgano de dirección del Sistema General de Riesgos Laborales, de carácter permanente, conformado por: a) El ministro de trabajo y Seguridad Social o su viceministro; b) El ministro de salud o su viceministro; c) El consejero de Seguridad Social de la presidencia de la república o quien haga sus veces; d) El representante legal del Instituto de Seguros Sociales, o su delegado; e) Un representante de las entidades administradoras de riesgos laborales, diferente al anterior; f) Dos (2) representantes de los empleadores; g) Dos (2) representantes de los trabajadores; y, h) Un (1) representante de las asociaciones científicas de salud.

El Decreto 1834 de 1994 que reglamenta el citado Decreto 1295 de 1994 señala en sus artículos 1° a 4° lo siguiente: a) las Administradoras de Riesgos Laborales diferentes al Instituto de Seguros Sociales deben presentar al Presidente de la República para cada periodo, una terna de candidatos para integrar el Consejo Nacional de Riesgos Laborales; b) diferentes entidades gremiales deberán presentar al Gobierno Nacional por cada periodo y por sendas ternas los candidatos para la elección del representante de los empleadores; c) las confederaciones de trabajadores presentarán sendas ternas de candidatos al Gobierno Nacional para la elección del representante de los trabajadores, y si no llegasen a enviar ternas, tal función le corresponderá a las asociaciones de trabajadores afiliados al Sistema de Seguridad Social Integral; y finalmente d) las asociaciones científicas de salud enviarán sendas ternas para la elección de su representante.

Siguiendo el ya citado Decreto 1834 de 1994 estas ternas deberán ser presentadas dentro de los treinta (30) días calendario anteriores al vencimiento de cada periodo, correspondiéndole al Director Técnico de Riesgos Profesionales dar oportuno aviso a las diferentes organizaciones para que presenten sus ternas. El periodo de los representantes señalados, será de dos (2) años y en modo alguno se tendrán como servidores públicos. Y finalmente, este Consejo se reunirá cada seis (6) meses.

A la luz del artículo 60 del Decreto señalado, este Consejo ejercerá preponderantemente funciones consultivas del Gobierno Nacional, tales como: a) Recomendar la formulación de estrategias y programas para riesgos laborales, de acuerdo a los planes y programas de desarrollo económico, social y ambiental que apruebe el Congreso de la República; b) Recomendar las normas técnicas de salud ocupacional que regulan el control de los factores de riesgo; c) Recomendar las normas de obligatorio cumplimiento sobre las actividades de promoción y prevención para las Administradoras de Riesgos Profesionales; d) Recomendar la reglamentación sobre la recolección, transferencia y difusión de la información sobre riesgos laborales; e) Recomendar al Gobierno Nacional las modificaciones que considere necesarias a la tabla de clasificación de enfermedades profesionales; f) Recomendar las normas y procedimientos que le permitan vigilar y controlar las condiciones de trabajo en las empresas; g) Recomendar el plan nacional de salud ocupacional; h) Aprobar el presupuesto general de gasto del Fondo de Riesgos Laborales, presentado por el secretario técnico del consejo.

Los actos que expida el Consejo en desarrollo de sus funciones, continúa el Decreto, requieren para su validez la aprobación del Gobierno Nacional.

Finalmente, la Ley 1562 de 2012 por su parte, reitera que será función de este Consejo determinar anualmente el monto de los recursos del Fondo de Riesgos Laborales para investigación en salud laboral del Instituto Nacional de Salud; que el Gobierno debe, previo concepto del Consejo Nacional de Riesgos Laborales, determinar en forma periódica las enfermedades que considere como laborales; añadiendo a sus funciones no obstante, el servir como órgano consultivo del Ministerio de Trabajo para determinar el límite de los gastos de administración de las Administradoras de Riesgos Laborales, acorde con variables como tamaño de empresa, número de trabajadores, clase de riesgo, entre otras.

5. AFILIADOS OBLIGATORIOS

A continuación, se expondrán quiénes son afiliados obligatorios a este subsistema. Para ello se indicará a quién le corresponde la afiliación y el pago como algunas particularidades dependiendo del afiliado obligatorio.

5.1. *Trabajadores dependientes*

Estos son los trabajadores vinculados mediante un contrato de trabajo. La afiliación le corresponde hacerla a su empleador a la Administradora de Riesgos Laborales ARL de su elección. Se cotiza por el monto del salario sin que pueda ser inferior a un salario mínimo legal mensual vigente ni superior a veinticinco salarios mínimos legales vigentes. El empleador a su vez asume la obligación de cotizar, así como el monto de la cotización.

5.2. *Estudiantes*

Dentro de los estudiantes y a la luz del Decreto 055 de 2015, se deben distinguir las siguientes situaciones:

- Estudiantes que deban ejecutar trabajos que signifiquen una fuente de ingresos para la institución donde realizan sus estudios e involucren un riesgo ocupacional.

- Que deban realizar prácticas o actividades como requisito para culminar sus estudios u obtener un título o certificado de técnico laboral, que involucren un riesgo ocupacional.

Cuando se trate de estudiantes que deban ejecutar trabajos que signifiquen fuente de ingreso para la institución educativa donde realizan sus estudios, ésta deberá realizar la afiliación y el pago de aportes al Sistema General de Riesgos Laborales. En el siguiente caso, le corresponderá a la entidad educativa, o a la entidad, empresa o institución pública o privada donde se realice la práctica, para el caso de la educación superior y de los programas de formación laboral en la educación para el trabajo y el desarrollo humano, si así lo convienen las instituciones: de educación y la entidad, empresa o institución pública o privada donde se realice la práctica. Su cotización se hará sobre un salario mínimo legal mensual vigente.

Ahora bien, los aprendices, que son una categoría diferente, de acuerdo al Decreto 933 de 2003 están vinculados a través de un contrato que no es laboral. Este contrato tiene unas características especiales: no puede exceder los dos años, a través de este una persona natural recibe formación teórica y práctica en una entidad de formación autorizada con el auspicio de una empresa patrocinadora que, suministra los medios para que adquiera formación profesional requerida en su oficio dentro del manejo administrativo, operativo, comercial o financiero propios del giro ordinario de las actividades del patrocinador, el aprendiz recibe un apoyo de sostenimiento suficiente que garantice el proceso de aprendizaje y el cual, en ningún caso, constituye salario.

Durante la fase práctica el aprendiz estará afiliado al Sistema de Riesgos Laborales por la Administradora de Riesgos Laborales, ARL, que cubre la empresa patrocinadora sobre la base de un salario mínimo legal mensual vigente.

5.3. Cooperados

Según la Ley 1562 de 2012, los trabajadores asociados son afiliados obligatorios al Sistema de Seguridad Social Integral. Los aportes y todos los ingresos que perciba el asociado corresponden a su Ingreso Base de Cotización y serán las Cooperativas y Precooperativas de Trabajo Asociado las responsables del proceso de afiliación y pago de los aportes de los trabajadores asociados.

5.4. Prestadores de servicios

De acuerdo a la Ley 1562 del año 2012 y al Decreto 723 del año 2013, son afiliados obligatorios las personas vinculadas a través de un contrato formal de prestación de servicios, con entidades o instituciones públicas o privadas con una duración superior a un (1) mes. Sobre el tiempo del contrato cabe señalar que la Ley establece que sea superior, no igual a una duración de un (1) mes.

Ahora bien, según el artículo 7º del decreto 2800 de 2003, el ingreso base de cotización del trabajador independiente corresponderá al cuarenta por ciento (40%) del valor neto de los honorarios o de la remuneración por los servicios prestados.

Y según el ya indicado Decreto 1562 del año 2013, la base para calcular las cotizaciones de estos trabajadores no será inferior a un (1) salario mínimo legal mensual vigente, ni superior a veinticinco (25) salarios mínimos legales mensuales vigentes.

Cuando las personas objeto de la aplicación del citado decreto perciban ingresos de forma simultánea provenientes de la ejecución de varios contratos, las cotizaciones correspondientes serán efectuadas por cada uno de ellos conforme a la normativa vigente. No obstante, cuando se alcance el límite de los veinticinco (25) salarios mínimos legales mensuales vigentes, deberá cotizarse empezando por el de mayor riesgo. Esto supone que es posible que no se cotice por los de menor riesgo si ya alcanzó el tope de veinticinco (25) salarios mínimos legales mensuales vigentes.

De acuerdo al Decreto 1273 del año 2018, la cotización estará cargo del contratante, esto es, es él quien debe realizar la cotización (y sólo asumirla en ciertos casos). De igual manera, a la luz de su artículo 3º, a los trabajadores independientes con contrato de prestación de servicios que desarrollan actividades clasificadas en los riegos de I a III le corresponde al contratista el pago del cien por ciento (100%) de la cotización. Y a los trabajadores independientes con contrato de prestación de servicios, que desarrollan actividades clasificadas en los riesgos IV y V, le corresponde al contratante el pago del por ciento (100%) de la cotización.

Cabe señalar que de acuerdo al Decreto 1072 del año 2015, cuando los contratistas celebren o realicen simultáneamente varios contratos, deben estar afiliados al Sistema General de Riegos Laborales por la totalidad de los contratos suscritos, en una misma ARL. Y que, si llegase a tener un vínculo laboral al tiempo de tener un contrato de prestación de servicios, deberá afiliarse a la ARL a la que se encuentre vinculado como trabajador dependiente.

Para esto, el contratista debe informar al contratante, la ARL a la cual se encuentra afiliado, para que este realice la correspondiente novedad en la afiliación del nuevo contrato.

5.5. Voluntarios de Primera Respuesta

Según la Ley 1505 del año 2012, la Defensa Civil, los Cuerpos de Bomberos de Colombia y la Cruz Roja son afiliados obligatorios al subsistema de riesgos laborales. El Ministerio de salud y de la protección social reglamentará el acceso al sistema de riesgos laborales. Su afiliación y el pago de cotizaciones estará a cargo de la Dirección de Gestión del Riesgo del Ministerio de Justicia.

5.6. Cuadro comparativo

Tipo vinculación	Quién Afilia	Quién es responsable por pago	Quién asume el Pago	IBC	Quién escoge ARL
Contrato de trabajo	Empleador	Empleador	Empleador	Salario con los topes de 1 y 25 smlmv	Empleador
Estudiantes que deban ejecutar trabajos que signifiquen una fuente de ingresos para la institución	Institución Educativa	Institución Educativa	Institución Educativa	1 smlmv	Institución Educativa
Estudiantes contrato aprendizaje	Empresa patrocinadora	Empresa Patrocinadora	Empresa patrocinadora	1 smlmv	Empresa patrocinadora
Estudiantes que deban realizar prácticas o actividades como requisito para culminar sus estudios	Institución educativa o donde hace la práctica si así lo establece el convenio.	Institución educativa o donde hace la práctica si así lo establece el convenio.	Institución educativa o donde hace la práctica si así lo establece el convenio.	1 smlmv	Institución educativa o donde hace la práctica si así lo establece el convenio.
Cooperados	Cooperativa	Cooperativa	Cooperado	Sus ingresos con topes: mínimo 1 smlmv y máximo 25 smlmv.	Cooperativa

Tipo vinculación	Quién Afilia	Quién es responsable por pago	Quién asume el Pago	IBC	Quién escoge ARL
Prestación de servicios	Contratante	Contratante	Riesgos I a III el contratista y contratante de IV a V.	40% valor del contrato. Con los límites de 1 a 25 smlmv. Cuando hay varios contratos y supera el límite de 25 smlmv, debe comenzar a cotizar por el de mayor riesgo.	El prestador de servicios. Tiene que estar en una misma ARL por todos sus contratos como prestador y si además es trabajador dependiente en la que esté como dependiente.
Voluntarios	Dirección de Gestión del Riesgo del Ministerio de Justicia.	P Dirección de Gestión del Riesgo del Ministerio de Justicia.	Dirección de Gestión del Riesgo del Ministerio de Justicia.	1 smlmv	Dirección de Gestión del Riesgo del Ministerio de Justicia.

5. CLASIFICACIÓN DE CLASE DE RIESGO

De acuerdo con lo establecido en el artículo 25 y siguientes del Decreto-Ley 1295 de 1994, la clasificación es el proceso mediante el cual la entidad en la que se desarrolla la labor, de acuerdo con su actividad principal, determina la clase de riesgo dentro de la que se clasifica, conforme a lo establecido en el Decreto 1607 de 2002, lo cual es aceptado por la ARL.

En este sentido es posible señalar que el hecho que la calificación de riesgo dependa de la actividad económica de la entidad genera, de alguna manera, que no exista selección adversa al menos en lo que respecta a los afiliados individualmente considerados y las funciones que éstos realizan. Ello en la medida que no se tiene en cuenta para la calificación cada una de las actividades que desarrolla cada uno de los afiliados o quienes desarrollan la labor, sino solamente la actividad de la entidad como un todo. Sobre el particular, Juan Carlos Cortes señala:

> Se trata de una categorización objetiva a partir de las condiciones de la actividad económica del empleador-empresa y su ubicación en una tabla de clases de riesgo (...) corresponde a una categoría que se determina no por las condiciones de trabajo o de riesgo de los trabajadores individualmente considerados, sino por la actividad económica de la empresa. (Cortés, Estructura de la Protección Social en Colombia., 2012, pág. 47).

La clasificación resulta de la mayor importancia en la medida que el monto de la cotización se encuentra relacionado directamente con el riesgo en que se haya ubicado la entidad, pues respecto de cada nivel de riesgo, se establece un porcentaje de cotización como se verá más adelante.

En efecto, primero se determina en qué nivel está clasificada la entidad dependiendo de su actividad. Esta clasificación (Decreto 1295 de 1994) inicia en el nivel I y termina en el V, así:

Clase	Riesgo
I	Muy bajo
II	Bajo
III	Medio
IV	Alto
V	Muy Alto

El listado de actividades económicas y su respectiva clasificación está prevista en el Decreto 1607 del año 2002. Dependiendo de su actividad, el Decreto determina en qué nivel de riesgo queda clasificada.

Ahora bien, el Sistema General de Riesgos Laborales ha previsto un mecanismo a través del cual, el monto de la cotización puede disminuir para la entidad en la medida que su actividad principal se desarrolle en distintos lugares geográficos, conocidos como centros de trabajo.

De acuerdo con el Decreto 1530 de 1996, para que pueda realizarse una clasificación por centros de trabajo es necesario que se cumplan tres requisitos, a saber: (i) Diferencia entre las actividades desarrolladas en cada centro de trabajo, (ii) Que los centros trabajo, entendidos como las instalaciones locativas (edificaciones o áreas a cielo abierto) sean independientes entre sí y (iii) Que el factor de riesgo asociado a la actividad de cada centro de trabajo no exponga directa o indirectamente a los trabajadores de los otros centros de trabajo.

Si estos tres requisitos se cumplen concurrentemente es posible que se cotice por cada centro de trabajo y no por una sola actividad económica. Si no se cumple y la entidad realiza diferentes actividades económicas, se cotizará por la que involucre un mayor riesgo.

Ahora bien, resulta de la mayor importancia que la clasificación sea aceptada por la ARL, pues ésta tiene la posibilidad de modificarla si advierte que la clasificación realizada por la entidad no corresponde con la realidad. Facultad a la cual se le denomina reclasificación conforme a lo establecido en los artículos 29 y 31 del Decreto Ley 1295 de 1994.

Así, para realizar el procedimiento de reclasificación, la ARL debe verificar la información brindada por la entidad, pudiendo incluso realizar visitas a ésta para determinar si la clasificación realizada corresponde con la realidad. Si advierte que la actividad económica desarrollada responde a otro riesgo distinto al cual se reportó y sobre el que viene realizando las cotizaciones, lo modificará, se lo comunicará a la entidad e informará concomitantemente al Ministerio de Trabajo. El Ministerio por su parte, podrá imponer sanciones de hasta quinientos (500) salarios mínimos legales mensuales vigentes en caso de que se haya realizado una indebida clasificación.

Recibida la comunicación, la entidad cuenta con quince (15) días hábiles para ejercer su derecho de defensa solicitando a la ARL reconsidere su modificación. Ejercido su derecho de defensa, la ARL contará con treinta (30) días hábiles para adoptar una decisión. En caso de guardar silencio se entenderá que acepta la solicitud de la entidad de mantener el nivel riesgo que este reportó en un comienzo.

Sintetizando lo dicho vale indicar que: la actividad económica de la entidad en la que se desarrolle la labor es determinante a efectos de establecer el porcentaje de cotización; una misma entidad puede cotizar sobre diferentes porcentajes dependiendo de la cantidad de centros de trabajo independientes (estructuralmente y en exposición a riesgos) y con actividades económicas diversas, que existan; que la entidad al momento de afiliarse declara el riesgo a partir del cual realizará las cotizaciones; y la ARL no obstante, está facultada para verificar si lo reportado se corresponde con la realidad pudiendo modificar la cotización, respetando el debido proceso de la entidad.

6. COTIZACIÓN A RIESGOS LABORALES

De acuerdo a lo expuesto, dependiendo de la clasificación única o por centro de trabajo de acuerdo al nivel de riesgo asociado a la actividad económica desarrollada, aplican los siguientes porcentajes sobre los ingresos base de cada afiliado, ya descrito.

Estos porcentajes están previstos en el artículo 13 del Decreto 1772 del año 1994, así:

Clase riesgo	% Valor mínimo	% Valor inicial	% Valor máximo
I	0,348	0,522	0,696
II	0,435	1,044	1,653
III	0,783	2,436	4,089
IV	1,740	4,350	6,690
V	3,219	6,960	8,7

Así las cosas, para determinar el monto de la cotización se aplica el porcentaje que corresponda sobre el ingreso base que reciba cada afiliado que preste sus servicios a la respectiva entidad.

De acuerdo al artículo 27 del Decreto 1295 del año 1994, para determinar el valor de las cotizaciones, toda empresa que ingrese por primera vez al sistema de riesgos laborales, cotizará por el porcentaje señalado en la columna de valor inicial de la clase de riesgo que le corresponda, en la tabla indicada. Así, si por ejemplo la actividad está clasificada en el riesgo I, la entidad cotizará sobre un porcentaje del 0,522.

Ahora bien, de acuerdo al artículo 20 de la Ley 776 del año 2002 y 32 del citado Decreto 1295 del año 1994, podrá variar el monto de la cotización dentro de la Tabla de Valores Mínimos y Máximos, teniendo en cuenta: a) Un indicador de variación del índice de lesiones incapacitantes y de la siniestralidad de cada empresa; y b) El cumplimiento de las políticas y el plan de trabajo anual del programa de seguridad y salud en el trabajo.

En este sentido, dentro del mismo riesgo, el porcentaje de cotización podrá variar entre el mínimo y máximo dependiendo de una disminución o incremento del índice de lesiones que generan incapacidad o de la siniestralidad (muertes de afiliados) y del cumplimiento del plan de seguridad y salud en el trabajo que se debe adoptar en cada empresa.

Para esto, el Ministerio de Trabajo definirá las formulaciones y metodologías que se utilicen para la determinación de la variación de la cotización. Estas serán comunes para todas las ARL. A la fecha, sin embargo, el Ministerio no ha definido la metodología, por lo que se sigue cotizando tomando el porcentaje señalado dentro del valor inicial, de acuerdo a la clasificación del riesgo, que se aplica al ingreso base de cotización de cada afiliado: a su salario, al cuarenta por ciento (40%) de sus honorarios, entre otros.

7. TRASLADO

La ley 776 de 2002 en su artículo 22 que establece el traslado entre ARL modificando a su vez el artículo 33 del Decreto-ley 1295 de 1994, señala lo siguiente:

> Los empleadores afiliados al ISS pueden trasladarse voluntariamente después de dos (2) años, contados desde la afiliación inicial o en el último traslado; en las demás Administradoras de Riesgos Profesionales, de acuerdo al Decreto 1295 de 1994 en un (1) año. Los efectos de traslado serán a partir del primer día del mes siguiente a aquel en que se produjo el traslado conservando la empresa que se traslada la clasificación y el monto de la cotización por los siguientes tres (3) meses. (Decreto-Ley 1295 de 1994).

Lo anterior significa que frente a la ARL Positiva el traslado puede operar siempre y cuando hayan transcurrido dos (2) años desde la afiliación inicial o traslado y frente a las demás sólo se exige un (1) año de permanencia.

Vale recordar que, a la luz del Decreto Ley 1295 de 1994, al tenor de su artículo 77, la administración de este subsistema de riesgos laborales estará a cargo de las ARL autorizadas y del Instituto del Seguros Sociales, que de acuerdo con el Decreto 600 de 2008, trasladó el negocio de riesgos laborales a la compañía de seguros La Previsora S.A. quien, a su vez, posteriormente trasladó el aseguramiento a Positiva Compañía de Seguros S.A. (Arenas G., El derecho colombiano de la Seguridad Social, 2011, pág. 646).

En este sentido, cuando la norma se refiere al Instituto de Seguros Sociales debemos entender que a la fecha se refiere a Positiva Compañía de Seguros S.A.

Por su parte, el traslado surtirá efectos el primer día del mes siguiente a aquel en que opera. Y que, tras el traslado, la empresa que se traslada conserva la clasificación y el monto de la cotización por los siguientes tres (3) meses posteriores a la fecha en que surte efectos.

8. COBERTURA

En el subsistema de sistema de riesgos laborales se reconocen tanto prestaciones asistenciales como económicas. Como puede operar el traslado, el reconocimiento de estas prestaciones, dependerá de la situación que les haya dado origen (un accidente de trabajo o una enfermedad laboral).

De acuerdo con el parágrafo 2° del artículo 1° de la Ley 776 de 2002: En caso de accidente de trabajo a la ARL a la que se encuentre afiliado al momento de suceder el accidente. Y en caso de enfermedad laboral a la ARL a la que se encuentre afiliado al momento de requerirse la atención o prestación.

De acuerdo a la misma norma, en caso de enfermedad laboral, si al requerirse atención o prestación no está afiliado al sistema de riesgos laborales le corresponderá a la última a la que estuvo vinculado siempre y cuando el origen de la enfermedad pueda ser imputado al tiempo durante el cual estuvo vinculado a ella.

Y cuando la ARL asume una prestación por enfermedad laboral podrá repetir en contra de las otras ARL a las que estuvo vinculado el afiliado en proporción al tiempo de exposición al riesgo que haya tenido el afiliado en cada administradora.

8.1. *Prestaciones asistenciales*

Todo afiliado al sistema General de Riesgos laborales que en los términos de la Ley 776 de 2002, o del Decreto-Ley 1295 de 1994, sufra un accidente de trabajo o una enfermedad laboral, o como consecuencia de ellos se incapacite, se invalide o muera, tendrá derecho a que este Sistema General le preste los servicios asistenciales y le reconozca las prestaciones económicas a los que se refieren el Decreto-Ley 1295 de 1994 y la Ley 776 de 2002.

Las prestaciones asistenciales en términos generales son los servicios de salud a que tiene derecho un trabajador en el momento de sufrir un accidente o al momento en que se detecte una enfermedad laboral. Cuando se presente una enfermedad laboral la ARL podrá repetir proporcionalmente a las otras ARL a las que haya estado afiliado el beneficiario en proporción a la exposición al riesgo; y en caso de estar desvinculado del sistema, la enfermedad calificada como de origen laboral será asumida por la última ARL a la cual estuvo vinculado. Cuando suceda un accidente laboral, la ARL a la cual se encuentre vinculado al momento de acaecer deberá responder íntegramente por las prestaciones derivadas del evento incluso frente a sus secuelas.

¿Cuáles son las prestaciones asistenciales?

Según el artículo 5° del Decreto 1295 de 1994, las prestaciones asistenciales a que tiene derecho, son: Asistencia médica, quirúrgica, terapéutica y farmacéutica; servicios de hospitalización; servicio odontológico; suministro de medicamentos; servicios auxiliares de diagnóstico y tratamiento;

prótesis y órtesis, su reparación, y su reposición solo en casos de deterioro o desadaptación, cuando a criterio de rehabilitación se recomienda; rehabilitación física y profesional; gastos de traslado, en condiciones normales, que sean necesarios para la prestación de estos servicios.

¿Quién brindará la prestación asistencial?

Ahora bien, los servicios de salud que requiera el afiliado, derivados del accidente de trabajo o la enfermedad laboral, serán prestados a través de la Entidad Promotora de Salud EPS a la cual se encuentre afiliado en el Sistema General de Seguridad Social en Salud, salvo los tratamientos de rehabilitación profesional y los servicios de medicina ocupacional que podrán ser prestados por las ARL. Con todo, actualmente las ARL realizan contrataciones directas con las prestadoras de salud teniendo su propia red, sin acudir a la red de la EPS.

Lo haga a través de su propia red o de una red de las EPS, los gastos derivados de los servicios de salud que tengan relación directa con la atención del riesgo laboral, están a cargo de la ARL correspondiente, bien se trate de un accidente de trabajo o de una enfermedad laboral.

¿Quién asume el costo de la prestación asistencial?

En el artículo 6° del decreto 1295 de 1994, se estipula que el origen de la enfermedad o accidente determina a cargo de cual sistema general se imputarán los gastos que demande el tratamiento respectivo, siendo el Gobierno Nacional responsable de la reglamentación de los procedimientos y términos dentro de los cuales se harán los reembolsos entre las ARL, las EPS y las Instituciones Prestadoras de Servicios de Salud (IPS).

Según el artículo 24 de la Ley 1562 de 2012 las ARL pagarán a las EPS el valor de las prestaciones asistenciales y económicas de eventos calificados en primera oportunidad como de origen laboral incluidas las pagadas dentro de los tres años anteriores a dicha calificación y que hayan sido asumidas por las EPS.

Cuadro comparativo con subsistema de salud

Dicho esto, en el sistema de riesgos laborales se otorgan prestaciones similares que en el subsistema de salud. Así, para exponer brevemente sus diferencias se propone un cuadro comparativo que facilitará su comprensión:

Subsistema Servicio	Salud que atiende contingencias de origen común	Laboral
Alcance de servicios médicos, quirúrgicos, hospitalarios y prótesis.	Limitado al Plan de Beneficios	No tiene límites, el único límite serán las tecnologías existentes en el país.
Medicamentos	Limitado al Plan de Beneficios.	Sin límite, salvo lo existente en el territorio nacional.
Rehabilitación	Física	Física y laboral.

8.2. *Prestaciones económicas*

Las prestaciones económicas que se reconocen dentro del subsistema de riesgos laborales son: el subsidio por incapacidad temporal, la indemnización por incapacidad permanente parcial, la pensión de invalidez, la pensión de sobrevivientes y el auxilio funerario.

8.2.1. Subsidio por incapacidad temporal

Aquella que le impide desarrollar su trabajo habitual de manera temporal. Asciende al cien por ciento (100%) del último IBC reportado anterior al inicio de la incapacidad. Se reconoce por 180 días que pueden prorrogarse por otros ciento ochenta (180) días si es necesario para la rehabilitación del trabajador. De acuerdo con el Decreto 1295 de 1994 y el artículo 23 de Decreto 2463 de 2001, se puede prorrogar por trescientos sesenta (360) días más si hay concepto favorable de rehabilitación. Con todo se seguirá pagando hasta que se logre la rehabilitación del trabajador o, según lo dispuesto el Artículo 3º de la Ley 776 de 2002, hasta tanto no se establezca el grado de incapacidad o invalidez.

Durante este periodo será la ARL la que asuma las cotizaciones a salud y pensiones tomando como ingreso base de cotización el valor de la incapacidad.

Si se origina en un accidente de trabajo se reconoce desde el día siguiente al que ocurrió el accidente; y en una enfermedad laboral, desde el día que inicia la incapacidad por enfermedad.

Vale señalar que de acuerdo con el parágrafo 3º del artículo 5º de la Ley 1562 del año 2012, el pago de la incapacidad temporal será asumido por las EPS, en caso de que la calificación de origen en la primera oportunidad sea común; o por la ARL en caso que la calificación del origen en primera oportunidad sea laboral. Cuando existe controversia, es decir, se manifestó la inconformidad en contra del dictamen, la misma seguirá siendo reconocida por quien corresponda hasta que exista un dictamen en firme por parte de la Junta Regional o Nacional si se apela a esta.

Vale señalar que, conforme a este parágrafo, cuando el pago corresponda a la ARL porque en primera oportunidad se declaró que se trataba de un accidente o una enfermedad laboral, esta pagará el mismo porcentaje estipulado por la normatividad vigente para el régimen contributivo del Sistema General de Seguridad Social en Salud. Esto es, no reconocerá el cien por ciento (100%) del último IBC.

Finalmente, una vez el dictamen esté en firme podrán entre ellas (ARL y EPS) realizarse los respectivos reembolsos y la ARL reconocerá al trabajador la diferencia en caso de que el dictamen en firme indique que correspondía a origen laboral.

8.2.2. Indemnización por incapacidad permanente parcial

Cuando como consecuencia de un accidente de trabajo o enfermedad laboral hay una pérdida de capacidad laboral[27], mayor o igual al cinco por ciento (5%) y menor a un cincuenta por ciento (50%), se origina esta indemnización.

Según el artículo 1° del Decreto 2644 de 1994, la indemnización dependerá de la pérdida de capacidad laboral y del Ingreso Base de Liquidación, así:

PORCENTAJE (%). DE PÉRDIDA DE CAPACIDAD LABORAL	MONTO DE LA INDEMNIZACIÓN EN MESES BASE DE LIQUIDACIÓN
49	24
48	23,5
47	23
46	22,5
45	22

---

[27]   Sobre el trámite de calificación remitirse al acápite respectivo dentro del subsistema de pensiones, toda vez que este trámite es el mismo tanto en el subsistema de pensiones como en el subsistema de riesgos laborales.

PORCENTAJE (%). DE PÉRDIDA DE CAPACIDAD LABORAL	MONTO DE LA INDEMNIZACIÓN EN MESES BASE DE LIQUIDACIÓN
44	21,5
43	21
42	20,5
41	20
40	19,5
39	19
38	18,5
37	18
36	17,5
35	17
34	16,5
33	16
32	15,5
31	15
30	14,5
29	14
28	13,5
27	13
26	12,5
25	12
24	11,5
23	11
22	10,5
21	10
20	9,5
19	9
18	8,5
17	8

PORCENTAJE (%). DE PÉRDIDA DE CAPACIDAD LABORAL	MONTO DE LA INDEMNIZACIÓN EN MESES BASE DE LIQUIDACIÓN
16	7,5
15	7
14	6,5
13	6
12	5,5
11	5
10	4,5
9	4
8	3,5
7	3
6	2,5
5	2

Ahora bien, como esta tabla nos indica la cantidad de meses en IBL que se tendrán en cuenta para calcular la indemnización hay que referirse a la manera como se calcula este IBL.

Según la Ley 1562 de 2012, el IBL se calculará, así:

- Cuando se trata de accidentes de trabajo será el promedio del Ingreso Base de Cotización (IBC) sobre el que se cotizó a la ARL durante los seis (6) meses anteriores al accidente o la fracción de tiempo inferior en caso de no alcanzar este tiempo.

- En enfermedades laborales será el promedio del último año o fracción de año del IBC anterior a la fecha en que se calificó en primera oportunidad el origen de la enfermedad. Si al realizarse la calificación no está vinculado a una ARL, se tomará el promedio del IBC del último año o fracción de año reportado a la última ARL a la que haya estado afiliado.

Si bien la norma se refiere a meses lo mismo llevaría a pensar al número de meses durante los cuales se reconocerá el determina IBL. No obstante, la interpretación que, se le ha dado a la norma se refiere al número que se multiplicará por el IBL; esto es, a cuántas veces el IBL calculado ascenderá esta indemnización.

Vale finalmente señalar que, esta indemnización se trata de un pago único.

8.2.3. Pensión de invalidez

Cuando hay una pérdida superior o igual al cincuenta por ciento (50%) de origen laboral se genera una invalidez que da lugar a una pensión por tal estado.

Está es una prestación que se otorgará por el tiempo que dure la invalidez, es decir, no tiene el carácter de vitalicia. Así, una vez sea calificada la entidad que otorga la pensión, puede solicitar la revisión de la valoración transcurridos tres (3) años, si tiene motivos para considerar que la persona ha recuperado su capacidad laboral en un porcentaje que supone la superación del estado invalidante, de acuerdo a lo establecido por el artículo 44 de la Ley 100 de 1993.

Con todo, según el artículo 10 de la ley 776 de 2002, esta ascenderá a los siguientes montos:

- Cuando la invalidez es igual al cincuenta por ciento (50%) y hasta el sesenta y seis (66%) será igual al sesenta por ciento (60%) del IBL.

- Cuando la invalidez es superior al sesenta y seis (66%) la pensión será igual al setenta y cinco (75%) del IBL. En este caso, cuando el pensionado requiere el auxilio de otra u otras personas para realizar las funciones elementales de su vida, el monto de la pensión se incrementará en un quince (15%). Sobre este punto, preguntarse si el porcentaje del quince (15%) adicional se calcula sobre el IBL o sobre el monto de la pensión. Para dar respuesta la literalidad de la norma indica que "cuando el pensionado por invalidez requiere el auxilio de otra u otras personas para realizar las funciones elementales de su vida, el monto de la pensión de que trata el literal anterior se incrementa en un quince por ciento (15%)". Así, se calculará sobre el monto liquidado de la pensión tras aplicar el setenta y cinco (75%) del IBL y no sobre el IBL.

Para calcular el IBL se seguirá el mismo procedimiento indicado para el cálculo de la indemnización por pérdida permanente parcial.

Vale indicar que a diferencia del régimen común pensional en donde se requiere una cotización mínima en el tiempo inmediatamente anterior al momento en que se estructura la invalidez (tiempo este que variará dependiendo de la norma aplicable), en el régimen de riesgos laborales la cobertura comienza desde el día siguiente a la afiliación. Así, si por ejemplo si llevaba trabajando un día y sufre un accidente de trabajo que le genera invalidez, sin contar con cotizaciones mínimas, ya es beneficiario de esta prestación.

Ahora bien, de acuerdo al artículo 13 de la Ley 100 de 1993, se prohíbe la concurrencia de las pensiones de vejez e invalidez en un mismo afiliado. Sin embargo, al tener origen en diferentes subsistemas, no es predicable tal prohibición. Esto como quiera que los recursos con las que se financian tienen fuentes diferentes.

Finalmente establece el parágrafo 2° del artículo 10° de la Ley 776 del año 2002 que no podrá cobrarse de manera simultánea las prestaciones por incapacidad temporal y pensión de invalidez. Esto significa que no puede reconocerse un pago retroactivo de una pensión de invalidez (de acuerdo a la fecha de estructuración) si durante este tiempo estaba disfrutando de una incapacidad temporal. El pago de la pensión de invalidez iniciará una vez finalice el pago del subsidio por incapacidad. De igual manera, establece este parágrafo que, tampoco se podrán reconocer pensiones otorgadas por los regímenes común y profesional originados en el mismo evento. Lo mismo es claro toda vez que el origen que se dictamine sólo puede ser uno.

8.2.4 Pensión de sobrevivientes

Cuando el accidente de trabajo o enfermedad laboral genera la muerte del afiliado o fallece un pensionado por invalidez otorgada por parte del subsistema de riesgos laborales, surge una pensión de sobrevivientes que se reconocerá a su círculo más cercano que se ve abocado a sufrir el riesgo económico derivado de la muerte del causante.

Los beneficiarios de esta pensión son los mismos previstos en el subsistema de pensiones por lo que se recomienda remitirse a este acápite.

Ahora bien, el monto de esta pensión ascenderá a:

- Si el que fallece es un afiliado la pensión ascenderá al setenta y cinco por ciento (75%) del IBL.
- Si el que fallece es un pensionado ascenderá al cien por ciento (100%) de la pensión de invalidez recibida.
- En caso de recibir el quince por ciento (15%) adicional por ayuda de tercero, se restará dicho valor.

Vale finalmente indicar que esta pensión a diferencia de la de sobrevivientes del régimen común se reconoce sin necesidad de acreditar un tiempo mínimo de cotización inmediatamente anterior al deceso, pues la cobertura inicia desde el día siguiente de la afiliación.

8.2.5. Auxilio funerario

Al igual que en el régimen común se garantizará a quien demuestre que sufragó los gastos de entierro (puede o no ser familiar del causante) y ascenderá al último ingreso base de cotización o última mesada pensional recibida sin que pueda ser inferior a cinco (5) salarios mínimos legales mensuales ni superior a diez (10). Se genera ante el fallecimiento por enfermedad laboral o accidente de trabajo o el fallecimiento de persona que estaba disfrutando una pensión de invalidez de origen laboral.

SERVICIOS SOCIALES COMPLEMENTARIOS

1. INTRODUCCIÓN

La Ley 100 de 1993 que instituyó el Sistema Integral de Seguridad Social tal y como lo conocemos actualmente, integró diversos títulos que corresponden a los subsistemas hasta ahora explicados: de salud, pensiones y riesgos laborales. En el Título IV estableció además los "servicios sociales complementarios" y sin definirlo, simplemente ordenó la creación de un programa de protección a los ancianos en condición de vulnerabilidad y de un subsidio al desempleo.

De acuerdo a lo sostenido por Ana María Muñoz:

> Hay quienes afirman que los SSC han quedado reunidos en la nueva regulación del Fondo de Solidaridad Pensional (en adelante FSP), lo que implica ubicarlos dentro del SGP, pero en todo caso, dirigidos al financiamiento de prestaciones para la tercera edad (Arenas Monsalve, 2011, p. 167). Otros, incluyen dentro de los SSC las medidas para enfrentar la pobreza y reducir la vulnerabilidad y exclusión tales como las contempladas en la Ley 789 de 2002 (Hernández Henríquez, 2014, p. 504). En todo caso, las posiciones parecen coincidir en el sentido que se trata de medidas para aquellos grupos de ciudadanos que están en la periferia de los componentes del Sistema de Seguridad Social Integral. En este sentido las opiniones están dirigidas a considerar los SSC como un suplemento a las prestaciones y cubrimientos para quienes están excluidos de las prestaciones básicas de la seguridad social. Es decir, como sistema "integrador" y que busca desarrollar el principio de universalidad. (Muñoz Segura, s.f.).

Atendiendo lo expuesto por Muñoz, los servicios adicionales que estarían dirigidos a la población en la periferia de la Seguridad Social son diversos y se pueden encontrar en temas relacionados con la salud, las pensiones, (Muñoz Segura, s.f.) e incluso los riesgos laborales. Sin embargo, en pensiones estos beneficios adicionales ya se consideraron al exponer los Beneficios Económicos Periódicos BEPS y el Fondo de Solidaridad Pensional. De igual manera, consideramos que, en el subsistema de salud, con la cobertura a través del aseguramiento de las entidades territoriales y del régimen subsidiado, se atiende a los grupos poblacionales que estarían en la periferia de la Seguridad Social en salud; y en riesgos laborales, no hay mayor desarrollo al compromiso de creación de un subsidio estatal de riesgos laborales que acompañe al ahorro individual, en la Reforma Integral Rural del acuerdo de paz suscrito entre delegados y delegadas del Gobierno Nacional, presidido por el Presidente Juan Manuel Santos y delegados y delegadas de las Fuerzas Armadas Revolucionarias de Colombia-Ejército del Pueblo. Como no se ha proferido Ley que desarrolle este subsidio, a la fecha existe como un mero compromiso.

De lo indicado, los eventuales servicios complementarios pensiones y salud, estarían comprendidos dentro de cada uno de estos subsistemas, no pudiendo afirmar que existen por fuera de cada subsistema; frente al subsidio estatal en riesgos laborales, no podría brindarse un análisis mayor ante la falta de regulación. Quedarían, entonces, diversos beneficios, como los beneficios del régimen del subsidio familiar y los asociados con el desempleo, entre otros, que cubren las Cajas de Compensación Familiar.

Podría concluirse, por tanto, que hay una serie de beneficios independientes adicionales a los tradicionales que se brindan dentro de los subsistemas ya expuestos, a cargo de una misma entidad denominada Cajas de Compensación Familiar.

Ahora bien, atendiendo a una de las corrientes señaladas que considera que los Servicios Sociales complementarios se enmarcan dentro de la Ley 789 del año 2002, podemos decir que los mismos se inscriben en un conjunto de políticas públicas orientadas a disminuir la vulnerabilidad y a mejorar la calidad de vida de los colombianos, especialmente de los más desprotegidos.

Sobre las diferencias conceptuales existentes entre la Seguridad Social y la Protección Social, tuvo oportunidad la Corte Constitucional de pronunciarse en la sentencia de Constitucionalidad C-834 del año 2007, indicando que:

> (...) la Corte advierte que el concepto de "protección social" que manejó el Congreso de la República en la Ley 789 de 2002 resulta ser distinto de aquel de "seguridad social", por cuanto, como se analizó, aquél es simplemente un conjunto de políticas públicas orientadas a disminuir la vulnerabilidad y a mejorar la calidad de vida de los colombianos, especialmente de los más desprotegidos, para obtener como mínimo los derechos a la salud, la pensión y al trabajo; por el contrario, la seguridad social es, a su vez, un servicio público, y un derecho irrenunciable de toda persona, que adquiere el carácter de fundamental por conexidad, cuando resulten afectados derechos tales como la salud, la vida digna y la integridad física y moral, entre otros. (M.P. Humberto Antonio Sierra Porto, 2007).

Con todo, se puede concluir que la diferencia radica en la connotación de derecho y servicio público de la Seguridad Social y de Políticas Públicas de la Protección Social, más allá de la finalidad de ambos conceptos en donde sin duda alguna pueden coincidir plenamente. De acuerdo a lo expuesto en los primeros capítulos, la Seguridad Social busca la universalidad, la atención especial de los más vulnerables y mejorar la calidad de vida de las personas, tal y como también lo hace la Protección Social. Así las cosas, antes que oponerse pueden integrarse.

Sintetizando lo dicho hasta este momento, se puede concluir entonces que, los servicios sociales complementarios buscan cubrir a la población que se encuentra en la periferia de la Seguridad Social y mejorar la calidad de vida de todos los colombianos; que podrían integrar un subsistema diferente al estar contemplados en un título independiente dentro de la Ley 100 de 1993, al ser reconocidos por una misma entidad y al no estar radicados en ninguno de los restantes subsistemas; y que, se fundamentan en el concepto de Protección Social que con todo, complementa el de Seguridad Social.

Como se verá más adelante estas prestaciones se concentran fundamentalmente en el mejoramiento de la calidad de vida de los colombianos, ofreciendo ayudas en varios aspectos tales como la adquisición de una nueva vivienda o el mejoramiento de la que se tiene, subsidios económicos o en especie para los hogares y su protección, recreación, deporte, estudio, entre otros aspectos.

2. CAJAS DE COMPENSACIÓN FAMILIAR

De acuerdo con el artículo 39 de la Ley 21 de 1982, las Cajas de Compensación Familiar son personas jurídicas de derecho privado sin ánimo de lucro, que cumplen funciones de seguridad social y que se hayan sometidas al control y vigilancia del Estado.

Es la Superintendencia del Subsidio Familiar previo concepto del Consejo Superior del Subsidio Familiar, la que autoriza la constitución de una Caja.

Y de acuerdo con el artículo 1° del Decreto 1231 de 1994 cada Caja de Compensación Familiar autorizada funciona en una localidad o ciudad del territorio nacional.

2.1. Afiliados a las Cajas

De acuerdo al Decreto Ley 19 del año 2012, las Cajas de Compensación Familiar deben afiliar a todos los empleadores, trabajadores independientes y pensionados, previa radicación de unos documentos.

Según el artículo 19 de la Ley 789 del año 2002 los trabajadores independientes pueden afiliarse a una Caja de Compensación Familiar, conforme el principio de libertad de escogencia que deberá ser respetado por parte de la respectiva caja.

Se infiere sin embargo que son afiliados obligatorios solamente los empleadores, siendo voluntarios los trabajadores independientes y los pensionados.

Ahora bien, la afiliación a la Caja de Compensación Familiar deberá hacerse en la ciudad o localidad donde se causen los salarios o ingresos, o de la Caja más próxima al territorio, dentro del mismo Departamento, de acuerdo con el artículo 15 de la Ley 21 de 1982.

2.2. *Aportes a las Cajas*

Los aportes que se hacen por parte de los empleadores a las Cajas de Compensación, se integran dentro de los aportes parafiscales que estos hacen con destino además al Servicio Nacional de Aprendizaje SENA y al Instituto Colombiana de Bienestar Familiar ICBF.

De acuerdo al artículo 7° de la Ley 21 del año 1982, están obligados a pagar el subsidio familiar a la Cajas de Compensación Familiar y a efectuar aportes para el SENA: el Estado, los establecimientos públicos, las empresas industriales y comerciales y las empresas de economía mixta y los empleadores que ocupen uno o más trabajadores permanentes.

Según el artículo 1° de la Ley 89 de 1988, empleadores y entidades públicas y privadas, destinarán una suma equivalente al tres por ciento (3%) de su nómina mensual de salarios para que el ICBF. Y de acuerdo con el artículo 12 de la Ley 21 del año 1982 los aportes a las Cajas de Compensación Familiar y al SENA, ascenderán a un cuatro por ciento (4%) y dos por ciento (2%), respectivamente, sobre la nómina mensual.

Ahora bien, de acuerdo al artículo 65 de la Ley 1819 de 2016 que adicionó el artículo 114-1 del Estatuto Tributario, estarán exoneradas del pago de los aportes parafiscales a favor del SENA y del ICBF y las cotizaciones al Régimen Contributivo de Salud, las sociedades y personas jurídicas y asimiladas contribuyentes declarantes del impuesto sobre la renta y complementarios, correspondientes a los trabajadores que devenguen, individualmente considerados, menos de diez (10) salarios mínimos mensuales legales vigentes.

Así mismo, las personas naturales empleadoras (que al menos empleen dos trabajadores) estarán exoneradas de la obligación de pago de los aportes parafiscales al SENA, al ICBF y al Sistema de Seguridad Social en Salud por los empleados que devenguen menos de diez (10) salarios mínimos legales mensuales vigentes.

Y a la luz del artículo 7° de la Ley 1780 del año 2016 por medio de la cual se promueve el empleo y el emprendimiento juvenil, están exonerados de los aportes a las Cajas de Compensación Familiar, a partir de su entrada en vigencia, los empleadores que contraten trabajadores que tengan entre dieciocho (18) a veintiocho (28) años, durante el primer año de vinculación.

De esto se infiere que:

La contribución al SENA por todos los trabajadores con ingresos iguales o superiores a diez (10) smlmv, asciende al dos por ciento (2%) del total de la nómina de salarios; la contribución al ICBF por todos los trabajadores con ingresos iguales o superiores a diez (10) smlmv asciende al tres por ciento (3%) de la nómina mensual y la contribución a las cajas de compensación familiar por todos los trabajadores [no se exoneran los que devenguen menos de diez (10) smlmv] salvo los que gocen del beneficios previsto por la ley que promueve el empleo y emprendimiento juvenil, asciende al cuatro por ciento (4%) de la nómina mensual.

Los aportes de los trabajadores independientes por su parte, y de acuerdo al artículo 19 de la Ley 789 del año 2002, serán de un cero punto seis por ciento (0,6%) del ingreso base de cotización (que será el mismo que en salud), sin que dicha suma otorgue derechos para el pago de subsidios, limitándose el beneficio a las actividades de recreación, capacitación y turismo social en igualdad de condiciones frente a los demás afiliados a la Caja. Si desean obtener los mismos beneficios, salvo el subsidio monetario, tendrá que aportar sobre el dos por ciento (2%). Como no son cotizaciones obligatorias, su pago será responsabilidad de ellos mismos.

La Corte Constitucional tuvo la oportunidad de pronunciarse sobre la exclusión de los independientes frente al subsidio monetario en sentencia de constitucionalidad C-440 del año 2011, declarando la exequibilidad de esta norma al señalar que:

> (...) no puede atribuirse como censura desde la perspectiva constitucional, al actual diseño del sistema de subsidio familiar, sino que se inscribe dentro de los mandatos de intervención que le imponen al Estado la responsabilidad de avanzar, de manera progresiva, en sistemas de protección que aseguren para todas las personas un mínimo vital en condiciones de dignidad. (M.P. Gabriel Eduardo Mendoza Martelo, 2011).

Finalmente, de acuerdo con el Decreto 784 de 1989, los pensionados cotizarán a la respectiva caja de compensación familiar por concepto de afiliación, el dos por ciento (2%) de la respectiva mesada de su pensión. La entidad que tenga a su cargo el pago de la mesada del pensionado afiliado, hará los descuentos correspondientes con destino a la caja de compensación familiar elegida. Los pensionados afiliados tendrán derecho a la prestación de los servicios sociales de la respectiva caja de compensación familiar, en igualdad de condiciones a las previstas para los trabajadores afiliados.

Vale indicar que los beneficios que se explicarán a continuación beneficiarán a todos los afiliados, salvo: i) el subsidio monetario que no se otorga ni a los trabajadores independientes ni a los pensionados. Los pensionados no tendrán acceso a este porque uno de los requisitos de causación es trabajar. Ni, ii) el mecanismo de protección al cesante que no beneficia a los pensionados, ya que está instituido en favor de quienes pierden su trabajo o fuente de ingresos laborales.

3. QUÉ OFRECEN LAS CAJAS DE COMPENSACIÓN

A parte de su participación en el subsistema de salud bien en el régimen subsidiado como contributivo, ejerciendo funciones de aseguramiento, las Cajas ofrecen diversos servicios a sus afiliados:

Subsidio familiar-cuota monetaria

De acuerdo a la Ley 21 de 1982 es una prestación social pagada en dinero, especie y servicio a los trabajadores de mediano y menores ingresos, en proporción al número de personas a cargo, y su objetivo consiste en el alivio de las cargas económicas que representa el sostenimiento de la familia.

Según el artículo 3° de la Ley 789 de 2002, los trabajadores que tienen derecho a este subsidio son aquellos cuya remuneración mensual no sobrepasa los cuatro (4) smlmv, siempre y cuando laboren al menos noventa y seis (96) horas al mes; y que sumados sus ingresos con los de su cónyuge o compañero (a), no sobrepasen seis (6) smlmv.

Se otorga en favor de quienes tienen hijos hasta los dieciocho (18) años. Después de los doce (12) años se deberá acreditar la escolaridad en establecimiento docente debidamente aprobado. Este requisito fue declarado exequible en la sentencia de constitucional C-653 del año 2003 toda vez que a juicio de la Corte persigue una finalidad constitucional cual es el deber de la familia de brindar educación a los menores (M.P Jaime Córdoba Triviño, 2003); hermanos huérfanos de padre y madre, que convivan y dependan económicamente del trabajador, hasta los dieciocho (18) años y frente a los que cumplen doce (12) años se deberá acreditar el mismo certificado de escolaridad descrito; padres del trabajador, mayores de sesenta (60) años, siempre y cuando no reciban renta, salario o pensión alguna y dependan económicamente del trabajador. Frente a ellos la norma indica que no podrán cobrar simultáneamente este subsidio más de uno de los hijos trabajadores y que dependan económicamente del trabajador; o hijos, hermanos huérfanos y padres del trabajador en cualquier edad que presenten discapacidad o capacidad física disminuida que les impida trabajar, que se entendería como una invalidez.

Anualmente la Superintendencia del Subsidio Familiar fija una cuota monetaria para cada Departamento.

Y de acuerdo al artículo 3° de la Ley 789 del año 2002, podrán cobrar simultáneamente el subsidio familiar por los mismos hijos el padre y la madre, cuyas remuneraciones sumadas no excedan de cuatro (4) salarios mínimos legales mensuales vigentes, smlmv.

Subsidio Familiar en especie

De acuerdo con el artículo 2.2.7.4.5.1. del Decreto 1072 del año 2015, las Cajas de Compensación Familiar, podrán reconocer subsidio familiar en especie, consistente en alimentos, vestidos, becas de estudio, textos escolares, drogas y demás frutos o géneros diferentes al dinero.

De acuerdo con el artículo 2.2.7.4.5.3, el subsidio familiar en especie, podrá consistir en el suministro de:

Medicamentos, cuando no son suministrados por otra entidad de seguridad social.

Aparatos ortopédicos, prótesis y demás implementos de rehabilitación, no suministrados por otra entidad de seguridad o previsión social.

Ajuares, vestidos y demás efectos relacionados con el nacimiento de los hijos de los afiliados.

Leche, alimentos enriquecidos, medicamentos y demás artículos relacionados con el nacimiento de los hijos del afiliado.

Textos, útiles escolares y demás material para la educación y formación de los hijos de los afiliados.

Semillas, abonos, vestidos de labor y elementos de trabajo para el trabajador afiliado del sector primario de la economía y sus personas a cargo.

Materiales de instrucción, capacitación y orientación para los adolescentes hijos de los afiliados y los demás miembros de su familia.

Becas, créditos y demás mecanismos para la formación y capacitación de los afiliados y las personas a su cargo.

Productos o elementos que formen parte de programas de alimentación y nutrición que se organicen para las madres embarazadas, los hijos y los ancianos desprotegidos.

Cursos, folletos, exámenes clínicos y de laboratorio, elementos de educación y preparación para el matrimonio de los afiliados y de las personas a cargo.

Boletos de viaje, excursiones, créditos y demás aspectos relacionados con el establecimiento de la familia del afiliado o de las personas a cargo.

Elementos de recreación y posibilidad de utilización de servicios sociales para el trabajador y su familia en el trabajo activo, en caso de incapacidad, vacaciones o en situaciones de retiro.

Suministro de servicios y elementos funerarios, de inhumación o de cremación en caso de muerte del afiliado y de las personas a su cargo.

Programas sociales de nutrición y educación

Según el artículo 2.2.7.4.4.3, del Decreto 1072 del año 2015, los programas de nutrición y mercadeo social que desarrollen las cajas de compensación familiar estarán orientados a las siguientes finalidades principales: 1. Mejorar la dieta alimentaria de los afiliados, su familia y la comunidad en general; 2. Aprovechar las épocas de cosecha, abastecimiento y abundancia de productos básicos para expandir su distribución; 3. Estimular y desarrollar la producción de pequeños productores, agricultores o cooperativas del sector agropecuario; 4. Aumentar la capacidad adquisitiva de los trabajadores y sus familias, mediante la venta de productos con precios bajos, buena calidad, peso y medidas exactos y puntos de mercadeo asequibles; 5. Organizar sistemas de crédito para la financiación de electrodomésticos, productos del hogar, útiles escolares vestuarios y elementos para la recreación y el esparcimiento que propendan por el mejoramiento de la calidad de vida de los trabajadores y sus familias; y 6. Establecer programas de educación alimentaria, para el consumo y adquisición de bienes básicos.

Y según el artículo 2.2.7.4.4.10, del mismo Decreto, los programas de educación integral y continuada y de capacitación que adelanten las cajas de compensación familiar, estarán orientados a las siguientes finalidades principales: 1. Conceder educación integral y continuada a los trabajadores, su cónyuge y personas a cargo; 2. Impartir educación y capacitación a los trabajadores, su cónyuge y personas a cargo, en oficios y ocupaciones que tiendan al mejoramiento del ingreso familiar; 3. Establecer servicios de biblioteca, centros de documentación y servicios de aprendizaje para el mejoramiento de la educación y capacitación de la familia; 4. Auspiciar becas, cursos y demás actividades de fomento y capacitación para los afiliados y sus familias; 5. Organizar eventos científicos y culturales a los cuales tengan acceso los afiliados, sus familias y la comunidad en general.

Programas sociales de vivienda

Según la Ley 21 de 1982, Ley 633 del año 2000, las Cajas de Compensación pueden promover la adquisición de vivienda, a través de préstamos.

Según el artículo 1° de la Ley 920 del año 2004, las Cajas pueden Otorgar créditos: el 70% para vivienda de interés social tipos uno (1) y dos (2) y el treinta por ciento (30%) para Educación y Libre inversión, excepto para la adquisición de bonos o cualquier otro tipo de títulos de deuda pública. El ochenta por ciento (80%) del valor total de los créditos otorgados estará destinado para aquellas personas que devenguen hasta tres (3) smlmv.

De acuerdo con el Decreto 2190 del año 2009, también pueden otorgar subsidios familiares de vivienda, para adquisición de vivienda nueva o usada, mejoramiento de la existente o construcción de un sitio propio. Para acceder a este subsidio se debe conformar un hogar que compartan el mismo espacio habitacional; tener ingresos familiares inferiores a cuatro (4) smlmv; no ser propietario de vivienda en el caso de compra de vivienda nueva; ser propietario del lote o que el lote sea de la entidad promotora, para los casos de construcción en sitio propio; ser propietario de vivienda con carencias básicas como pisos, techos, etc., en el caso de subsidio para de mejoramiento; tener un ahorro previo como mínimo igual al diez por ciento (10%) del valor total de la vivienda que se quiere adquirir y no haber sido beneficiario anteriormente de un subsidio familiar de vivienda.

Servicios crediticios y de ahorro

Según el artículo 2.2.7.4.4.12. del Decreto 1072 del año 2015, las Cajas de Compensación Familiar pueden brindar servicios de crédito de fomento para industrias familiares. Estos estarán orientados por las siguientes finalidades principales: establecer pequeñas industrias de alimentos, talleres de modistería, mecánica y similares, fomentar la industria agropecuaria en fincas, pequeñas parcelas, granjas individuales o comunales, hogares de ancianos; facilitar la adquisición de semillas, abonos e insumos agropecuarios, herramientas, materiales, equipo de trabajo; permitir la adquisición, ampliación y reparación de maquinarias y equipos para el funcionamiento de industrias familiares; fomentar el establecimiento de microempresas, empresas asociativas, cooperativas u organizaciones similares para los afiliados y sus familias; y auspiciar la adquisición de equipos, herramientas o insumos necesarios para el ejercicio profesional o técnico de los trabajadores afiliados, su cónyuge y sus familias.

Y con todo, de acuerdo con la Ley 920 de 2004, las Cajas de Compensación Familiar podrán adelantar la actividad financiera con sus empresas, trabajadores, pensionados, independientes y desempleados afiliados.

Servicios de recreación y vacaciones

De acuerdo con el artículo 2.2.7.4.4.13 del Decreto 1072 del año 2015, las Cajas de Compensación podrán brindar servicios de recreación social. Los mismos estarán orientados a: prestar servicios de recreación y turismo social, facilitar el descanso o el esparcimiento de los trabajadores afiliados, inducir a los trabajadores y sus familias a la práctica del deporte y la sana utilización del tiempo libre, facilitar la participación en eventos deportivos, programas de recreación, excursiones y actividades similares para el desarrollo físico y mental de los afiliados y sus familias.

De igual manera, según el artículo 2.2.7.4.4.14, podrán convenir con los empleadores o trabajadores afiliados la realización de programas especiales de vacaciones para éstos y sus familias. Para ello, los trabajadores podrán autorizar a su respectivo empleador para que se haga descuentos sobre salarios o gire directamente auxilios, bonificaciones o primas de carácter especial para abonar o cancelar obligaciones contraídas con las cajas de compensación familiar.

Mecanismo de Protección al Cesante

Con la Ley 1636 del año 2013, se crea el mecanismo de protección al cesante como un mecanismo de protección ante el desempleo.

Este mecanismo cubre a:

– Trabajadores dependientes que hayan aportado durante un año continuo o discontinuo durante últimos tres (3) años a la Caja de Compensación Familiar.

– Trabajadores independientes (afiliados voluntarios) que hayan aportado durante dos años continuos o discontinuos en últimos tres (3) años a la Caja de Compensación Familiar.

El FOSFEC: fondo de solidaridad, fomento al empleo y protección al cesante es un componente del mecanismo de protección al cesante, el cual será administrado por las cajas de compensación familiar y se encargará de otorgar beneficios a la población cesante que cumpla con los requisitos de acceso, con el fin de proteger a los trabajadores de los riesgos producidos por las fluctuaciones en los ingresos en periodos de desempleo.

Para acceder a este beneficio se deben cumplir los siguientes requisitos:

– No tener una fuente de ingreso porque se terminó el vínculo laboral o el contrato de prestación de servicios. En este sentido, no podrán recibir beneficios los trabajadores cesantes que, habiendo terminado una relación laboral, mantengan otra(s) vigente(s) o haya(n) percibido beneficios del FOSFEC, durante seis (6) meses continuos o discontinuos en los últimos tres años.

– Que se hayan realizado aportes a una Caja de Compensación Familiar durante un año continuo o discontinuo los últimos tres (3) años en caso de trabajadores dependientes y dos años continuos o discontinuos en los últimos tres (3) años, para independientes.

– Inscribirse en cualquiera de los servicios de empleo autorizados de la Caja de Compensación Familiar que promueven la reincorporación laboral

– Estar inscrito en programas de capacitación en los términos dispuestos por la reglamentación que expida el gobierno nacional, orientados a la reincorporación laboral.

– Los beneficios se pierden si no asiste a los servicios de colocación de empleo ofrecidos por las Cajas de Compensación o descarta o no culmina el proceso de formación para adecuar sus competencias básicas y laborales específicas.

– También si rechazan, sin causa justificada, la ocupación que le ofrezca el servicio público de empleo, siempre y cuando ella le permita ganar una remuneración igual o superior al ochenta por ciento (80%) de la última devengada en el empleo anterior, y no se deterioren las condiciones ofrecidas en su anterior trabajo.

– Ahora bien, para acceder al beneficio económico derivado del pago de ahorro voluntario de cesantías (que se explicará más adelante) debe acreditar unos requisitos adicionales: haber realizado un ahorro al mecanismo de protección al cesante por un mínimo del diez por ciento (10%) del promedio del salario mensual durante el último año para todos los trabajadores que devengan hasta dos (2) smmlv, y mínimo del veinticinco por ciento (25%) del promedio del salario mensual durante el último año, si el trabajador devenga más de dos (2) smmlv.

Ahora bien, el beneficio de protección al cesante tiene una duración:

– El pago de los beneficios al cesante terminará cuando los beneficios se hayan reconocido por seis (6) meses, cuando el beneficiario establezca nuevamente una relación laboral antes de transcurrir los seis (6) meses o incumpla con las obligaciones contraídas. Este término en el fondo busca que la persona se reincorporé al mercado laboral en un plazo máximo de seis (6) meses.

— En el caso de muerte del trabajador, el saldo existente del ahorro voluntario (que se explicará más adelante) proveniente de sus cesantías acrecerá la masa sucesoral.

Dicho esto, los beneficios que brinda este mecanismo son:

— Acceso al servicio público de empleo que es una herramienta de búsqueda de trabajo.

— Capacitaciones para el trabajo o desarrollo humano.

— Que se aporte durante su disfrute a los subsistemas de salud y pensiones sobre un ingreso base de un (1) smlmv.

— Continúan recibiendo cuota monetaria, en caso de haberla causado.

— Si opto, además, en caso de los trabajadores un ahorro voluntario de cesantías:

Este beneficio se otorga a los trabajadores dependientes que decidieron ahorran voluntariamente sus cesantías para disfrutar de este beneficio. Ellos deciden si el monto de sus cesantías lo destinarán a este beneficio que puede llegar hasta el cien por ciento (100%) de las mismas. Y a los que devenguen un salario integral y los independientes forma libre y voluntaria decidan afiliarse a las Administradoras de Fondos de Cesantías y destinar parcial o totalmente los recursos ahorrados, en el marco del Mecanismo de Protección al Cesante.

El traslado de estas se hará al momento que decidan disfrutar de este beneficio, es decir, a la culminación del vínculo laboral o contrato siempre y cuando así lo decidan. Para esto, la voluntad del trabajador se manifestará ante el empleador o ante la Caja de Compensación Familiar a la que esté afiliado o directamente ante la Administradora de Fondos de Cesantías correspondiente. Los empleadores y las Cajas de Compensación Familiar reportarán dentro de los tres (3) días siguientes a la decisión del trabajador, a la Administradora de Fondos de Cesantías que corresponda, la determinación que este adoptó sobre el uso de sus cesantías para el Mecanismo de Protección al Cesante. La Administradora de Fondos de Cesantías informará al trabajador dentro de los diez (10) días siguientes a la fecha de aplicación, que el registro de la decisión de ahorro voluntario para el Mecanismo de Protección al Cesante se hizo efectivo. En caso del independiente, le informarán directamente a su Caja o a la Administradora de Fondos de Cesantías.

Una vez incorporado el cesante en el registro de beneficiarios por haber acreditado los requisitos de ley, la Caja de Compensación Familiar respectiva lo informará por escrito a nombre del trabajador dependiente o independiente, dentro de los tres (3) días siguientes a la correspondiente Administradora de Fondo de Cesantías y le solicitará el traslado de los recursos ahorrados por el beneficiario para el Mecanismo de Protección al Cesante, junto con sus rendimientos.

La Administradora de Fondos de Cesantías realizará el traslado a la Caja de Compensación Familiar requiriente del ahorro y sus rendimientos. La Caja de Compensación Familiar procederá a liquidar el valor del beneficio monetario y junto con el ahorro y los rendimientos trasladados (que se calcularán como se explicará a continuación), los pagará al beneficiario conforme lo que haya indicado este en el formato de destinación de ahorro (en donde las partes libremente acuerdan cómo y a qué montos ascenderá lo que se reconocerá), en máximo seis (6) periodicidades. El pago se realizará a través de los mecanismos que utilice para reconocer la cuota monetaria de subsidio o cualquier otro que garantice la mayor agilidad para el disfrute del cesante.

El monto dinerario proveniente de este ahorro se reconocerá con cargo al FOSFEC y estará sujeto al tiempo de ahorro, al ingreso del trabajador y al monto porcentual que se le otorgue al trabajador, de acuerdo a lo establecido por el Decreto 135 de 2014.

Así, de acuerdo al artículo 10° del mencionado Decreto, el beneficio monetario proporcional que recibirán los trabajadores que voluntariamente realicen el ahorro de las cesantías, se determinará considerando lo siguiente:

1. Si el trabajador ahorra entre uno (1) y dos (2) años, recibirá el beneficio de acuerdo con el promedio de los salarios reportados en el último año a la Caja de Compensación Familiar, tal como se dispone en la siguiente tabla:

Ingresos del Trabajador	Beneficios (% de ahorro)
1 y hasta 2 smlmv	20%
Más de 2 y hasta 3 smlmv	19%
Más de 3 y hasta 4 smlmv	17%
Más de 4 y hasta 5 smlmv	16%
Más de 5 y hasta 6 smlmv	14%
Más de 6 y hasta 7 smlmv	12%

Ingresos del Trabajador	Beneficios (% de ahorro)
Más de 7 smlmv	10%

El porcentaje que se indica será lo que se le otorgará adicional al cesante en caso de optar por este beneficio y que se sumará a lo ahorrado por cesantías en caso de trabajadores dependientes o simplemente ahorrado en caso de independientes y dependientes que devenguen un salario integral.

2. Si el trabajador ha ahorrado entre dos (2) y tres (3) años, recibirá el beneficio de acuerdo con el promedio de los salarios reportados en el último año a la Caja de Compensación Familiar, así:

Ingresos del Trabajador	Beneficios (% de ahorro)
1 y hasta 2 smlmv	22%
Más de 2 y hasta 3 smlmv	21%
Más de 3 y hasta 4 smlmv	19%
Más de 4 y hasta 5 smlmv	18%
Más de 5 y hasta 6 smlmv	16%
Más de 6 y hasta 7 smlmv	14%
Más de 7 smlmv	12%

3. Si el trabajador ha ahorrado durante un periodo superior a tres (3) años, recibirá el beneficio de acuerdo con el promedio de los salarios reportados en el último año a la Caja de Compensación Familiar, así:

Ingresos del Trabajador	Beneficios (% de ahorro)
1 y hasta 2 smlmv	23,5%
Más de 2 y hasta 3 smlmv	22,5%
Más de 3 y hasta 4 smlmv	20,5%
Más de 4 y hasta 5 smlmv	19,5%
Más de 5 y hasta 6 smlmv	17,5%
Más de 6 y hasta 7 smlmv	15,5%
Más de 7 smlmv	13,5%

El porcentaje adicional que se reconoce a quien ha decidido ahorrar sus cesantías a la luz de este beneficio, premia la fidelidad en los aportes, y además es inversamente proporcional a los ingresos.

BIBLIOGRAFÍA

Cuerpos Normativos

- Acuerdo de paz suscrito entre delegados y delegadas del Gobierno Nacional, presidido por el expresidente Juan Manuel Santos y delegados y delegadas de las Fuerzas Armadas Revolucionarias de Colombia-Ejército del Pueblo
- Acuerdo 414 del año 2009 del Consejo Nacional de Salud
- Acto Legislativo 01 de 1936
- Acto Legislativo 01 de 2005
- Acto Legislativo 02 del año 2009
- Circular externa 015 de 2017 de la Superintendencia Financiera
- Código Procesal del Trabajo y la Seguridad Social, Decreto-Ley 2158 de 1948
- Código de Procedimiento Administrativo y de lo Contencioso Administrativo Código General del proceso, Ley 1564 de 2012
- Código Sustantivo del Trabajo
- Constitución Política de Colombia
- Convención Americana de Derechos Humanos
- Declaración Universal de los Derechos humanos
- Declaración Americana de los Derechos Humanos
- Decretos 1824 de 1965
- Decreto 3041 de 1966
- Decreto 770 del año 1975
- Decreto 784 de 1989
- Decreto 758 de 1990
- Decreto 412 del año 1992
- Decreto 718 de 1994
- Decreto 1160 de 1994
- Decreto 1161 de 1994
- Decreto 1231 de 1994
- Decreto 1290 de 1994
- Decreto 1295 de 1994
- Decreto 1757 de 1994
- Decreto 1772 del año 1994
- Decreto 1834 de 1994
- Decreto 2644 de 1994
- Decreto 832 de 1996
- Decreto 1530 de 1996
- Decreto 806 de 1998

- Decreto 917 de 1999
- Decreto 1730 de 2001
- Decreto 2463 de 2001
- Decreto 1607 de 2002
- Decreto 1703 de 2002
- Decreto 933 de 2003
- Decreto 272 de 2004
- Decreto 4640 de 2005
- Decreto 1507 de 2014
- Decreto 1889 de 2004
- Decreto 1011 del año 2006
- Decreto 600 de 2008
- Decreto 2190 del año 2009
- Decreto 2555 de 2010
- Decreto 019 del año 2012
- Decreto 575 de 2013
- Decreto 723 de 2013
- Decreto 1352 del año 2013
- Decreto 2462 del año 2013
- Decreto 2616 del año 2013
- Decreto 3032 del año 2013
- Decreto 135 de 2014
- Decreto 288 de 2014
- Decreto 1507 de 2014
- Decreto 055 de 2015
- Decreto 057 del año 2015
- Decreto 1072 de 2015
- Decreto 2353 de 2015
- Decreto 780 de 2016
- Decreto 1833 del año 2016
- Decreto 682 del año 2018
- Decreto 1273 del año 2018
- Decreto 2058 del año 2018
- Estatuto Tributario
- Ley 82 de 1912
- Ley 75 de 1925
- Ley 6 de 1945
- Ley 90 de 1946
- Ley 74 de 1968.

- Ley 21 de 1982
- Ley 89 de 1988
- Ley 54 de 1990
- Ley 4ta de 1992
- Ley 100 de 1993
- Ley 319 de 1996
- Ley 691 de 2001
- Ley 712 de 2001
- Ley 715 de 2001
- Ley 776 de 2002
- Ley 789 de 2002
- Ley 633 del año 2000
- Ley 797 de 2003
- Ley 860 de 2003
- Ley 920 del año 2004
- Ley 1122 del año 2007
- Ley 1328 de 2009
- Ley 1438 de 2011
- Ley 1450 de 2011
- Ley 1505 del año 2012
- Ley 1562 de 2012
- Ley 1574 de 2012
- Ley 1580 de 2012
- Ley 1636 del año 2013
- Ley 1751 de 2015
- Ley 1753 de 2015
- Ley 1780 del año 2016
- Ley 1819 de 2016
- Ley estatutaria de salud 1751 de 2015
- Pacto Internacional de Derechos Civiles y Políticos (PIDCP).
- Pacto Internacional de Derechos Económicos, Sociales y Culturales (PIDESC).
- Protocolo Adicional a la Convención Americana sobre derechos humanos en materia de derechos económicos, sociales y culturales, "Protocolo de San Salvador"
- Resolución 5592 de 2015 Ministerio de Salud y de la Protección Social

Doctrina

Antioquia, U. d. (31 de enero de 2015). *Docencia Universidad de Antioquia.* Obtenido de http://docencia.udea.edu.co/derecho/constitucion/derechos_sec.html: http://docencia. udea.edu.co/derecho/constitucion/derechos_sec.html

Arenas, G. (2011). *El derecho colombiano de la Seguridad Social.* Bogotá, Colombia: Legis.

Asocajas.   (s.f.).   *http://www.asocajas.org.co/index.php?option=com_ content&view=article&id=195:la-salud-y-las-cajas-de-compensacion-familiar&Itemid=156*. Recuperado el 15 de septiembre de 2015, de http://www. asocajas.org.co/index.php?option=com_content&view=article&id=195:la-salud-y-las-cajas-de-compensacion-familiar&Itemid=156: http://www.asocajas.org.co/index. php?option=com_content&view=article&id=195:la-salud-y-las-cajas-de-compensacion-familiar&Itemid=156

Barreto, M. (1997). *Constitución Política de Colombia. Título II: De los derechos, las garantías y los deberes.* Bogotá: Comisión Colombiana de Juristas.

Castillo Cadena, F. (2006). *"El problema de convertir principios en derechos reales es que ello cuesta. La eficiencia de los derechos sociales, como los de la seguridad social, es claro, está sujeta a la restricción presupuestaria del Estado".* Universitas Javeriana.

Castillo, F. (2011). *Problemas actuales de Seguridad Social. La pensión de vejez en el régimen de ahorro individual.* Grupo Editorial Ibañez.

Cortes Hernández, O. I. (2011). *Derecho de la Seguridad Social.* Bogotá: Librería Ediciones del profesional LTDA.

Cortés, J. C. (2012). *Estructura de la Protección Social en Colombia.* Bogotá: Legis.

Cortés, J. C. (2015). *Ley estatutaria de salud. Comentarios a la ley 1751 de 2015.* (1ª edición ed.). Bogotá, Colombia: Legis.

Dueñas Ruiz, Ó. J. (2007). *Las pensiones: Teorías, Normas y Jurisprudencia.* (3ª ed.). Bogotá: Librería ediciones del profesional Ltda.

Etala, C. A. (2007). *Derecho de la seguridad social sistema integrado de las jubilaciones y pensiones cobertura de riesgos del trabajo obras sociales asignaciones familiares desempleo tercera edición actualizada y ampliada.* Astrea.

Goyes Moreno, I., & Hidalgo Oviedo, M. (2012). *¿Los principios del derecho laboral y la seguridad social dinamizan la jurisprudencia constitucional en Colombia?* Entramado. Universidad Libre. Vol. 8 Núm. 2.

Jaramillo, I. (2010). *Principios Constitucionales y legales del derecho del trabajo en Colombia* (2ª Edición ed.). Bogotá: Legis.

López Villegas, E. (2011). *Seguridad Social. Teoría Critica. Tomo 1, 1ª (ed.).* Medellín: Universidad de Medellín.

Mendiazabal, M. (2014). *El sistema Español de Seguridad Social (Especial referencia a las pensiones). Estudios Sobre Seguridad Social. Organización Iberoamericana de Seguridad Social.* Obtenido de http://www.oiss.org/IMG/pdf/Libro_OISS_60_aniversario_web.pdf

Mesa-Lago. (2004). *Las reformas de pensiones en América Latina y su impacto en los principios de la seguridad social.* Naciones Unidas. CEPAL.

Ministerio de la Protección Social. (s.f.). *http://salud.univalle.edu.co/pdf/evento_promesa/ aps_secretarios_de_salud_municipales.pdf.* Recuperado el 4 de septiembre de 2015, de http://salud.univalle.edu.co/pdf/evento_promesa/aps_secretarios_de_salud_municipales. pdf: http://salud.univalle.edu.co/pdf/evento_promesa/aps_secretarios_de_salud_municipales.pdf

Muñoz Segura, A. M. (2010). *La reforma constitucional de 1936 y el camino hacia la construcción de la seguridad social..* Bogotá: Universitas.

Muñoz Segura, A. M. (s.f.). *Servicios Sociales Complementarios En Colombia.* Obtenido de http://ilo.org/wcmsp5/groups/public/---americas/---ro-lima/---sro-lima/documents/publication/wcms_510742.pdf.

Narvaéz, J. (2008). *Régimen Pensional y Seguros Privados.*. Bogotá: Librería Ediciones del Profesional Ltda.

Nugent, R. (2006). *Estudios de derecho del trabajo y de la seguridad social.* Perú: Universidad de San Martín de Porres Fondo Editorial.

Organización de los Estados Americanos. (s.f.). *http://www.oas.org/.* Recuperado el 24 de julio de 2015, de http://www.oas.org/: http://www.oas.org/

Rodríguez, R. (2015). *Estudios sobre Seguridad Social. Universidad del Norte.*. Bogotá: Editorial Universidad del Norte.

Superintendencia Financiera, Circular Externa 015 (Superintendencia Financiera 2017).

United for Human Rights. (s.f.). *United fot Human Rights.* Recuperado el 24 de julio de 2015, de United fot Human Rights: www.humanrights.com

Jurisprudencia

Aclaración y salvamento de voto, Manuel José Cepeda Espinosa, Rodigo Escobar Gil y Rodrigo Uprimny Yepes., Sentencia de Constitucionalidad C-754 de 2004 (2004).

C.P. Ana Margarita Olaya, Radicado 16716 (Consejo de Estado, Sala de lo Contencioso Administrativo, Sección Segunda. 10 de febrero de 2000).

C.P. César Palomino Cortés, Sentencia 03403 de 2018 Consejo de Estado (Consejo de Estado. Sección Segunda. Subsección B 2018).

C.P. César Palomino Cortés, Radicado 2012-143 (Consejo de Estado 2018).

C.P. Dolly Pedraza de Arenas. (Consejo de Estado, Sala de lo Contencioso Administrativo, Sección Segunda. 10 de abril de 1997).

C.P. Gerardo Arenas Monsalve, Radicación número: 25000-23-25-000-2002-11774-01(0195-08) (Consejo de Estado. Sección Segunda. Subsección B 2009).

C.P. Jesús María Lemos Bustamanete, 88001-23-31-000-2003-04678-01 4678-05 (Consejo de Estado 5 de octubre de 2006).

C.P. Luis Rafael Vergara Quintero, Radicación número: 25000-23-25-000-2005-03714-01(1014-09) (Consejo de Estado. Sección Segunda. 2010).

M.P. Alberto Rojas Ríos, T-074 de 2016 (Corte Constitucional 2016).

M.P. Alejandro Linares Cantillo, T-093 de 2016 (Corte Constitucional 2016).

M.P. Alejandro Linares Cnatillo, C-066 de 2016 (Corte Constitucional 2016).

M.P. Alejandro Martínez Caballero, T-313 de 1995 (Corte Constitucional 1995).

M.P. Alejandro Martínez Caballero, C-251 de 1997 (Corte Constitucional 1997).

M.P. Alejandro Martínez Caballero, C-080 de 1999 (Corte Constitucional 1999).

M.P. Alexei Julio Estrada, T-729 de 2012 (Corte Constitucional 2012).

M.P. Alfredo Beltran Sierra, C-1056 de 2003 (Corte Constitucional 2003).

M.P. Álvaro Tafur Gálvis, C-111 de 2000 (Corte Constitucional 2000).

M.P. Álvaro Tafur Galvis, T-108 de 2003 (Corte Constitucional 2003).

M.P. Álvaro Tafur Galvis, C-754 de 2004 (Corte Constitucional 2004).

M.P. Álvaro Tafur Galvis, C-543 de 2007 (Corte Constitucional 2007).

M.P. Camilo Humberto Tarquino Gallego, Radicado 36023 (Corte Suprema de Justicia. Sala Laboral 2009).

M.P. Camilo Tarquino Gallego.), Radicado 33318 (Corte Suprema de Justicia. Sala Laboral 2008).

M.P. Carlos Bernal Pulido, Su 005 del año 2018 (Corte Constitucional 2018).

M.P. Carlos Ernesto Molina Monsalve, Radicado 38674 (Corte Suprema de Justicia. Sala Laboral 2012).

M.P. Carlos Ernesto Molina Monsalve, Radicado 46411 (Corte Suprema de Justicia. Sala Laboral 2014).

M.P. Carlos Gaviria Díaz, C-926 de 2000 (Corte Constitucional 2000).

M.P. Ciro Angarita Barón, T-492 (Corte Constitucional 1992).

M.P. Clara Cecilia Dueñas Quevedo, SL11042-2014 Radicación n.° 56331 (Corte Suprema de Justicia. Sala Laboral 2014).

M.P. Clara Inés Vargas Hernández, C-336 de 2008 (Corte Constitucional 2008).

M.P. Clara Inés Vargas, C-451 de 2005 (Corte Constitucional 2005).

M.P. Clara Inés Vargas, T-050 de 2007 (Corte Constitucional 2007).

M.P. Clara Inés Vargas Hernández, C-336 de 2008 (Corte Constitucional 2008).

M.P. Clara Inés Vargas, T-701 de 2008 (Corte Constitucional 2008).

M.P. Clara Inés Vargas Hernández, T-859 de 2004 (Corte Constitucional 2004).

M.P. Clara Inés Vargas Hernández, T-595 de 2006 (Corte Constitucional 2006).

M.P. Clara Inés Vargas Hernández, C-1027 de 2002 (Corte Constitucional 2007).

M.P. Clara Inés Vargas Hernández, C-521 de 2007 (Corte Constitucional 2007).

M.P. Eduardo López Villegas, Radicado 25919 (Corte Suprema de Justicia. Sala Laboral 2005).

M.P. Eduardo López Villegas, Radicado 32765 (Corte Suprema. Sala Laboral 2008).

M.P. Eduardo López Villegas, Radicado 35229 (Corte Suprema de Justicia. Sala Laboral 2008).

M.P. Eduardo López Villegas, Radicado 35455 de 2009 (Corte Suprema de Justicia. Sala Laboral 10 de febrero de 2009).

M.P. Eduardo Mendoza Martelo, T-566 de 2009 (Corte Constitucional 2009).

M.P. Elsy de Pilar Cuello Calderón, Radicado 59763 (Corte Suprema de Justicia. Sala Laboral 2014).

M.P. Elsy del Pilar Cuello Calderón, Radicado 35319 (Corte Suprema de Justicia. Sala Laboral 2012).

M.P Fernando Castillo Cadena y Gerado Botero Zuluaga, 533649 (Corte Suprema de Justicia Sala de Casación Laboral 25 de enero de 2017).

M.P. Francisco Javier Ricaurte, Radicado 35156 (Corte Suprema de Justicia. Sala Laboral 2010).

M.P. Gabriel Eduardo Mendoza Martelo, T-920 de 2009 (Corte Constitucional 2009).

M.P. Gabriel Eduardo Mendoza Martelo, T-048 de 2010 (Corte Constitucional 2010).

M.P. Gabriel Eduardo Mendoza Martelo, C-440 de 2011 (Corte Constitucional 2011).

M.P. Gabriel Eduardo Mendoza Martelo, Su 130 de 2013 (Corte Constitucional 2013).

M.P. Gabriel Eduardo Mendoza Martelo, C-313 de 2014 (Corte Constitucional 29 de mayo de 2014).

M.P. Gloria Stella Ortiz Delgado, T-314 de 2016 (Corte Constitucional 2016).

M.P. Gustavo Gnecco Mendoza, Radicado 40055 (Corte Suprema de Justicia. Sala Laboral 2011).

M.P. Gustavo José Genecco Mendoza, Radicado 37254 (Corte Suprema de Justicia. Sala Laboral 2010).

M.P. Gustavo José Gnecco, Radicado 19663 (Corte Suprema de Justicia. Sala Laboral 2003).

M.P. Gustavo José Gnecco Mendoza, Radicado 25069 (Corte Suprema de Justicia. Sala Laboral 2006).

M.P. Gustavo José Gnecco Mendoza, Radicado 33210 (Corte Suprema de Justicia. Sala Laboral 2008).

M.P. Gustavo José Gnecco Mendoza, Radicado 35760 (Corte Suprema de Justicia. Sala Laboral 2009).

M.P. Gustavo José Gnecco Mendoza, Radicación No. 39830 (Corte Suprema de Justicia. Sala Laboral 2011).

M.P. Humberto Antonio Sierra Porto, C-834 de 2007 (Corte Constitucional 2007).

M.P. Humberto Antonio Sierra Porto, T-090 de 2009 (Corte Constitucional 2009).

M.P. Humberto Sierra Porto, T-016 de 2007 (Corte Constitucional 2007).

M.P. Humberto Sierra Porto, Su 062 de 2010 (Corte Constitucional 2010).

M.P. Isaura Vargas Díaz, Radicado 29063 (Corte Suprema de Justicia. Sala Laboral. 2007).

M.P. Jaime Araújo Rentería, T-818 de 2007 (Corte Constitucional 2007).

M.P. Jaime Córdoba Triviño, C-797 de 2004 (Corte Constitucional 2004).

M.P Jaime Córdoba Triviño, C-653 de 2003 (Corte Constitucional 2003).

M.P Jaime Córdoba Triviño, C-1049 de 2003 (Corte Constitucional 2003 de Jaime Córdoba Triviño).

M.P. Jorge Ignacio Pretelt, C-258 de 2013 (Corte Constitucional 2013).

M.P. Jorge Ignacio Pretelt Chaljub, C-633 de 2009 (Corte Constitucional. 2009).

M.P. Jorge Ignacio Pretelt Chaljub, T-584 de 2011 (Corte Constitucional 2011).

M.P. Jorge Ignacio Pretelt Chaljub, C-197 de 2012 (Corte Constitucional 14 de marzo de 2012).

M.P. Jorge Ignacio Pretelt Chaljub, T-124 de 2012 (Corte Constitucional 2012).

M.P. Jorge Ignacio Pretelt Chaljub, C-258 de 2013 (Corte Constitucional 2013).

M.P. Jorge Ignacio Pretelt Chaljub, T-046 de 2016 (Corte Constitucional 2016).

M.P. Jorge Iván Palacio Palacio, T-146 de 2016 (Corte Constitucional 2016).

M.P. Jorge Mauricio Burgos, SL8811-2016 (Corte Suprema de Justicia Sala Laboral 2016).

M.P. Jorge Mauricio Burgos Ruíz, Radicado 43136 (Corte Suprema de Justicia Sala Laboral 2012).

M.P. Jorge Mauricio Burgos Ruíz, Radicado 40456 (Corte Suprema de Justicia. Sala Laboral 2012).

M.P. Jorge Mauricio Burgos Ruíz, Radicado 42540 (Corte Suprema de Justicia. Sala Laboral 2012).

M.P. Jorge Mauricio Burgos Ruíz, Radicado 42578 (Corte Suprema de Justicia. Sala Laboral 2012).

M.P. Jorge Mauricio Burgos Ruíz, SL-37072017 (56877) (Corte Suprema de Justicia. Sala Laboral 15 de marzo de 2017).

M.P. Jorge Pretelt Chaljub, T-491 de 2010 (Corte Constitucional 2010).

M.P. José Roberto Herrera Vergara, Radicado 11245 (Corte Suprema de Justicia. Sala Laboral 1999).

M.P. Juan Carlos Henao, C-574 de 2011 (Corte Constitucional 2011).

M.P. Luis Ernesto Vargas Silva, T-823 de 2010 (Corte Constitucional 2010).

M.P. Luis Ernesto Vargas Silva, C-382 de 2012 (Corte Constitucional 2012).

M.P. Luis Ernesto Vargas Silva, T-333 de 2013 (Corte Constitucional 2013).

M.P. Luis Ernesto Vargas Silva, T-832A de 2013 (Corte Constitucional 2013).

M.P. Luis Gabriel Miranda Buelvas, STL 17201 Radicación n.° 41956 (Corte Suprema de Justicia. Sala Laboral 2015).

M.P. Luis Gabriel Miranda Buelvas, Radicado 53438 (Corte Suprema de Justicia. Sala Laboral 2015).

M.P. Luis Gabriel Miranda Buelvas, Radicado 41956 (Corte Suprema de Justicia. Sala Laboral 2015).

M.P. Luis Guillermo Guerrero Pérez, T-681 de 2013 (Corte Constitucional 2013).

M.P. Luis Javier Osorio López, Radicado 31025 (Corte Suprema de Justicia. Sala Laboral 2007).

M.P. Luis Javier Osorio López, Radicado 35853 (Corte Suprema de Justicia. Sala Laboral 2009).

M.P. Manuel José Cepeda, T-007 de 2009 (Corte Constitucional 16 de enero de 2009).

M.P. Manuel José Cepeda Espinosa, T-168 de 2007 (Corte Constitucional 2007).

M.P. Manuel José Cepeda Espinosa, T-760 de 2008 (Corte Constitucional 31 de julio de 2008).

M.P. Marco Gerardo Monroy Cabra, T-049 de 2002 (Corte Constitucional 2002).

M.P. Marco Gerardo Monroy Cabra, T-290 de 2005 (Corte Constitucional 2005).

M.P. Marco Gerardo Monroy Cabra, T-008 de 2006 (Corte Constitucional 2006).

M.P. María Victoria Calle, T-427 de 2012 (Corte Constitucional 2012).

M.P. María Victoria Calle, SU-442 de 2016 (Corte Constitucional 2016).

M.P. María Victoria Calle Correa, T-885 de 2011 (Corte Constitucional 2011).

M.P. María Victoria Calle Correa, T-563 de 2012 (Corte Constitucional 2012).

M.P. María Victoria Calle Correa, T-327 de 2014 (Corte Constitucional 2014).

M.P. María Victoria Calle Correa, C-020 de 2015 (Corte Constitucional 2015).

M.P. María Victoria Calle Correa, C-651 de 2015 (Corte Constitucional 2015).

M.P. María Victoria Calle Correa, T-315 de 15 (Corte Constitucional 22 de mayo de 2015).

M.P. Martha Victoria Sáchica Méndez, Tutela 010 de 2015 (Corte Constitucional 16 de enero de 2015).

M.P. Mauricio González Cuerto, T-737 de 2011 (Corte Constitucional 29 de septiembre de 2011).

M.P. Mauricio González Cuervo, C-428 de 2009 (Corte Constitucional 2009).

M.P. Mauricio González Cuervo, T-640 de 2013 (Corte Constitucional 2013).

M.P. Mauricio González Cuervo, T-078 de 2014 (Corte Constitucional 2014).

M.P. Mauricio González Cuervo, T-150 de 2014 (Corte Constitucional 2014).

M.P Nilson Pinilla Pinilla, T-001 de 2009 (Corte Constitucional 2009).

M.P. Nelson Pinilla Pinilla, C-556 de 2009 (Corte Constitucional 2009).

M.P. Nilson Pinilla Pinilla, T-561 de 2010 (Corte Constitucional 2010).

M.P. Nilson Pinilla Pinilla, T-453 de 2011 (Corte Constitucional 2011).

M.P. Nilson Pinilla Pinilla, C-589 de 2012 (Corte Constitucional 2012).

M.P. Nilson Pinilla Pinilla, T-595 de 2012 (Corte Constitucional 2012).

M.P. Nilson Pinilla Pinilla, T-228 de 2014 (Corte Constitucional 3 de abril de 2014).

M.P. Rodrigo Escobar Gil, C-789 de 2002 (Corte Constitucional 2002).

M.P. Rodrigo Escobar Gil, T-699A de 2007 (Corte Constitucional 2007).

M.P. Rodrigo Escobar Gil, T-052 de 2008 (Corte Constitucional 28 de octubre de 2008).

M.P. Rodrigo Escobar Gil, T-952 de 2008 (Corte Constitucional 2008).

M.P. Vladimiro Naranjo Mesa, C-596 de 1997 (Corte Constitucional 1997).